Дарья **Донцова**

Записки
безумной
оптимистки

АВТОБИОГРАФИЯ

• • •

"Записки безумной оптимистки"

«Прочитав огромное количество печатных изданий, я, Дарья Донцова, узнала о себе много интересного. Например, что я была замужем десять раз, что у меня искусственная нога... Но более всего меня возмутило сообщение, будто меня и в природе-то нет, просто несколько предприимчивых людей пишут иронические детективы под именем «Дарья Донцова».
Так вот, дорогие мои читатели, чаша моего терпения лопнула, и я решила написать о себе сама».

Дарья Донцова открывает свои секреты!

Читайте романы
примадонны иронического детектива
Дарьи Донцовой

Дарья Донцова

Канкан на поминках

Москва

ЭКСМО

2 0 0 4

ИРОНИЧЕСКИЙ ДЕТЕКТИВ

Друга не надо просить ни о чем,
С ним не страшна беда,
Друг — это третье твое плечо,
Будет с тобой всегда.

Популярная песня 70-х годов

ГЛАВА 1

Погоде, как и человеку, свойственны перепады настроения. Если утром вы, едва сдерживая слезы, ползете на службу, а в обеденный перерыв, радостная и счастливая, несетесь в ближайший магазин за новой кофточкой, то отчего на небе всегда должно быть солнце? Но нынешний сентябрь побил все рекорды. У природы просто приключился климакс. В восемь утра из огромных, угрожающе черных туч, мрачно нависших над Москвой, лил тропический ливень. За окно не хотелось даже смотреть. Я выгнала собачью свору во двор буквально пинками. Стаффордширская терьерица Рейчел, грустно глянув на хозяйку карими глазами с поволокой, побрела по лужам на детскую площадку. Там расположен «грибок», и хитрая Рейчел решила пописать с полным комфортом под навесом. Она только не учла, что идти до укрытия придется по холодным лужам. Двортерьер Рамик выскочил под дождь и понесся вдоль двора, разбрызгивая жидкую грязь. Рамику все равно, снег, град или камни сыплются с неба, он в любом случае начнет бегать по газонам со счастливым лаем. А вот Муля и Ада, две толстенькие коротколапые мопсихи, повели себя по-иному. Сначала они просто сели у входа и даже не пошевелились, услыхав мои вопли:

— Гулять, ну, идите гулять!..

А когда я попыталась вытолкнуть их жирные туши на улицу силой, они легли и расслабились. Поднять-то с пола два десятикилограммовых тельца с полностью размякшими мышцами очень трудно. Да еще стоило подхватить Мулю, как Ада падала на коврик, а подняв Аду, я роняла Мулю...

Наконец, собрав все силы, я сумела вытолкать наглую Адку под струи воды, повернулась к Муле и обнаружила, что та, не растерявшись, предпочла налить лужу на коврике, внутри сухого и теплого подъезда. Выбросив половик наружу, я пригрозила Муле кулаком:

— Ну, погоди!

Но мопсиха довольно ухмыльнулась, понимая, что ее теперь не выпихнут под ливень.

Одевшись потеплей в кожаную черную куртку, джинсы и кроссовки, я поехала на работу. Но когда ровно в девять вышла из подземки на улицу, солнце шпарило вовсю, а небо радовало глаз яркой голубизной и полным отсутствием облаков. Как такой пердюмонокль мог приключиться за один час!

Чувствуя, как по спине бегут струйки пота, я добралась до знакомых дверей и нырнула в нутро подвала.

По образованию я, Евлампия Романова, арфистка, в свое время закончила Московскую консерваторию, пыталась концертировать, но никакого успеха не снискала. Я вышла замуж за довольно обеспеченного человека, Михаила Громова, и несколько лет тупо просидела дома... Потом случился фейерверк невероятных событий. Супруга арестовали, он оказался мошенником и убийцей, причем его очередной жертвой должна была стать я... Стоит ли говорить о том, что я мигом подала на развод? Сейчас живу вместе со своей ближайшей подругой Катюшей Романовой. Мы не родственники, просто однофамильцы. Катюша работает хирургом, год тому назад ее пригласили в США, куда она и отправилась вместе со своим старшим сыном Сергеем и его женой Юлей. Младший, Кирюшка, вместе со всей живностью: собаками, общим числом четыре штуки, кошками, их на одну меньше, всего три, и жабой Гертрудой — остался со мной. Вернее, сначала он отправился с Катюшей, но быстро разочаровался в американском образе жизни и вернулся домой.

— Одно скажу тебе, Лампа, — со вздохом сообщил Кирка, разложив чемодан, — хорошо у них там, всего полно, зарплата у матери громадная, только люди кругом сплошь идиоты. Про «Спартак» не слышали, в лапту не играют, и в восьмом классе деление в столбик проходят. Уроды, одним словом. Лучше уж при тебе побуду, покуда мамонька зарабатывает!

Я была рада его возвращению, своих детей у меня нет, поэтому старательно воспитываю тех, кого бог послал уже готовыми: Кирюшку и Лизу. И если с Кирюшкой вы уже разобрались, то объяснить, откуда в нашей семье появилась четырнадцатилетняя Лиза, достаточно сложно.

Все началось с визита на биржу труда. Дело в том, что подыскать мне работу оказалось практически невозможно. Дамы бальзаковского возраста, не обладающие никакими навыками, кроме весьма посредственного умения нащипывать арфу, не пользуются ажиотажным спросом на рынке труда. Видели бы вы, как вытянулись лица у сотрудников биржи, когда на вопрос:

— Ваше образование?

Они получили быстрый ответ:

— Московская консерватория по классу арфы.

Мне мигом предложили обучиться другой профессии. Только не в коня корм. Бухгалтера из меня не вышло, впрочем, это было ясно с самого начала. Всю жизнь, складывая семь и восемь, я получаю разный результат. Когда четырнадцать, когда шестнадцать, изредка восемнадцать. И парикмахера из меня не получилось, ножницы все время вываливались из рук, и в конце концов я проткнула ими себе ногу. Но самая сокрушительная неудача поджидала на ниве компьютерной техники. Я пошла на курсы, научилась включать и выключать машину, но, когда дело дошло до работы в системе «Ворд», экран мигом начинал покрываться «окнами» и зависать. Так я и не освоила компьютер.

Катюша вообще не хотела даже слышать о моей работе.

— Лампуша, — ласково щебетала она, — зачем тебе работа? Денег нам хватит. Сиди дома, готовь обед, веди хозяйство.

Самым честным образом я попробовала стать домашней хозяйкой. Варганила невероятные супы: буйабес, протертый крем из бычьих хвостов, луковый на гренках... Запекала мясо, лепила пироги и сооружала торты... Мне хватило года, чтобы понять: хуже домашнего рабства ничего нет. Только что вымытая посуда через час вновь оказывается грязной в мойке, выглаженные рубашки мигом мнутся, на тщательно отполированные книжные полки оседает пыль, а выпеченная кулебяка с мясом исчезает в мгновение ока, и вечером домашние издают недовольные гудки:

— Где еда? Лампа! Почему нет котлеток?!

И к тому же они все целыми днями пропадали на работе и в школе, а когда я носилась по квартире с пылесосом, шваброй и дрожжами, этого никто не видел. Зато вечером все наблюдали, как я, уютно устроившись в кресле, читала очередной детектив.

— Хорошо тебе, — вздыхала Юлечка, — никакого начальства! Слышь, Лампуша, сделай милость, пришей мне на кофточку пуговицы. Все равно целый день дома сидишь, ничего не делаешь!

Но искать работу меня заставило не только ощущение того, что я выгляжу в глазах у всех лентяйкой. Как-то очень дискомфортно было лазить в деревянную коробочку с видом Москвы на крышке, куда домашние засовывали заработанные рубли. И хотя тратила я их исключительно на хозяйственные нужды, стойкое ощущение того, что пользуюсь результатами чужого труда, не оставляло меня ни на минуту.

Поразмыслив немного, я взялась за поиски работы. Чего я только не делала! Служила в детективном агентстве, играла на свадьбах в составе «джазбанда» и даже нанялась домработницей в богатый дом писателя

Кондрата Разумова. Именно в результате последнего занятия я и получила Лизу. Девочка — дочь Кондрата. Литератор был убит, а других родственников у Лизы не осталось. Девочку собрались отправить в детский дом. Мы с Катюшей не могли позволить, чтобы она оказалась в приюте... С большим трудом, при помощи ближайшего друга Володи Костина, работающего в милиции, мы оформили опеку над Лизаветой.

В домработницы я больше не нанималась, теперь работаю почти по профилю, преподаю музыку в клубе «Светлячок». Мои ученики — семилетние малыши, не посещающие детский сад или школу. Руководство клуба гордо именует эти занятия — «Эстетическое развитие ребенка дошкольного возраста». На самом деле мы минут пятнадцать ходим хороводом, потом поем про березку и зайчика и пытаемся выучить ноты. Может, я отвратительный педагог, а может, дети подобрались не слишком сообразительные, но коллектив прочно застрял на фа, причем у меня подозрение, что до, ре и ми они уже позабыли.

Отстучав на пианино положенное время, я вышла к родителям и принялась безудержно хвалить их детей.

Директор «Светлячка», хитрый Роман Ломов, в самую первую неделю моей работы, услыхав, как я сказала маме Олечки Носовой: «Ваша девочка не готова к уроку, она не выучила задание», зазвал меня в свой кабинет и сделал внушение:

— Дорогая Евлампия Андреевна, — ласково пел он, — у нас не школа, а частный клуб. Родители платят деньги за обучение, поэтому никаких критических слов в адрес их чадушек. Все они гениальны невероятно, просто Моцарты.

— Но как же, — начала я заикаться, — она не выучила.

Роман хмыкнул:

— В наши обязанности не входит заставлять детей зазубривать нотную грамоту!

— Да? — совершенно растерялась я. — Какая тогда у нас цель?

— Заработать себе на хлеб с сыром, — спокойно пояснил Ломов, — будете ругать ребят, родителям это не понравится, и денежки накроются. Компренэ?

— Ага, поняла, — ответила я и с тех пор заливаюсь соловьем после каждого занятия.

Лентяйка Носова, ни разу не раскрывшая дома тетрадь с нотами, полностью лишенный музыкального слуха Миша Горский, косолапый Сеня Мячиков, обладательница хриплого, простуженного баса и огромных аденоидов Лена Морозова — все они необыкновенно талантливы, трудолюбивы, умны, хороши собой, чудно поют, великолепно танцуют, а уж сольфеджио освоили как никто другой. Ничего, что только до фа добрались. Словом, Моцарты, Шостаковичи и Шнитке в одном флаконе.

— Ни разу не встречала таких детей! — закатываю я глаза перед вспотевшими от удовольствия мамами и бабушками. — Потрясающие личности!

Результат хитрой политики Романа налицо. В «Светлячок» косяком рвутся клиенты. Впрочем, говоря о потрясающих личностях, я не кривлю душой. Меня действительно потрясает, ну как можно петь простенькую песенку про елочку и постоянно попадать между нот? Иногда страстно хочется надрать уши лентяйке Носовой или отшлепать Веню Комарова, когда он в момент исполнения хором тихой, камерной мелодии вдруг раскрывает огромный рот и начинает голосить на едином дыхании во всю мощь легких отлично откормленного ребенка:

— А-а-о-о-у-у...

И еще есть Петя Кочергин, стреляющий жеваной бумажкой, Лада Веснина, постоянно выдувающая пузыри из жвачки, и регулярно икающий Никита Сомов. Последний может еще шумно испортить воздух и громко заявить:

— Какать хочу!

Наверное, они просто очень маленькие, но, с другой стороны, я в семь лет уже посещала две школы, общеобразовательную и музыкальную, сидела по три часа за инструментом и никогда не жаловалась, как Оля Носова, подсовывающая мне к лицу измазанную ладошку:

— Пальчики устали, писать не буду!

Просто я не создана для работы учительницей, честно говоря, никакого умиления при виде группы я не испытываю. Держит меня в клубе только зарплата. За месяц работы Роман, искренне гордящийся тем, что у него служит дама с консерваторским образованием, выдает мне шесть тысяч рублей. Кстати, и на родителей сообщение о дипломе преподавательницы действует безотказно.

Оттарабанив положенное число минут, я вылезла наружу и увидела стену дождя. До метро добралась, промочив ноги и замерзнув. Но это были еще не все неприятности.

Сначала я очень долго рылась в сумке, разыскивая кошелек. Не найдя портмоне, кое-как упросила дежурную пропустить меня даром. В вагоне не нашлось свободного места, и я тряслась стоя, чувствуя, как начинает ныть поясница. Уже делая переход на «Тверскую», не заметила развязавшегося шнурка кроссовки, наступила на него и мигом упала прямо на ступеньки. Шедший сзади мужчина с огромной сумкой споткнулся и рухнул сверху, придавив меня своими ста килограммами. Колесо тележки проехалось по джинсам, и они мигом лопнули. В придачу открылась моя сумка, и все мелочи разлетелись по ступенькам. Я принялась ползать между ногами равнодушно шагающих людей и собирать ключи, расчески, платок, детектив Поляковой, упаковку жвачки... Внезапно попался кошелек. Я уставилась на него во все глаза. А он откуда взялся? Только же перерыла всю сумку в поисках портмоне...

— Чего села? — завопила толстая баба с огромным

пакетом. — Пьяная? Или на жизнь просишь? А ну вали отсюда, люди торопятся!

Кое-как взобравшись по лестнице вверх, я подумала: «Неужели я похожа на нищенку?» Нет, просто противная тетка сказала гадость по привычке. На мне вполне приличная куртка цвета хаки, сделанная трудолюбивыми корейцами, и кроссовки, произведенные их же руками. Джинсы, правда, прикидываются американскими, и на коленке зияет прореха, но в остальном я выгляжу более чем прилично. Но тут мой взгляд наткнулся на тетку, подпиравшую стену. На руках попрошайки болезненным сном спал крохотный ребятенок, а ее грудь украшала табличка: «Люди добрые, памагите, кто сколько сможит рибенку на опирацию». На нищенке были точь-в-точь такая же куртка, как на мне, даже цвет совпадал, и очень похожие джинсы с кроссовками. Правда, брюки у нее, в отличие от моих, оказались целыми. Чувствуя себя униженной донельзя, я влезла в вагон, встала у двери, и все пассажиры мигом уставились на дырку, в которой сверкала голая коленка.

Потом у метро в ларьке кончился хлеб, а в вагончике с молочными продуктами говорливая продавщица всунула в мой пакет пачку масла, которая при ближайшем рассмотрении, хоть ее и украшала надпись «Анкор», оказалась непонятного производства и явно испорченная. Но я обнаружила обман только дома. Наверное, нужно было вернуться и устроить скандал, но, честно говоря, просто не хватило сил.

Однако цепь неприятностей на этом не закончилась. Решив сделать шарлотку — пирог, который способен испечь даже однорукий годовалый младенец, я разбила три яйца, вылила их в миску, а потом, случайно задев ее, опрокинула на пол. Желтая лужа разлилась по линолеуму, мои глаза наполнились слезами. Ну что за день такой! Вроде и не тринадцатое число, и не пятница... Естественно, больше в доме яиц не было, а предварительно нарезанные яблоки начали быстро темнеть.

Решив переломить злую судьбу, я сгоняла к соседке, притащила новые яйца, вмиг сделала тесто и запихнула пирог в духовку.

Маленькая победа над обстоятельствами меня окрылила, и я, слегка повеселев, включила телевизор. Но не успели начаться новости, как зазвонил телефон. Внезапно, непонятно отчего, у меня сжалось сердце. Аппарат трезвонил и трезвонил, я медлила. Наконец рука схватила трубку, и, прежде чем я произнесла «алло», в голове молнией пронеслась мысль: «Ох, не к добру!»

— Лампа, — послышался спокойный, ровный голос близкого друга, майора Костина, — некоторое время я вынужден буду отсутствовать, сделай милость, забери к себе Кешу.

Я расслабилась и устало улыбнулась. Ну и чушь лезет иногда в голову. Слава богу, это всего лишь Володя. С майором мы добрые приятели. Отношения, которые нас связывают, больше похожи на родственные. Не так давно Костин получил квартиру, до этого он благополучно проживал в огромной коммуналке. По счастью, его «воронья слободка» приглянулась какому-то «новому русскому», и он быстренько распихал ее обитателей по новостройкам. Володе досталась вполне приличная «двушка» с двенадцатиметровой кухней, но в спальном районе, одним словом, на краю света.

Катюша не растерялась и уговорила нашу соседку Лену, проживающую в однокомнатной квартире вместе с шестнадцатилетним сыном, на обмен. Так Володя попал в квартиру на одной лестничной клетке с нами.

Майор холостяк. Конечно, в его жизни частенько случаются дамы, но пока ни одной, способной взвалить на плечи ношу жены мента, он не нашел. Честно говоря, все его пассии нам с Катюшей не по душе. Сначала была тощенькая девица ростом с кошку, безостановочно повторявшая:

— Вовик, котик, дай чайку.

Или:

— Вовчик, зайчик, принеси плед.

Или:

— Вовчик, мышоночек, выключи телик.

Когда она обозвала Володю «страусеночком», я не выдержала и поинтересовалась:

— Простите, вы не в зоопарке работаете?

Дама обозлилась и больше к нам не приходила. Потом появилась весьма энергичная особа, невероятно похожая на актрису Джоди Фостер. Тот же большой рот, те же волосы пепельной блондинки и такой же нос. Девушка оказалась патологически ревнива и закатывала по каждому поводу скандалы с битьем посуды. Затем возникла другая обоже. Костина шатнуло в иную сторону. После неуемной скандалистки он привел к нам жеманное существо, работающее в музее. Невесть почему Кирюшка прозвал красотку «Оружейная палата» и старательно ел в ее присутствии только при помощи ножа и вилки. Но Володю такое поведение отчего-то обозлило до крайности, и, когда «Оружейная палата» исчезла из нашей жизни, майор сурово сказал:

— Ну все, надоело, больше ни с кем вас не знакомлю.

— Почему? — удивилась я.

— Вы так себя ведете, — кипятился приятель, — что все мои подруги пугаются.

— А что? Я ничего, — замычал Кирюшка, — очень даже воспитанный мальчик. Чем твоей «Оружейной палате» не приглянулся? Безумно старался, пользовался столовыми приборами...

— Да, — вздохнул Володя, — особенно эффектно выглядело, когда ты резал ножом на мелкие кусочки эклер, а потом при помощи вилки отправлял его в рот!

— На вас не угодишь, — вздохнул Кирюшка, — раз не понравилось хорошее воспитание, в следующий раз стану сморкаться в скатерть.

— Другого раза не будет, — сурово отрезал майор, — хватит, теперь приведу к вам человека, только если решу жениться. Вы мне всех девушек распугали.

Пока он держит слово.

— Конечно, возьму твоего попугая, — ответила я, — без проблем, а ты куда, в командировку?

Костин помолчал, потом безнадежно устало произнес:

— Нет, в тюрьму.

— Куда, — не поняла я, — на допрос к подследственному? Но зачем тогда мне забирать Кешу? Ты что, предполагаешь ночевать в СИЗО? Где же, интересно?

— В камере, — ответил Володя.

— Где, — оторопела я, — где?

— Меня арестовали, — пояснил майор.

Трубка чуть не упала на пол, и от ужаса у меня по спине побежали мурашки.

— Кончай прикалываться.

— Абсолютно серьезно, — вздохнул майор, — извини, больше не могу говорить. Звоню из кабинета в следственной части Бутырки.

— Погоди, погоди, — завопила я, — как же это? За что? Почему?

— Поговори со Славкой, — велел майор и отсоединился.

В полном ужасе я стала названивать, разыскивая майора Рожкова, коллегу и доброго знакомого Володи. Но ни на работе, ни дома никто не снимал трубку. Я металась по квартире, бесцельно хватая ненужные предметы. Господи, что делать-то, что?

— Эй, Лампуша, — донесся из прихожей голос Лизы, пришедшей из школы, — чего у нас так горелым несет? И из кухни дым валит!

Я понеслась к плите и обнаружила в духовке капитально сгоревшую шарлотку, похожую на кусок обугленной деревяшки. Слезы, так долго подкатывавшие сегодня к глазам, полились по щекам. Ужасно начавшийся день закончился кошмаром.

ГЛАВА 2

До Славы я дозвонилась только на следующее утро.

— Рожков, — мрачно буркнул он в трубку.

— Что случилось? — закричала я. — Немедленно объясни!

— В полдень, на точке, — коротко ответил майор и моментально швырнул трубку.

Точкой он зовет крохотный кафетерий, расположенный в супермаркете «Дом еды».

Ровно в двенадцать дня я влетела в узкое пространство, заставленное круглыми столиками. У окна с сердитым видом стоял Славка. Перед ним дымился стакан с отвратительным растворимым напитком, по недоразумению носящим благородное имя кофе.

— Славка, — закричала я, кидаясь к нему, — что за чушь? Это правда?

Рожков кивнул. Я на секунду потеряла дар речи, потом пробормотала:

— Володю арестовали?

Майор вновь кивнул.

— Ты что, онемел?

— Онемеешь тут, — вздохнул Слава, — вообще язык потеряешь.

— За что его взяли?

Рожков повертел в руках картонный стаканчик.

— За убийство.

— Что???

— Что слышала. За убийство.

— Кого?

— Репниной Софьи Андреевны, 1980 года рождения, продавщицы магазина цветов «Лилия».

— Господи, — залепетала я, — и зачем бы Володьке лишать жизни двадцатилетнюю девчонку? Конечно, я слышала, что кое-кто из ваших избивает подследственных, но Костин-то никогда этого не делал, или я ошибаюсь?

— Она была его сожительницей, — нехотя пояснил Славка, — любовницей, попросту говоря. Трахался он с ней.

— Да ну? Не может быть!

— Почему?

— Мы знали всех его дам сердца, — выпалила я и прикусила язык.

Уже давно Володя никого не приводил к нам в гости, последней была до омерзения манерная «Оружейная палата».

— Значит, не всех, — вздохнул Рожков. — Репнина имела собственную квартиру на Аргуновской улице. Вовка там часто бывал, его видели соседи, и вообще, он не скрывался, возил девушку на своем автомобиле, таскал за ней сумки, даже помойку выносил...

Я молчала. Помойка — это уже серьезно, пахнет семейными отношениями.

— У Репниной, — продолжал Славка, — был до Володи друг, некий Антон Селиванов, кстати, ему тоже за тридцать. Софья Андреевна предпочитала иметь дело с кавалерами постарше. Что-то у них там не сложилось, хотя господин Селиванов человек обеспеченный, даже богатый, в отличие от нашего Костина копейки не считает.

Но, как бы там ни было, Сонечка закрутила роман с Костиным.

Вчера утром Антон влетел в отделение милиции и сказал дежурному:

— Я договаривался о встрече с подругой, пришел, а она дверь не открывает. Звоню, звоню, полная тишина, нехорошо это!

Дежурный отбрыкивался от мужика как мог, но Селиванов не зря успешно занимался бизнесом. Парень добрался до начальника отделения и добился того, что менты квартиру бывшей любовницы вскрыли.

И обнаружили они там труп Репниной, убитой кухонным ножом. Пока на месте преступления работала специальная бригада, Антон, без конца хватавшийся за сердце, рассказал оперативникам чудовищную историю.

Они с Репниной разошлись, но остались добрыми друзьями. Иногда ходили вместе в ресторан или в ночной клуб. Отношения их из любовных трансформировались в приятельские. Сонечка, живущая на зарплату продавщицы, изредка перехватывала у Антона деньги и частенько забывала отдать долг. Но Селиванов не настаивал. Он отлично зарабатывает, живет один, жены не имеет... Словом, может себе позволить подкинуть «капусту» подруге.

Некоторое время тому назад Сонечка рассказала Антону о своем новом кавалере — милиционере. Известие о том, что бывшая любовница связалась с ментом, не порадовало бизнесмена, и он без обиняков высказал девушке все, что думает по этому поводу.

— Ну, нашла достойный объект. Да они все идиоты. Прикинь, лампочку втроем закручивают.

— Как это? — не поняла Соня. — Почему втроем?

— Очень просто, — хохотнул Антон, — один легавый берет лампочку, залезает на стол, а два других крутят стол по часовой стрелке.

— Дурак! — обиделась Софья. — Володя не такой, он майор с Петровки.

— Значит, взяточник, — вздохнул Селиванов.

Репнина обозлилась и несколько месяцев не звонила другу. Голос ее он услышал только позавчера.

— Алло, — прошептала Сонечка.

— Привет, — обрадовался Антон, — как дела?

— Плохо, — залепетала девушка, — просто отвратительно, хуже некуда.

— Что случилось? — испугался Антон.

В ответ раздались рыдания. Ничего не понимающий мужик вскочил в автомобиль и примчался к Соне домой. Когда бывшая любовница открыла дверь, парень чуть не упал от ужаса. Лицо Сони украшал огромный синяк, на руках виднелись ссадины.

— Кто это тебя так? — только и смог спросить Селиванов.

— Володя, — всхлипывала она, — он зверь.

Удержав на языке фразу: «Я тебя предупреждал», Антон сгонял в ближайший супермаркет за коньяком и, налив Соне, принялся расспрашивать о происшедшем.

Девушка трясущейся рукой ухватила бокал и начала рассказывать:

— Он ужасно ревнивый, стоит только посмотреть в сторону или заговорить с кем-то, мигом начинает драться. Вот вчера были на дне рождения у моей приятельницы, и я танцевала с ее мужем. Так Костин в гостях мило улыбался, но, стоило сесть в машину, схватил меня за волосы и начал колотить лицом о приборную доску, хорошо нос не сломал.

А неделю назад он избил ее в кровь за телефонный разговор с бывшим одноклассником, во вторник ударил кулаком прямо в грудь с такой силой, что чуть не остановилось сердце...

— Он меня когда-нибудь убьет, — всхлипывала Соня.

— Немедленно прекрати всякие взаимоотношения с этим субъектом, — велел Селиванов.

— Боюсь, — шелестела бывшая любовница, — он только обозлится. Я уже пыталась, даже к маме хотела уехать, а Володя туда прибыл и закатил жуткий скандал. Знаешь, что он сказал?

— Нет, — покачал головой Антон.

— Тебе от меня никуда не деться, — монотонно повторила девушка и зарыдала. — Я боюсь, боюсь...

Селиванов обнял ее за плечи и стал тихонько баюкать.

— Ну, ну, успокойся. Сейчас придумаем, как поступить.

В этот момент за его спиной раздался голос:

— Здравствуйте!

Сонечка оттолкнула Селиванова, мигом промокнула рукавом глаза и засуетилась:

— Ой, Володечка, вот не думала, что приедешь, вот не предполагала.

— Это я вижу, — нехорошо ухмыляясь, произнес мужик, оглядывая початую бутылку коньяка и растерянного Антона, — понимаю, картина «Не ждали», но познакомиться не мешает, Костин.

И он протянул Селиванову широкую, крепкую ладонь. Антон машинально пожал протянутую руку, отметив, что у мента сильное рукопожатие. Соня заметалась по кухне, хватаясь одновременно за чайник, кастрюльку и сковородку.

— Сейчас, сейчас, быстренько яичницу сварганю.

— Не надо, — продолжал усмехаться нежданный гость. — Я просто ехал мимо, дай, думаю, погляжу, чем ты занимаешься. Ну, до вечера, дорогая.

Не успел мент выйти за порог, как Соня рухнула на табуретку и зашлась в рыданиях.

— Боже, — стонала она, — боже! Теперь он меня убьет, приедет вечером и зарежет! О господи! Что делать?

— Не рыдай, — поморщился Антон, — лучше собирайся потихоньку и поедем ко мне. Поживешь недельку-другую спокойно, а там придумаем, как лучше поступить.

— Нет, нет, — лихорадочно бормотала Соня, — нет, мне на работу пора, хозяин уволит!

Она забегала по квартире, лихорадочно одеваясь. Антон тяжело вздохнул.

— Ну, и куда ты с такой мордой двинешься? Покупатели разбегутся от ужаса.

Соня глянула в зеркало и тут же разрыдалась. Селиванов принялся устраивать дела. Сначала позвонил в цветочный магазин и наврал директору, что является врачом «Скорой помощи», которая увозит гражданку Репнину в больницу с приступом холецистита. Затем сказал Софье:

— Давай умывайся, складывай шмотки, я сейчас съезжу в контору, а через два часа вернусь за тобой, чтобы была полностью готова.

Но примерно через час Соня позвонила ему на мобильный и веселым голосом сообщила:

— Слышь, Тоша, спасибо. Ко мне приехала Машка Соломатина, ночевать остается. Давай перенесем переезд на завтра, хорошо?

Селиванов знал, что Маша Соломатина, школьная подруга Сони, девушка серьезная, учится в институте физкультуры и спорта, увлекается восточными единоборствами... И вообще, при росте метр семьдесят пять Машка весит почти сто килограммов. Причем в ее теле нет ни капли жира, оно состоит целиком из литых мышц. Такая девушка сумеет справиться сразу с тремя майорами.

— Отлично, — повеселел Антон, — но утром, ровно в девять, сиди у чемодана в прихожей.

Однако назавтра дверь ему никто не открыл, и подозревавший самое ужасное Селиванов кинулся в милицию.

Дальше события завертелись колесом. Сначала с Костиным просто дружески побеседовали. Володя спокойно подтвердил: да, с Соней Репниной знаком, более того, их связывали одно время очень близкие отношения, но они расстались. И он не ревновал Соню, не бил ее и никогда не встречался с Селивановым. Тут же в кабинет привели Антона, который мигом подтвердил: именно этот человек приходил вчера к Репниной. Но Костин стоял на своем: не был у Сони, и точка. И вообще, у него есть другая женщина, с которой он провел последние три дня безотлучно. Как раз получил отгулы за сверхурочную работу. Майор назвал ее имя — Надежда Колесникова.

Опросили и ее, но девушка только пожимала плечами. Знать ничего про Костина не знает, даже не слышала про человека с такой фамилией. Следователю ситуация перестала нравиться, он запросил ордер на обыск, и в багажнике «Жигулей» Володи обнаружился кухонный нож, угрожающе длинный и острый.

Инструмент мясника был вымыт, но в том месте,

где рукоятка присоединяется к лезвию, нашлись частички крови, и экспертиза четко указала: именно этим орудием и была зарезана несчастная Соня Репнина.

Костин не смог внятно объяснить, откуда в его автомобиле взялся сей жуткий предмет, и следователь заключил коллегу под стражу. В следственной части Бутырки, где майора хорошо знают, к нему отнеслись не как к обычному нарушителю закона, дали позвонить и определили в пятиместную камеру не с урками, а с людьми, совершившими экономические преступления. Собственно говоря, это все, что знал Слава.

— Устрой мне с ним свидание! — потребовала я.

Рожков развел руками.

— Встречи с человеком, по делу которого еще идет работа, запрещены. Получить свидание можно только по специальному разрешению следователя.

— Ну, и в чем проблема? — удивилась я. — Быстренько напиши нужную бумажку.

— Не могу!

— Почему?

— Дело-то не я веду.

— Да ну?

— Конечно, мы же коллеги и близкие приятели.

— А кому передали дело?

Славка тяжело вздохнул, повозил стаканчик с остывшей бурдой по столику и сказал:

— Федьке Селезневу, жуткой гниде, уж поверь, хуже варианта не придумать. Кстати, у тебя паспорт с собой?

— Да, а зачем он тебе?

— Поедем в Бутырку.

— Так ты же говорил, что не можешь устроить свидание!

— Законным путем — нет.

— Тогда как?

— Нормальные герои всегда идут в обход, — ответил Славка. — Поехали, только сначала давай кой-чего купим.

В отделе кулинарии он приобрел копченый куриный окорочок, три пирожка с мясом, потом в гастрономе взял небольшой пакетик сока, сыр, нарезанный тонкими ломтиками, пять пачек сигарет, с десяток пакетиков «Нескафе» и стограммовую упаковку сахара. Потом он засунул покупки в мою не слишком объемистую сумочку.

— Эй, эй, — рассердилась я, — что за глупости! Мне не нужны продукты...

— Это не тебе, — пояснил Славка, — Володьку покормишь. Передачи-то ему еще не дают, небось голодный сидит!

— Нам ему передачи надо носить? — спохватилась я. — Какие?

— Обычные, — сообщил приятель, — раз в месяц продукты тридцать килограмм, вещи, лекарства... Еще можно притащить телик, радио, холодильник, таз и ведро.

— Ведро зачем?

— Стирать. Да, еще кипятильники, желательно побольше, штук десять сразу, они в тюрьме все время перегорают. Ну и, естественно, сигареты. Какие попроще, «Приму», допустим, блоков восемь.

— Он столько не выкурит!

— Сигареты в тюрьме валюта, вместо денег ходят, хотя там и всемирный эквивалент любят, желательно зеленый. Кстати, на, спрячь в лифчик.

И он протянул мне странную тугую трубочку, запаянную в кусок от полиэтиленового пакета.

— Что это?

— Доллары, в Бутырке нельзя без них.

— Но почему в таком виде?

Слава тяжело вздохнул.

— Надо же через шмон пройти...

Я почувствовала, как в висках мелко-мелко забили молоточки. В мою жизнь, жизнь человека, выросшего в семье доктора наук и оперной певицы, в мою судьбу абсолютно добропорядочной гражданки, переходящей

улицы только на зеленый свет, с ужасающей реально-
стью врывалась Бутырская тюрьма с какими-то дики-
ми, непонятными правилами.

— Шмон? Это что такое?

— Обыск, — коротко ответил Рожков, — заклю-
ченных без конца проверяют, и долларешники Вовке
придется протаскивать украдкой, во рту, за щекой или
еще где, поэтому в целлофан и закатывают. Кстати, по-
дожди вот здесь.

Он нырнул внутрь большого универмага. Я в изне-
можении прислонилась к кирпичной стене. Голова гудела, словно пивной котел. Вернувшийся Славка дал
мне маленькие ножницы, две катушки ниток, пачку
иголок и упаковку лезвий.

— Это в бюстгальтер засунь.

— Зачем?

Славка разозлился.

— Затем, что я говорю.

— Может, объяснишь все-таки?

Мы сели в его раздолбанные «Жигули» и понес-
лись по улицам.

— Острые, режущие и колющие предметы к про-
носу в СИЗО запрещены, — сообщил Слава.

— А ногти как стричь?

— Отгрызать!

— На ногах?

— Слушай, Лампа, — вышел из себя майор, — правила не я придумывал. По мне, это тоже глупость. Во-
первых, адвокаты все равно протащат, а во-вторых, работники СИЗО просто зарабатывают, доставляя в ка-
меры все — от тетрисов до сотовых телефонов.

— А что, тетрис нельзя?

— Нет.

— Почему, это же просто игрушка! Скуку разо-
гнать!

Славка нажал на тормоз так, что я влетела в ветро-
вое стекло головой.

— Лампа, имей в виду, как только кто-то из твоих

родственников попал в тюрьму, бесполезно интересоваться, как, почему да отчего там такие порядки. Приходится подчиняться молча. Сахар-кусок нельзя, а сахарный песок за милую душу, мыло возьмут, а шампунь ни за что, бульонные кубики примут и супы в стаканах тоже, зато в пакетах отшвырнут, спички — пожалуйста, но зажигалки растопчут каблуком. И уж совсем непонятно, почему можно огурцы и нельзя помидоры. Но запомни, добиться от сотрудников Бутырки ответов на поставленные вопросы невозможно. Просто молча выполняй требования или...

Он замолчал.

— Или?

— Плати по установленному тарифу, передачка сто баксов.

— Ничего себе, — возмутилась я, — кто же такие цены придумал? Да у людей оклады месячные меньше этой суммы. У вас там, в МВД, с ума сошли?

Славка уставился на меня сердитым взором:

— Ты издеваешься? Дурой прикидываешься, да?

Я ахнула.

— Хочешь сказать, что сотрудники тюрьмы за взятки нарушают закон?

— Да, — зашипел Славка, — да, они тут все сволочи, на мой взгляд, их надо самих посадить! Знаешь, сколько раз администрацию Бутырок разгоняли? Ну и чего добились? Новые точно такие же пришли! Тут все имеет стоимость. Сотовый принесут — одна сумма, водки притаранят — другая, лишняя передачка — третья. А родственники, сталкиваясь с этой коррумпированной системой, прямо как ты выражаешься: «Что там у вас в МВД за порядки?» Да Бутырка к Министерству внутренних дел не относится!

— Да ну, — удивилась я, — вот новость, я всегда считала, что тюрьма в ведении милиции.

— Нет, — покачал головой Славка, — над ними начальником Главное управление исполнения наказаний, а данное учреждение относится к Министерству юстиции.

— А-а, — протянула я, — это их министр в бане с голыми девочками попался.

— Точно.

— Однако хороши у нас слуги закона, — пробормотала я, — министр в бане с проститутками, генеральный прокурор в чужой квартире с дамами легкого поведения, чего же от служивых из Бутырки ждать? Каков поп, таков и приход!

— Пошли, — велел Слава.

Мы поднялись по узенькой лестнице вверх и очутились в маленьком дворике, забитом людьми с пухлыми сумками. В основном это были женщины с мрачными, растерянными лицами.

— Стой тут, — приказал Рожков и исчез.

Я опять прислонилась к стене и попыталась соединить мозги в единое целое. Но ничего не получалось, мысли расползались, словно тараканы от внезапно вспыхнувшего света.

— Свидания ждете? — раздался рядом тихий, вкрадчивый голос.

Я машинально кивнула и повернула голову. Около меня стоял мужчина в серой майке и довольно грязных сапогах.

— Могу на сегодня, в поток, который пойдет в двенадцать, устроить, — проговорил он и улыбнулся, обнажив гнилые, черные зубы.

Мне стало интересно.

— Сколько?

— Договоримся.

— И все же?

— Сотняшку.

— Рублей?

Парень хохотнул:

— Нет, монгольских тугриков! У нас цены в уе.

— Дорого очень.

— Тогда стой неделю и бегай отмечаться по три раза в день.

— Спасибо, я подумаю.

— Только быстро, место одно осталось, не желаешь, другие найдутся. Между прочим, деньги не мне идут. Я-то с этого ничего не имею, исключительно из христианского милосердия помочь хотел.

— Лампа, — крикнул Славка, — быстро сюда!

Я бросилась на зов. Внезапно что-то словно толкнуло в спину. Остановившись, я оглянулась. Гнилозубый «добряк» смотрел мне вслед нехорошим, тяжелым взглядом.

ГЛАВА 3

— Слушай внимательно, — велел Славка, пока мы лезли по широкой лестнице вверх, — уж не знаю, получится ли у меня еще одно неправомерное свидание устроить.

— Какое?

— Замолчи и слушай. Твоя задача убедить Вовку, что запираться глупо, поняла?

— Ты думаешь, он убийца?

— Нет, дед Пихто! Улик полно. Пусть заканчивает играть в несознанку, быстрее сядет, раньше выйдет, Отелло долбанутый, — зудел Славка, — а то затянется следствие на год, и будет тут сидеть, на нарах париться! Ежели признается по-быстрому, в месяц процедуру свернут, а мы уж постараемся суд ускорить. Глядишь, к Новому году в колонии окажется, на свежем воздухе, а там возможны варианты...

— Какие?

— На поселение отправят, условно-досрочное дадут, главное, Бутырку миновать и осудиться. Тут знаешь сколько времени люди процесса ждут!

— Сколько?

— И два, и три года... Так что пусть не дурит, завтра адвокат придет.

— Кто его нанял?

— Мы с Мишкой Козловым, только об этом никому рассказывать не надо. Ну давай, вон, видишь, парень стоит у окна, Алексей Федорович зовут, топай к нему, а я тут посижу.

И он остался на лестнице. Я подошла к плечистому блондину, кашлянула и робко сказала:

— Здравствуйте.

С абсолютно каменным лицом парень процедил:

— Евлампия Андреевна Романова? Сдайте паспорт.

Я покорно протянула бордовую книжечку толстощекой бабенке, сидящей в железной клетке перед металлоискателем, и получила взамен железный круглый номерок вроде тех, что выдают в бане. В сумку никто не заглянул, и обыскивать меня не стали.

Алексей Федорович широким шагом двинулся вперед, я засеменила сзади. Мы шли по бесконечным лестницам, изредка проходя сквозь лязгающие решетчатые двери. Наконец мы очутились перед широким коридором, сверху, почти у потолка, виднелась белая стеклянная табличка с черными буквами «Следственная часть».

Алексей Федорович отпер один кабинет и приказал:

— Ждите.

Я рухнула на стул и оглядела крохотное помещение. Обшарпанный письменный стол образца шестидесятых годов, почти раритетная настольная лампа на подставке с зеленым абажуром, допотопный сейф, напоминающий поставленный на попа железный ящик. На стене зачем-то висит карта полушарий, тельняшка. Окно забрано частой решеткой, и из него видна только часть бетонной стены...

Заскрежетал ключ, и в помещение вошел Володя. Маячивший сзади Алексей Федорович угрюмо пробасил:

— Времени вам час, извините, вынужден запереть.

— Естественно, — хладнокровно ответил майор, — должностную инструкцию нужно соблюдать.

Лязгнул замок, мы остались одни. Я кинулась вытаскивать продукты, сигареты и галантерею. Костин мигом проглотил еду, сунул в карман пакетики с кофе, сахар, сигареты и сказал:

— Больше не траться.

— Завтра я продукты принесу.

— Не надо.

— Но как же...

— И так проживу, тут кормят, а за ножницы спасибо, кто надоумил?

— Славка.

— Рожков, — вздохнул Володя и закурил, — ну-ну... И что он просил мне передать?

Я молитвенно сложила руки:

— Вовка, умоляю, покайся. Чистосердечное признание уменьшает вину...

— Но утяжеляет срок, — хмыкнул приятель, — в чем мне, интересно, признаваться надо?

— В убийстве Репниной Софьи Андреевны, 1980 года рождения. Знаешь такую особу?

— Только с прекрасной стороны, — тихо ответил Володя, — некоторое время с обоюдным удовольствием провели вместе.

— А почему расстались?

Приятель вздохнул.

— Знаешь, пока речь шла о постельных удовольствиях, проблем не возникало. Соня — девочка красивая и в кровати многим сто очков вперед даст, фигура роскошная, талию двумя пальцами обхватить можно, грудь словно у Джины Лоллобриджиды в лучшие годы, ноги от ушей, волос — как у трех колли, огромная светлая копна... Но вот когда я к ней чуть привык и захотел просто поговорить, выяснилось, что это невозможно.

— Почему?

Володя с наслаждением закурил и пояснил:

— Сонюшка глупа, как муха. Я сначала думал — прикидывается. Ну как моя дама ухитрилась прожить на свете двадцать лет и ничего не прочитать? Допустим, то, что она считает, будто Грибоедов — это марка кетчупа, еще полбеды. Впрочем, меня не слишком напрягло, что она радостно заявила, будто станция «Маяковская» названа в честь построившего ее архитектора, но зимой я затащил ее в кино на «Трех мушкетеров»... Так когда Констанция Бонасье скончалась, бедненькая Сонечка залилась слезами, повторяя: «Умерла, ах, как жаль!»

Глядя на такую реакцию, Володя мигом понял, что его дама никогда не держала в руках книг Дюма, впрочем, любых книг вообще.

— С ней просто не о чем было побеседовать, — объяснил майор, — Соня интересовалась только сплетнями о людях искусства, вернее, эстрадных певцах, еще живо обсуждала новое платье подруги и весьма заинтересованно высказывалась на тему косметики. Даже журнал «Космополитен» с его статьями «Как удержать мужа» и «Стоит ли заводить роман с начальником» казался девушке слишком сложным. Честно говоря, она предпочитала комиксы и видеокассеты. В особенности ей нравился фильм с Джимом Керри «Тупой, еще тупее»... Когда главный герой громко пукал в гостиной, Сонечка валилась на пол от хохота, подталкивая Володю локтем: «Нет, ты гляди, какой прикол! Уписаться можно!»

Сначала Костин посмеивался над любовницей, потом начал хмуриться, а затем настал момент, когда она стала его раздражать, и они расстались. Разошлись по-хорошему, оставшись друзьями. Володя поздравил Соню с днем рождения и Восьмым марта, а та, в свою очередь, преподнесла ему на 23 февраля дорогой одеколон «Шевиньон». Но это было все.

— У меня в августе появилась другая, — откровенничал майор, — Надя.

— А почему я ничего не знала ни про Соню, ни про Надю?

— Ну, еще только этого не хватало, — вскипел майор, — хватит с меня «Оружейной палаты». И потом, не знакомить же своих со всеми, с кем спишь! Спасибо за кормежку, но еду присылать не надо.

— Почему?

— Меня скоро выпустят.

Я посмотрела на приятеля.

— С чего ты это решил?

— Недоразумение быстро выяснится, — совершенно спокойно сказал Костин. — Федька Селезнев, конечно, отвратительный тип, но хороший профессионал, он все сделает как надо. И потом, несмотря на то, что к нам на работу сейчас хлынул поток случайных людей, цеховая солидарность все же существует. Наши все силы приложат, чтобы оправдать меня. Я бы, например, окажись Федор в подобной ситуации, постарался как мог.

— Ну, и что бы ты сделал?

Костин вздохнул:

— Да много чего. Во-первых, потряс бы этого Антона Селиванова... Ну какой ему интерес оговаривать невинного человека? И ведь отличную сказку придумал, какие детали привел... Потом бы поинтересовался у эксперта, когда возникли синяки на лице Репниной, носят ли они прижизненный характер... Еще побалакал бы с подружками Сони, продавщицами из цветочного магазина, уж они-то точно знают о ее любовных похождениях, ну, и, конечно, посекретничал бы с Надей Колесниковой. Я у нее провел тот день, когда, по утверждению Селиванова, заходил к Репниной. Вот так!

— С Колесниковой разговаривали, но она заявила, будто даже не слышала твоего имени.

Володя махнул рукой.

— Так я уже объяснял, глупость допустили, хотели как лучше, а сделали как всегда. Заявились к Наде вечером домой, около десяти, и давай про меня расспрашивать, ну и что бедной бабе оставалось делать? Только плечами пожимать да руками разводить. Утром с ней следует поболтать в служебном кабинете, вот тогда она и подтвердит мое алиби.

— Ну и странность, — изумилась я, — что же ей помешало сказать правду вечером?!

— Так она замужем, — пояснил майор, — небось супруг рядом сидел, кто же признается в любовной связи в такой момент!

— Ты связался с замужней бабой?

— А что здесь такого?! Вообще это она меня подцепила.

— Да ну?

— Ага.

— И где?

— В магазине «Мир». Я за дециметровой антенной пришел.

— Погоди, погоди, так ты сколько времени с ней знаком?

— Двадцать девятого августа первый раз увидел.

— А сегодня пятое сентября! Так ты что, не успел познакомиться и в постель бабу поволок? Отвратительно, — возмутилась я, — хоть успел выяснить, как ее зовут?

— Постель не повод для знакомства, — неожиданно улыбнулся приятель, но, увидев, что я нахмурилась, быстро добавил: — Ну, Лампа, не будь ханжой, мы люди взрослые, понравились друг другу, купили бутылочку... У нее как раз муж уехал, он дальнобойщиком служит, фуры гоняет по России... Ну и провели пару деньков вместе, к обоюдному удовольствию. Ни ей, ни мне ничего не надо. Она не собирается разводиться, я жениться... Так просто, повеселились. Супруг ее как раз вчера должен был вернуться. Да не дергайся. Завтра Федька с ней на работе побеседует, и недоразумение выяснится.

Но я не была столь оптимистично настроена, впрочем, как мне показалось, Слава Рожков тоже.

— А если эта Надя не захочет тебя выручать?

— Если бы да кабы, — разозлился майор, — значит, по-другому действовать будут. По-моему, всем, кто меня мало-мальски знает, должно быть понятно: женщину никогда не смогу ударить, даже в запале, от злости, а уж бить до синяков! Нонсенс! И потом, я совершенно не ревнив, и если дама не желает жить со мной, пожалуйста! Самым спокойным образом заведу другую. Уж не знаю, как бы я поступил, обнаружив в шкафу любовника законной жены... Может, и надавал бы парню люлей, и с дражайшей супругой развелся... Но избивать женщину! Извини, это совершенно не в моем стиле.

— А почему в багажнике твоих «Жигулей» оказался нож?

— Вот это загадка. Я его туда не клал. И потом, оцени по достоинству совершенную глупость. Вместо того чтобы сунуть нож в коробку, положить туда камень и утопить на дне какого-нибудь водоема, я мою орудие убийства и вожу его с собой. Во-первых, зачем? А во-вторых, ты считаешь меня клиническим идиотом? Извини, но я все-таки профессионал, может, не самый лучший, но вполне подкованный.

— Слава Рожков тоже профессионал, — медленно произнесла я, — и он просил уговорить тебя сознаться. Говорит, главное — осудиться по-быстрому и в колонию уехать, а там и до свободы рукой подать.

— Вот это еще более странно, чем ножик в багажнике, — совершенно спокойно заметил приятель.

Но по тому, как быстро запульсировала у него на виске голубая жилка, я поняла, что он сильно нервничает.

— Что странно?

— То, как ведет себя Славка, — пояснил Володя, — он меня со школы милиции знает. Мы ведь дружили бог знает сколько лет! В одном районном отделении начинали, ворованное белье с чердака искали, потом юридический без отрыва от работы закончили, вместе в институт ходили... Славка меня как облупленного изучил, почти все мои бабы на его глазах прошли, ну, во всяком случае, постоянные... Уж он-то в курсе. Неужели и впрямь считает меня убийцей?

Я молчала.

— А ты, — настаивал Володя, — ты-то хоть мне веришь?

— Да, — ответила я, — но, похоже, я — единственная, кто не сомневается в твоей непричастности к этим событиям.

Внезапно Володя как-то странно скривился и поинтересовался:

— Ну, а если вдруг выяснится, что я все же виноват, как вы с Катей поступите тогда?

Я посмотрела в его напряженное лицо и спокойно ответила:

— Мы обе решим, что на тебя нашло временное помрачение ума, и будем таскать на зону продукты, лекарства и вещи. Мы любим тебя и считаем своим лучшим другом, а друзей, даже если они совершают роковые ошибки, нельзя бросать, тем более в беде.

— Спасибо, — хрипло сказал Володя, — я тоже люблю вас, хоть вы иногда бываете отвратительными. А Славке передай: ни в чем признаваться я не стану. Хотят видеть Костина на скамье подсудимых, пусть доказывают вину.

— Не сердись на Славу, — попросила я, — он переживает, они с Мишей Козловым наняли тебе адвоката.

— Огромное им мерси, — хмыкнул майор, — страшно тронут.

В этот момент щелкнул замок и появился малопривлекательный Алексей Федорович. Он выразительно постучал пальцем по часам. Володя встал, меня неприятно поразил тот факт, что он, выходя из вонючего помещения, заложил руки за спину.

Славка Рожков стоял во дворе, у стеклянных дверей, ведущих в какие-то помещения тюрьмы. Увидев меня, он бросил недокуренную сигарету и резко спросил:

— Ну что, уговорила?

Я покачала головой:

— Он не считает себя виноватым и верит в то, что коллеги сделают все для его оправдания.

— Идиот! — в сердцах заорал Рожков, потом, слегка успокоившись, добавил: — Кретин!

— Ты подозреваешь, что он убийца?

— Я знаю, — припечатал Славка, — там в деле улик полно.

— Каких?

— Разных!

— И все же?

— Нож!

— Его могли подложить!

— На рукоятке отпечатки Вовкиных пальцев!

Я растерянно замолчала. Конечно, я не являюсь профессионалом, но обожаю детективы и прочитала в своей жизни горы криминальных романов. Отпечатки пальцев — это серьезно. Но неужели Володя был таким идиотом, что схватился за орудие убийства без перчаток? Хотя, если он был в запале... Протянул руку, уцепил первый попавшийся предмет и пырнул несчастную Соню...

Мы сели в машину. Я тяжело вздохнула и уставилась на мелькающих за окном прохожих. Нет, все равно глупость получается. Девять мужиков из десяти, убив случайно свою подругу, запаникуют и ударятся в бега, наделают глупостей... Кое-кто бросит предмет, при помощи которого лишил бабу жизни, кое-кто постарается избавиться от трупа, наивно полагая, что отсутствие тела — это отсутствие преступления... Но и тот и другой, пытаясь замести следы, оставят кучу улик, таких вещей, по которым их можно вычислить, — волосы, кожные частицы, капли слюны и крови, запах, в конце концов. Володя рассказывал мне как-то, что изобличить убийцу помог крохотный кусочек ногтя. Женщина, расправившаяся со своей соперницей, случайно обломала его и не заметила, а потом со спокойной душой уверяла, будто никогда не бывала у убитой дома...

Почему обычный гражданин делает огромное количество глупостей, пытаясь уйти от ответственности, совершенно понятно. Сильный стресс, потом ужас... Но Володя? Он-то почему запаниковал и наломал дров? И ведь не так давно с горечью говорил нам, что некоторые сотрудники правоохранительных органов, задавленные безденежьем, ушли из рядов милиции и оказались в стане врага, помогают организованным преступным группировкам.

— Хуже нет со своим бороться! — угрюмо объяснял Костин. — Во-первых, тяжело морально, а во-вторых, эти подлецы слишком хорошо знают нашу внутреннюю кухню. Сколько времени Золотникова вычисляли? И ведь кабы не его личная жадность, так бы и не поймали.

Я в задумчивости принялась дергать себя за волосы. Андрей Золотников, бывший майор, последние годы зарабатывал на жизнь, войдя в состав банды некоего Петра Рукавишникова, был у пахана «планировщиком преступлений» и попался по чистой случайности...

— Еще в квартире Репниной, — мрачно продолжал Слава, — нашли следы крови Костина. Она умерла не сразу, и вообще, похоже, до того, как Вовка ткнул ее ножиком, они дрались, вот и поцарапала бабешка любовничка до крови. В ванной обнаружили, что он, очевидно, умывался и оставил следы на полотенце, да и на пол капнул случайно. Кстати, у Вовки рожа расцарапана, видела?

Я кивнула — на щеке приятеля и впрямь виднелась темно-красная подсохшая полоска, такая получается, когда мужчина неловко орудует бритвой. Кстати, у Володи замечательная электрическая бритва фирмы

«Браун». Я лично подарила ее ему на Новый год, и он теперь пользуется только этой бритвой.

— Кровь ничего не доказывает, — ринулась я в атаку, — Вовка в свое время часто бывал у Софьи, мало ли когда порезался!

Славка поджал губы, помолчал, потом, припарковавшись, сказал:

— Лампа, великолепно знаю, как вы с Катериной любите Володю, но подумай спокойно, раскинь мозгами. Вовка, идиот, утверждал, что порвал с Репниной еще зимой, а сейчас сентябрь. Даже если предположить, что оцарапался он в декабре... Она что, полотенце в ванной год не меняла? И пол не мыла?

Я удрученно молчала.

— А главное, — бубнил Рожков, — кровь свежая, она попала на кафельную плитку именно в тот день, когда произошло убийство.

— Не может быть!

— Увы! Это так. Есть еще одно...

— Что еще? — безнадежно спросила я. — Его тайком сфотографировали у трупа с ножом в руке?

— Почти. Помнишь, я только что говорил про царапину у него на щеке?

— Ну...

— У покойной под ногтями обнаружены частички кожи Костина.

Я не нашлась, что ответить. Значит, все-таки Володя убил несчастную.

— И что теперь нам делать?

— Ты собери ему передачу, — буркнул Славка, — жратву, белье, тапки, мыло... Ну, в общем, вот, держи.

И он сунул мне в руки листок. Я машинально глянула на строчки, написанные крупным твердым почерком. «Масло сливочное 4 пачки, кофе 1 банка, россыпью в полиэтиленовом мешке, сахар-песок 1 кг...»

— Это я тебе примерный список составил, — вздыхал Слава.

Очевидно, он очень переживал случившееся. Под глазами мужика залегли черные ямы, щеки ввалились.

— Харчи сложи в сумку, турецкую, клетчатую, с такими «челноки» ездят. А я вечером позвоню и скажу, когда нести да к кому обратиться, чтобы в очереди не стоять. Кстати, если с деньгами беда, мы с Мишкой поучаствуем.

С этими словами Рожков полез в карман за кошельком.

— Не надо, — тихо сказала я, — средства есть.

— Не стесняйся, — предупредил Славка, — содержание человека в тюрьме — дорогое удовольствие.

Последняя его фраза резанула мой слух. Он что, издевается? Впрочем, не похоже, просто неудачно выразился.

ГЛАВА 4

Остаток дня я провела, бегая по оптушке со списком в руке. И если бульонные кубики, сигареты, кофе, чай и сахар я купила без всяких проблем, то дальше начались трудности.

— Дайте шоколадную пасту «Нутелла», — потребовала я у бойкой девушки с золотыми зубами.

— 27 рублей, — сказала девчонка.

— Она стеклянная? — осведомилась я.

— Уж не железная, — гаркнула девчонка, решившая, что перед ней капризная покупательница.

— Мне нужна пластмассовая баночка!

— Дама, — раздраженно сообщила продавщица, — приличные фирмы давным-давно отказались от пластика при упаковке харчей, стекло намного гигиеничней, не выделяет токсины...

— Мне нужен пластик!

— Вот, е-мое, народ дурной, — вскипела торгашка, хватая отвергнутую «Нутеллу», — одна приходит —

стекло требует, другой подавай пластмассу. Чистый дурдом! Ну за каким хреном тебе пластик?

От усталости и раздражения я выпалила:

— Чтоб тебе никогда в жизни не знать, куда стекло не берут!

Тетка мигом сменила тон:

— Погодь, в тюрьму, что ли?

Я кивнула.

— Чего же сразу не сказала, — укорила продавщица, высунулась из вагона и заорала: — Петька, к тебе дама подойдет, подбери ей там, на зону надо.

Потом она повернулась ко мне и велела:

— Ступай в двенадцатый павильон. Кстати, кто у тебя там?

— Брат, — вздохнула я.

— Трусы купила?

— Пока нет.

— Плавки не бери, только семейные.

— Откуда ты знаешь? — удивилась я.

Девица отмахнулась:

— Муж сидел, пять лет по очередям толкалась. Ой, жаль мне тебя, тюрьма и зона родственников прям раздевают, а зэки только письма шлют: дай, дай, дай...

Я добралась до нужного места. Конопатый Петька расцвел в улыбке и начал вываливать на прилавок банки.

— Мне столько не надо.

— Ты послушайся, — велел продавец, — я шесть лет отсидел, все порядки знаю. Вот зубная паста, отечественная, в коробке.

— Это, Петька, у вас в «Матросской тишине» импорт нельзя, — раздался голос из другой палатки, — а у нас в Бутырке за милую душу брали.

— А к нам в Рязань селедку пропускали! — крикнул кто-то из рядов. — Возьмите своему ивасей, солененького завсегда хочется.

— Лучше сладкого, — заорал парень в черной майке, — карамелек, но не отечественных, наши, когда бумажки снимают, в один ком слипаются!

Я обалдело закрутила головой, слушая советчиков.

— А зачем обертки разворачивать?

Оптушка дружно захохотала. Одна из покупательниц, весьма элегантная дама в красивом брючном костюме, пояснила:

— Надо все-все от «одежды» освободить, а сигареты россыпью в пакетике.

Подбадриваемая со всех сторон, я затарилась под завязку и потащила подпрыгивающую на выбоинах «тачанку» к дому. Это что же получается? Полстраны сидело, а вторая половина сейчас сидит? Никогда не думала, что столько людей знакомо с тюрьмой и зоной!

Детей дома не было: Кирюшка отправился на секцию бодибилдинга, а Лизавета унеслась в бассейн. На холодильнике висела прижатая магнитом записка: «Лампуша, убежали, очень торопились, собаки не гуляли».

Я с тоской оглядела пейзаж. Кроме желавших срочно выйти во двор псов, в мойке громоздилась еще гора посуды, наверное, к ребятам приходили друзья, потому что в нее были навалены шесть тарелок, куча чашек, а на плите стояла абсолютно пустая кастрюля из-под супа. Вообще-то я не имею ничего против, когда Кирюшка и Лизавета принимают гостей, прошу только снимать у порога ботинки... Но бросать горы немытой посуды — это просто безобразие, и я даже не подумаю вымыть этот «Эверест», покрытый засохшим жиром. Вот вернутся и сами помоют. Но бедные собаки не могут так долго ждать!

— Гулять! — велела я.

Толкаясь и повизгивая, стая понеслась к выходу. Я прихватила поводки и, помахивая кожаными шлейками, вышла во двор.

На скамеечке у подъезда сидела лифтерша баба Зина.

— Ты дома? — удивилась она.

— Только что пришла.

— Как же ты мимо прошмыгнула, я и не заметила!

Я тактично промолчала. Примерно полгода назад жильцы нашей многоэтажной башни, напуганные все ухудшающейся криминальной обстановкой в Москве, решили установить в подъезде охрану. Сначала созвали общее собрание, на котором лаялись примерно два часа, обсуждая вопрос о домофоне. Собственно говоря, все, кроме Андрея Борисовича из 75-й квартиры, были за. Но вот господин Горелов был категорически против.

— Не буду я платить за ваш дурацкий домофон, — шипел он, — ко мне никто не ходит.

После долгих дебатов пришли к консенсусу. Абонентную плату Горелова раскидать по всем квартиросъемщикам.

— Дрянь эта ваша штука, — сердито выкрикнул Андрей Борисович, покидая просторный холл первого этажа, где толпились жильцы, — через день сломается.

К сожалению, он оказался прав. Домофон перестал работать на пятые сутки после установки. Его без конца чинили, потом плюнули и поняли, что лучше всего нанять консьержку.

К делу подошли творчески. Поставили у входа стол, на него водрузили телефон, повесили табличку: «Спрашивая вас о цели визита, дежурный не совершает бестактность, он выполняет постановление общего собрания жильцов». По идее, лифтерша обязана интересоваться у каждого постороннего: «Куда идете?» А потом звонить в нужную квартиру и спрашивать, ждут ли хозяева гостей. Но на деле опять вышло по-другому.

Сначала все думали, что у входа в подъезд будет находиться охранник из частного предприятия «Аргус». Но в этой фирме запросили такие деньги! Пришлось искать варианты попроще, тетушку с вязаньем. Так у нас появилась баба Зина. Сначала показалось, что она самый лучший вариант. Проживает в нашем же доме, на втором этаже, вместе с дочкой и внучкой. Но потом достоинство превратилось в недостаток.

Марина, дочь бабы Зины, целыми днями пропадает на службе. Когда восьмилетняя Леночка прибегает из школы, бабушка-лифтерша галопом несется домой, чтобы покормить внучку. И потом в течение дня неоднократно отлучается к себе, чтобы проверить, делает ли Лена уроки, какую передачу смотрит по телевизору, не зажгла ли газ... Так что ее частенько не бывает на рабочем месте. Жильцам, которые платят «охраннице» зарплату из своего кармана, такое положение вещей не слишком нравится, и они жалуются на консьержку в правление кооператива. Бабе Зине влетает по первое число, и неделю после нагоняя она с надутым лицом интересуется даже у обитателей дома, которых великолепно знает:

— Куда идете?

Есть еще одно качество, за которое я не слишком люблю Зинаиду Марковну. Она самозабвенная сплетница, обожающая собирать сведения про всех.

— И как только просочилась, — недоумевала бабка, — ни на секунду не отходила, разве в туалет только.

— Наверное, в эту минуту я и вошла.

— Ишь, носятся, — неодобрительно заметила старуха, недолюбливающая животных, и без всякой паузы добавила: — К тебе женщина приходила.

— Кто? — удивилась я.

— Сейчас, — пробормотала консьержка и пошла в подъезд, недовольно бурча, — вот ругаете меня без конца, Александру Михайловичу жалуетесь, а между прочим, я работаю как часы. Всех посетителей записываю в журнал, зря не пускаю...

Я ухмыльнулась, глядя, как она раскрывает амбарную книгу. Только вчера председатель нашего кооператива, Саша Веревкин, выдрал у бабы Зины из хвоста все перья. Я как раз возвращалась домой и слышала, как он громовым басом вещает:

— Еще одна претензия, Зинаида Марковна, и мы расстанемся. Между прочим, тысячу двести в месяц получаете, а у меня в институте доцент всего девять сотен имеет.

Ясно теперь, отчего баба Зина записала данные моей неожиданной гостьи.

— Ага, — удовлетворенно отметила старуха, — Надежда Колесникова. Знаешь такую?

Я растерянно заморгала. Надежда? Последнее амурное приключение Володи Костина, женщина, которая может подтвердить его алиби? Зачем я ей понадобилась?

— Что она сказала?

Зинаида Марковна вытащила из стола бумажку.

— Вот. Я, как велено, бдительность проявляю. Наверх не пустила, сказала, ты вечером заявишься. Она тогда цидульку накорябала и хотела на дверь прикрепить. Но я свои обязанности знаю и...

— Давайте, — не выдержала я.

— Держи, — рассердилась баба Зина, — стоит только на пять минут в сортир сбегать, мигом орать начинают, а как работу сделаешь, и спасибо не скажут.

Я хотела было ответить, что за службу она получает зарплату, но решила не связываться с противной старухой, а просто вышла во двор и развернула небольшой листок. У Нади не нашлось ручки, и она нацарапала карандашом для подводки бровей: «Уважаемая Лампа, мне срочно необходимо с вами побеседовать по ужасно важному вопросу. Пожалуйста, как придете, немедленно позвоните по этому телефону, буду ждать дома. Очень прошу, не медлите, речь идет о Володе Костине, вернее, о жизни и смерти».

Быстро кликнув собак, я поднялась в квартиру и набрала номер. Гудки мерно падали в ухо — пятый, шестой, седьмой... На двенадцатом раздался весьма раздраженный голос:

— Слушаю.

— Позовите, пожалуйста, Надю.

— Кто говорит? — командным тоном отчеканил собеседник.

Я хотела было сказать: «Евлампия Романова», но отчего-то выпалила совсем другую фразу:

— С работы. Колесникова не вышла утром, начальник велел узнать, что с ней.

— Сообщите свою фамилию, имя, отчество и телефон, — потребовал мужик.

Я обозлилась.

— Размер ноги или объем талии не нужен? Если Надежды нет дома, так и скажите, если есть, позовите скорей. Директор страшно злится, может даже уволить!

— Надежда Колесникова скончалась несколько часов тому назад, — сухо ответил мужчина, — вы разговариваете с лейтенантом Шохиным.

— Боже, — закричала я, — что случилось?

— Несчастный случай, как вас зовут?

— Таня Иванова, — быстренько ответила я и повесила трубку.

Несколько минут я, не понимая, как поступить, смотрела в окно, за которым опять начался мелкий, противный дождь. Потом позвонила Рожкову.

— Козлов, — раздался ответ.

— Миша, здравствуй, это Евлампия Романова, позови Славу.

— Привет, Лампа, — обрадованно ответил Мишка, — хорошо, что ты сама позвонила. Где находишься?

— Дома.

— Ну, погоди тогда, я занят жутко, звякну через пару минут.

Я покорно села у аппарата. Что там у них происходит? Осторожный Мишка явно не захотел разговаривать со служебного телефона из комнаты, набитой коллегами, и теперь ищет укромный уголок, чтобы воспользоваться мобильным.

Прошло целых десять томительных минут, пока не раздался тревожный звонок.

— Лампец, слушай, — велел Мишка. — Славка сказал, что завтра ты понесешь сумку туда, где была сегодня, поняла — куда?

— Да, в Бутырку.

Мишка крякнул:

— Давай без уточнений! Словом, явишься по нужному адресу ровно в 17.00, ни раньше, ни позже, поняла?

— Ага.

— Опять поднимешься, где была, там пост. Попросишь, чтобы дежурная набрала 3-26 и позвала Алексея Федоровича. Он выйдет, и дальше будешь его слушаться.

— Сколько ему платить?

— Не знаю, сам небось скажет, — протянул Козлов, — ну покедова.

— Мишка, погоди.

— Чего тебе? — недовольным голосом протянул мужик. — Говори быстрей, в этом аппарате живые доллары щелкают!

— Славка где?

— В отпуск ушел.

— В отпуск?

— А что тебя удивляет? Ему положен, как всем.

— Но он мне вчера ничего не сказал...

— Ну уж этот вопрос не ко мне, звони к нему домой и объясняйся... Давай, целую.

— Мишка!

— Что тебе! Всю карточку выговорила!

Вот уж не думала, что Козлов — такой жмот.

— Узнай мне адрес Надежды Колесниковой.

— Кого?

— Телефон ее запиши и скажи, на какой улице она живет.

— Зачем?

— Надо. Впрочем, могу объяснить, но тогда твой «Би плюс» точно весь закончится.

— Хорошо, завтра позвоню.

— Сейчас, это очень нужно.

— Господи, как вы мне все надоели, — в сердцах воскликнул Мишка, — ладно, жди, да не садись на телефон задом, наберу один раз, услышу, что занято, и все, дозваниваться не стану.

— Идет, только вспомни про карточку, лучше не болтай, а дело делай!

Мишка отсоединился. Я пошла на кухню и поставила на огонь хорошенький чайничек, купленный не так давно в магазине «Ваш дом». Много лет тому назад мы с моей мамой отдыхали в Риге, по советским временам Прибалтика считалась почти заграницей. Продавщицы там улыбались покупателям, да и на полках было побольше товара, чем в Москве. Стояло жаркое лето, и вся Рига, от мала до велика, ходила в белых носочках. Парни, девушки, элегантные дамы, старушки и школьники. Еще поражала чистота на улицах и невероятное количество кафе с великолепной сдобой. Один раз мы с мамой заглянули в такой «кофейный подвальчик». Я с удовольствием выпила лимонад, а мамуля попросила чай. Ей принесли хорошенький, абсолютно прозрачный чайничек с ярко-красной пластмассовой крышкой.

— Какая прелесть, — воскликнула мама, — где можно купить такой?

Официантка мило улыбнулась.

— Не знаю, загляните в универмаг на рыночной площади.

Мы побежали по указанному адресу, но ничего, кроме эмалированных кастрюль, не нашли. Впрочем, по тем временам и они были редкостью, поэтому, обвесившись покупками, мы были довольны. Потом желание иметь такой прозрачный чайничек поутихло. Но позавчера я заглянула в хозяйственный и ахнула. Возле кассы стоял он, тот самый, с красной крышечкой. Вернее, емкостей для кипячения воды там была куча: от крохотных до ведерных, и все как одна стеклянные, с пурпурным верхом. Испытав острый приступ ностальгии по давно ушедшим счастливым дням детства, я мигом сделала покупку и сейчас смотрела, как со дна вверх поднимается цепочка мелких пузырей.

Телефон зазвенел, я схватила трубку.

— Записывайте, — сухим, почти ледяным тоном проговорил Мишка, — вы меня слышите?

Ага, значит, говорит из кабинета и хочет, чтобы находящиеся вокруг люди не знали, с кем он разговаривает.

— Вам следует обратиться по адресу: улица Столпера, девять, квартира двенадцать.

— Господи, где же это находится?

— Не имею понятия, — отрезал Козлов и, не попрощавшись, отсоединился.

Я кинулась на улицу. В «бардачке» моих «Жигулей» есть атлас Москвы.

Вожу я машину не так давно и делаю это пока не слишком уверенно. По незнакомому маршруту предпочитаю не ездить, но, если уж жизнь заставляет, сначала прокладываю путь по карте.

Улица Столпера, к огромной радости, оказалась совсем рядом, шла между Смольной и Зеленой, буквально в пяти минутах езды от нашего дома.

Сев в «копейку», я, старательно соблюдая все правила, заняла место во втором ряду справа и покатила вперед. Так, сейчас доберусь до разворота, не забыть включить мигалку... Некоторые люди, например, Катя и Сережка, едут совершенно спокойно да еще болтают за рулем на разные темы, я же так не могу, все мое внимание приковано к дороге, и дистанцию с впереди идущей машиной я держу максимальную. На тех водителей, в основном мужчин, которые, обгоняя мои «Жигули», вертят пальцем у виска, я не обижаюсь. Просто представляю, как бы они выглядели за арфой, кстати, заднее стекло моей «копейки» украшено надписью «Извините, еду, как могу», и большинство водителей улыбается. Ну а идиот — он везде идиот, не только на дороге.

Возле дома Нади нашлось лишь одно место для парковки, но туда нужно было заезжать задом. Я же пока не умею выполнять этот трюк, поэтому просто оставила автомобиль на соседней улице и быстрым шагом вернулась к светлой блочной башне, точь-в-точь такой, как та, где живем мы с Катюшей.

У подъезда настороженно гудела толпа, и сразу было понятно, что произошло нечто из ряда вон выходящее. Прямо на тротуаре белела «Скорая помощь». Вернее, автомобиль с глухими железными дверьми и красным крестом на крыше. «Труповозка» — такое малопоэтичное название носит в народе этот кабриолет. Рядом припарковались два «рафика» с надписью «Милиция» и серая «Волга».

— Что случилось? — спросила я у женщины с болезненно-отечным лицом, сидевшей на лавочке чуть поодаль от входа.

— Надька Колесникова из двенадцатой померла, — равнодушно ответила баба, — сейчас выносить будут.

— Да ну, — всплеснула я руками, — не может быть! Надя! Из двенадцатой! Какой кошмар! Только утром мы разговаривали!

— Знаете ее? — спросила тетка, ощупывая мое лицо какими-то больными глазами с воспаленными белками.

— Вот жалость, — вздыхала я.

— Подруга, что ли?

— Нет, комнату она мне сдать обещала.

— Надька?

— Ну да, а чего странного? Хорошие деньги даю, целых пятьдесят долларов.

— Интересно, — протянула баба, — у ней однокомнатная!

Я прикусила язык. Да уж, не слишком удачный придумала я повод, но отступать было поздно.

— Не знаю, она сказала, что сама живет у мужа, а...

— Кто? — перебила меня бабища. — Кто живет у мужа?

— Надежда.

— Какая?

— Колесникова, из двенадцатой квартиры, — терпеливо ответила я, — она сказала, что ее супруг работает шофером-дальнобойщиком.

— Это ты все перепутала, — заявила тетка, — у Надьки Колесниковой никакого супружника не было и нет, одна жила, ну, ходили к ней всякие парни... Но это ж не мужья. Ты небось с Нинкой из тринадцатой говорила. Вот у ней и Лешка водилой служит, и комната есть свободная в коммуналке, там раньше бабка проживала, да померла. Вон Нинка стоит, видишь, у подъезда, в красном платье? Ну, та, которая ревет? С Надькой Колесниковой они дружили, ишь как убивается!

Я послушно подошла к довольно полной блондинке и тронула ее за плечо.

— Простите, Нина.

— Да, — шмурыгнула носом толстушка, — слушаю...

— Нам надо поговорить...

— Вы из милиции?

Я секунду поколебалась, потом решительно сказала:

— Да. Вы вроде дружили с покойной?

В этот момент толпа, зашевелившись, вздохнула и подалась назад. Из подъезда вышли два мужика в коротких голубых халатах, они несли необычные оранжевые носилки, похожие на гигантскую мыльницу без крышки. Внутри лежал черный пластиковый мешок, наглухо застегнутый на «молнию».

— Ох, горюшко, — всхлипнула Нина, — ой беда, ой подружка моя дорогая, что же ты наделала!

Женщина принялась судорожно тереть глаза. Я осторожно спросила:

— Может, сядем вон там, на пустую лавочку...

— Не надо, — неожиданно спокойно ответила Нина, — лучше поднимемся ко мне, дома хоть нормально поговорим.

ГЛАВА 5

Мы поехали наверх, устроились на кухне, заставленной и захламленной. Чего тут только не было. Отчего-то подключены были сразу две стиральные машины: «Вятка-автомат» и «Канди», на подоконнике теснились банки, пустые бутылки, чашки и электромясорубка. На обеденном столе без признаков клеенки или скатерти лежали куски хлеба, открытая пачка масла, пакетики с растворимым кофе «Пеле», записная книжка и расческа, из которой торчали клочки седых волос. Впрочем, уже через секунду в кухню вбежала грязная серенькая собачка, и я поняла, что это не волосы, а шерсть.

— Давно вы знакомы с Колесниковой? — строго спросила я официальным тоном.

Нина вздохнула:

— Дай бог памяти, в дом этот въехала году в 1983 м, родители тут квартиру получили. Мне было четыре года...

— А сейчас вам сколько? — весьма невежливо брякнула я.

— Двадцать один, — спокойно пояснила Нина.

Надо же! Самое меньшее я дала бы ей тридцатник. Эк ее разнесло в столь юном возрасте! И потом, что за дурацкая прическа, если не ошибаюсь, в парикмахерских, тех самых, где клиентов стригут по пятьдесят рублей, этот фасон называется незатейливо: «химия на крупные палочки», но, к сожалению, через неделю после процедуры волосы повиснут, словно кусок прошлогоднего сена на заборе... Во всем мире давным-давно придумали щадящие завивки, в результате которых вы становитесь обладательницей роскошных, переливающихся локонов, но российские женщины предпочитают «химию».

— А Надьке три исполнилось, — продолжала Ниночка, — мы потом вместе в садик ходили и в один класс попали, несмотря на год разницы.

Учились подружки плохо. После восьмого класса отправились получать специальное образование.

— Мы на медсестер выучились, — простодушно выкладывала свою незатейливую биографию Нина.

— Так вы медичка? — недоверчиво спросила я, покосившись на грязь.

— Да, — кивнула девушка, — в поликлинике работаю, на улице Топильского.

— А Надя тоже там служила?

Девушка немного замялась, а потом невесть почему стала вдруг рассказывать о том, как нелегок труд медсестры.

— К вечеру ноги гудят, прямо отваливаются, спина ноет, никаких сил не остается. Ночью вздремнуть совершенно невозможно — то одна из палаты орет, то другая. Капризные все, противные. Это им не так, то им не подходит. Нет бы полежали тихонько, потерпели, так нет — воют на разные голоса: «Сестра, уколи обезболивающее». А где я его возьму? Медсестры люди подневольные, что доктора прикажут, то и делают. Впрочем, врачи у нас нормальные, вот если бы не больные, то и работа вроде ничего.

Я вздохнула. Один раз, еще учась в консерватории, я сидела в туалете, запершись в кабинке, а к умывальнику подошли две преподавательницы. Одна, читавшая курс истории музыки, со вздохом сказала:

— Такие люди вокруг приятные, музыканты, композиторы, вот если бы не студенты, жизнь была бы прекрасна...

— Надя с вами работала? — прервала я стоны Ниночки.

— Нет, она ушла — очень тяжело...

— Где она трудилась?

— Ну, — замялась девушка.

— Дома сидела?

— Нет, конечно, кушать-то надо и одеться хочется, а денег никто не даст, родители у ней померли...

— Где она работала? Назовите место!

Нина принялась растерянно вертеть в руках грязную чайную ложечку.

— Ой, что это я, кофейку хотите? У меня и конфеты есть, и булочки с корицей...

Она подскочила и бросилась к плите, приговаривая:

— Давайте, давайте, горяченького, со сладеньким.

— Сядь, — велела я, — прекрати дергаться. Булки я не ем и тебе очень не советую увлекаться, лучше салат из овощей и отварное мясо без хлеба. Картошку, еще йогурт с нулевой жирностью, из снятого молока...

Нина сморщилась.

— Я люблю сливочный, он вкуснее...

Я посмотрела на валики жира, выпирающие из-под ее красного платья, и вздохнула. В конце концов, в мои обязанности не входит чтение лекций по диетическому питанию.

— Немедленно отвечай, где работала Надя, прекрати ходить вокруг да около!

Девушка села на табуретку и прошептала:

— Ну, теперь ей ничего не будет, раз померла. Она торговала желудком беременной ослицы.

— Чем? — оторопела я. — Ну-ка повтори!

— Желудком беременной ослицы, — покорно высказалась еще раз Ниночка.

Я разинула рот. Чего только не бывает в наше время! Про гербалайф, тайские таблетки с глистами, желчные камни крупного рогатого скота я читала в «Из рук в руки», но про ослов!

— Где же она его брала?

— Кого?

— Ну, желудок ослицы...

— В гастрономе покупала, на Ленинградском шоссе.

— А зачем его продают? Ну, для какой цели? Едят сей продукт или к больным местам прикладывают?

Ниночка тяжело вздохнула.

— Ну, слушайте, видимо, делать нечего, придется правду рассказать.

Надюша недолго проработала медсестрой, вскоре

шприц, клизма и капризные пациентки ей надоели, и девушка ушла. Где она только потом не трудилась: продавала билеты в кинотеатре, торговала на рынке косметикой и колготками, бегала по домам от фирмы, производящей витамины, и пекла блинчики в павильоне «Русские блины»... Но никакой радости ни одна из работ не приносила. Да и фиг с ней, с радостью, были бы деньги, но их-то как раз и не платили. На рынке хозяин давал по пятьдесят рублей в день, в блинах выходило около тысячи в месяц, а за витамины вообще шел процент, и, протаскавшись весь день по крутым лестницам, можно было вернуться домой с пустыми руками.

Жизнь казалась Надюше беспросветной, и она часто жаловалась более удачливой Ниночке:

— Господи, вон в газетах пишут, богатые старики обожают молоденьких! Где найти такого дедушку? Уж я бы его ублажала со всех сторон! Денег хочу, ничего другого не надо! Денег! Долларов! Я, Нинка, за баксы на все согласная!

Ниночка вздыхала и предлагала подруге:

— Ну, хочешь, возьми у меня двести рублей, просто так, без отдачи!

Надежда закатывала глаза.

— И что на такую сумму можно сделать? В «Макдоналдс» пойти? Нет, Нинок, мне тысячи нужны. Ей-богу, если бы могла, пошла бы в проститутки, только меня с души воротит при виде грязных парней...

— А дедушку ищешь, — хихикала подруга.

— Так небось они импотенты, — пояснила Надя.

Зимой Надежда, стоявшая на морозе за прилавком с колготками, заработала воспаление придатков. Сначала, как все женщины, она хотела перетерпеть и не ходить к гинекологу, но потом боль скрутила так, что пришлось переться в женскую консультацию.

Естественно, у кабинета сидела очередь, штук шесть беременных женщин и две не слишком молодые тетки. Одна из будущих мамаш стала громко жаловаться на многочисленные болячки. Надюшу чуть не затошнило от отвращения, но другие бабы с животами мигом подхватили тему и начали рассказывать о своих недугах. Только одна, с огромным пузом, молчала. Когда остальные стали восклицать: «Лишь бы на ребенке не отразилось», сидевшая до сих пор тихо беременная резко сказала:

— Естественно, отразится: сами подумайте, могут с гнилого дерева сладкие яблочки упасть? Весь ваш токсикоз, повышенное давление и запор младенцу боком выйдут. Родится больной.

— Делать-то чего? — растерянно спросила самая молоденькая.

— Мне тоже плохо было, зато потом люди надоумили, что нужно отваривать по маленькому кусочку желудка беременной ослицы и пить воду. Мясо съедать на ночь. Три-четыре процедуры, и все. Я, например, про все недуги позабыла, и мой малыш, в отличие от ваших, родится здоровым.

— А где его берут, желудок этот? — робко поинтересовалась молоденькая.

— Мне из Средней Азии присылают, самый лучший, вот только что поезд встретила, десять порций получила. Дорогой только, зараза, одна доза сто баксов, но ради здоровья сына я на все согласна. Хотя мне уже этот желудок и ни к чему, рожать не сегодня-завтра, да и не болит ничего. Но все равно купила, в морозильник суну, а потом подругам раздам, когда беременеть надумают!

Воцарилось молчание. Потом рыжая девушка, сидевшая у самого кабинета, попросила:

— Если вам ни к чему, продайте мне, а? Вот триста долларов. Трех порций достаточно?

— Конечно, много даже, и одной хватит!

— А мне одну можно? — подала голос брюнетка из угла. — Только сто баксов с собой.

— Сейчас мужу позвоню, — оживилась третья, — он мне оставшееся купит.

— Почему это все тебе? — окрысилась блондинка с золотым зубом. — Я тоже хочу здорового ребенка!

Торговка зашуршала пакетами, вытащила наружу нечто, страшно напоминавшее по виду коровий рубец, и получила от покупательниц в общей сложности тысячу долларов. Надюша только вздохнула, увидав, как беременная прячет зеленые бумажки.

Гинеколог осмотрел Надежду и велел сдать кровь на анализ. Каково же было ее удивление, когда на следующее утро в очереди к кабинету, где брали кровь, она опять увидела двух баб, тех самых, что вчера сидели к гинекологу... И опять одна, жалуясь на отвратительное самочувствие, «завела» всех на разговор о болячках, а другая принялась торговать ослиным желудком. Но самое удивительное было не это, бойкие бабы были уже не беременными, от их огромных животов ничего не осталось, и обе нацепили на стройные бедра узенькие джинсики-стрейч.

Надюша мигом смекнула, в чем дело, и пришла в полный восторг. Сразу из поликлиники она отправилась в мясной магазин, отдала сорок рублей за килограмм рубца и предложила Нине работать на пару, но медсестра побоялась дурить народ. Тогда Надюша взяла в напарницы другую девушку, и синдикат «целителей» заработал на полную мощь.

— Они иногда по тысяче долларов в день имели, — вздыхала Ниночка. — Надюшка оделась, ремонт сделала, мебель купила, отдыхать съездила... И вот бац — умерла. И все из-за денег. Кабы не жуткие тысячи, что у нее в руках оказались, не погибла бы моя подруга.

— При чем тут деньги?

— Ну как же? — удивилась Нина. — Надьку током убило. Машину она посудомоечную купила, автоматическую. По мне, так совершенно ненужная вещь. Ладно стиральная: белье тяжело руками ворочать, а тарелки — тьфу!

Вот тут милейшая Ниночка не права. Прибор, превращающий грязные, жирные кастрюльки в скрипящие от чистоты предметы, — великолепная вещь, и я давно хочу купить такую штуку.

— Да и посуды у нее никакой, — пожимала плечами Нина, — ну сколько там грязи у одинокой бабы наберется... Но она захотела агрегатик, купила и умерла!

— Отчего?

— Говорю же, током дернуло, — шмыгнула носом Нина, — у нас в доме проводка старая, «земли» нет. Раньше, когда у народа только холодильники и телевизоры стояли, еще куда ни шло. А теперь у всех чего только не завелось! Вон у Федотовых из четырнадцатой — чисто магазин бытовой техники. Да и у Надьки полна коробочка была: тостер, ростер, СВЧ-печка, гриль, даже ножеточка — и та от тока работала, и консервный нож электрический, и тесак для мяса... Иногда вечером у нас лампы таким желтым светом горят... В общем, перегрузка вышла. Надя подошла к посудомойке и небось мокрыми руками включила... Ну ее и долбануло до смерти. Так и нашли возле машины.

Тут до глупой Ниночки дошло, что она беседует с представителем милиции, и девушка добавила:

— Да вы небось лучше меня все знаете.

Я проигнорировала последнее замечание и спросила:

— Расскажите о ее взаимоотношениях с Владимиром Костиным.

— С кем? — изумилась Нина.

— У Надежды был роман с Владимиром Костиным, и вы, как близкая подруга, не могли не знать этого. Скажите, он в конце августа часто бывал у нее?

Нина поджала губы.

— Не видела такого, у нее вообще мужиков не было с весны.

— Да? А муж? Она же замужем?

— Кто, — удивилась Нина, — кто замужем?

— Надя.

— Что вы, — отмахнулась девушка, — неправда это. Она хотела, конечно, супруга-то иметь, но ничего не получилось! Ухаживать — ухаживали, а под венец не вели. Кто вам про мужа наболтал?

— Да вот, нашлись люди, говорили, якобы он шофер-дальнобойщик...

— Ой, это ее со мной перепутали, — отозвалась Нина, — мой муженек фуры гоняет. Сейчас в Хельсинки отправился. А у Надьки никого, одна-одинешенька. Хотя, если бы захотела, мигом в загс побежала, охотников много было.

— Значит, никакого кавалера по имени Владимир Костин у нее не было?

— Нет, я бы знала. Она вообще 28 августа отдыхать уехала и вернулась только за день до смерти.

— Куда ездила?

Нина задумалась.

— Сейчас покажу.

Она на секунду вышла из комнаты и вернулась, держа в руках черную майку с надписью «Афины».

— Во, где такой город?

— В Греции.

— Вот туда она и ездила.

— Вы точно знаете?

— Конечно, у Надьки от меня тайн не было, — обиделась Нина. — Вернулась загорелая, веселая...

Спустя десять минут я уже была у метро, плохо понимая, что делать дальше. Неисправные бытовые приборы очень опасны, пользоваться незаземленной техникой не рекомендуется. Кстати, западные производители очень педантичны. Не так давно, на мой день рождения, Володя принес замечательный подарок — кухонный комбайн, который без всякого труда с вашей стороны трет морковь, режет лук, шинкует капусту и взбивает яйца. Так вот, руководство по эксплуатации открывалось фразой: «Пожалуйста, никогда не прикасайтесь к работающему комбайну мокрыми руками».

Надежда пренебрегла правилами безопасности. И хотя тысячи хозяек ежедневно хватаются отнюдь не сухими ладонями за различные агрегаты, призванные облегчить их тяжелый труд, не повезло именно ей. Судьба, или карма, как теперь принято говорить.

Молча разглядывая витрины магазинчиков, я приближалась к метро. Может быть, и.вправду кто-то на небесах управляет нашими судьбами? Один человек несется в самолет, отталкивая пытающихся удержать его сотрудников аэропорта, и попадает в катастрофу, а другой опаздывает, не может поймать такси, приезжает в аэропорт тогда, когда стальная птица уже взмыла в небо и с жуткой скоростью летит навстречу своей гибели... Почему один погибает, а другой спасается? Накануне выхода в море подлодки «Курск» у одного из матросов случился приступ аппендицита, ночью, за несколько часов до погружения. Его спешно отправили в госпиталь, а место заболевшего занял другой, такой же девятнадцатилетний парень. Отчего господь решил спасти одного и убить другого? Нет ответа. Рок, карма, судьба...

Внезапно мои глаза наткнулись на черную майку с надписью «Афины».

— Давно такими торгуете? — спросила я у продавщицы.

— С мая, — улыбнулась та, — ловко, да?

— Что ловко?

— Да хозяин придумал, смотри, — она обвела рукой витрины, — молодежь в основном берет, девчонки молодые, для понта. Все есть: «Париж», «Лондон», «Анталия», «Кипр»... На любой вкус.

— Понт-то в чем? — тихо спросила я, чувствуя, как начинает биться сердце.

— У молодых денег на отдых нет, — засмеялась торгашка, — а признаваться всем, что отпуск в Москве просидела или у бабки в деревне на огороде ковырялась, неохота. Ну не престижно! Теперь принято в компаниях рассказывать не сколько зарабатываешь, а где отдыхаешь... Вот ребята, в основном девчонки, конечно, автозагар купят, обмажутся и мои маечки прибарахлят. На сувениры. Стоит-то копейки. Ну и раздают приятелям. Мол, глядите, в Турции была или на Кипре и тебе подарочек сгоношила, маечку.

«Так вот откуда взялась обновка у Нины», — молнией пронеслась в моей голове мысль.

В полном отупении я вошла в метро, села в вагон, поезд стоял. Надо же, не включила мотор! Я полезла в сумочку, достала ключи от зажигания, и в этот момент раздался металлический голос: «Осторожно, двери закрываются, следующая станция «Водный стадион».

Осторожно поглядывая на пассажиров, я спрятала ключи в карман. Ну и дура! Сначала забыла, что приехала на машине, и теперь моя «копейка» тоскует на чужой улице, так еще решила завести поезд метро. Придется возвращаться назад.

ГЛАВА 6

К дому я подрулила, когда стемнело. Мое место для парковки было занято пожарной машиной, и пришлось оставить «жигуленок» в соседнем дворе. Подходя к дому, я задрала голову. В наших окнах плескалась ночь. В общем, это неудивительно. Кирюшка придет в десять, а Лиза в четверть одиннадцатого.

В лифте отчего-то стоял противный запах гари. Чем выше кабина поднималась к нашему этажу, тем сильнее несло паленым. Причем это был какой-то химический «аромат». Сгоревшие пироги, мясо или каша благоухают по-другому. Наконец кабина остановилась на седьмом. Я выскочила на площадку и ахнула.

Все не слишком большое пространство лестничной клетки было занято пожарными — крепкими молодыми парнями в оранжевых комбинезонах и касках. Двое из них быстро и ловко махали какими-то железными палками, остальные разматывали брезентовую ленту.

Две квартиры на этаже принадлежат нам с Катюшей. Несколько лет тому назад Сережка женился на соседке Юлечке из двухкомнатной. Они быстренько разбили стенку и сделали отличные апартаменты. В однокомнатную недавно въехал Володя. Зато в «двушке» проживает местное несчастье — алкоголичка по прозвищу Копейка. Днем она толкается у метро, собирая у ларьков бутылки, вечером вместе с компанией таких же опустившихся людей горланит песни. За стеной у нас частенько вспыхивают драки, и тогда я вызываю милицию. Но ничего поделать с Копейкой никто не может. Лиц, нарушающих общественный порядок, из Москвы давно не выселяют, считается, что это попирает их гражданские права. Интересно, а кто будет охранять гражданские права жильцов нашего подъезда, регулярно подскакивающих в своих квартирах, когда Копейка в три утра распахивает дверь своей квартиры и орет дурниной:

— Пошли все на...

Больше всего я боюсь, что она уснет в кровати с тлеющей сигаретой, и мы все сгорим. И вот, кажется, дождалась.

— А ну, ребята, поднажмите, — велел мужик лет сорока, — вам чего, дама?

— Домой хочу пройти, моя дверь как раз впритык к той, что вы ломаете.

— Из сорок второй, что ли?

— Нет, я живу в сорок первой, — похолодев, ответила я.

— Эй, ребята, стопорь, — заорал мужик, — хозяйка пришла, ключи есть?

Трясущимися от ужаса руками я начала тыкать в замочную скважину, из которой валил синий дым. Боже, горит наша квартира. Мои животные!

Дверь распахнулась. Из коридора вылетел клуб синего дыма. Непонятно откуда появившиеся баба Зина, председатель кооператива Саша и бухгалтерша Лена заохали. Пожарные ринулись внутрь, я за ними.

На кухне на включенной плите мирно стоял абсолютно целый прозрачный чайничек. Воды в нем не было, а на дне вовсю кипели остатки красной пластмассовой крышечки, источавшие жуткие миазмы. Один из пожарных потушил огонь.

— Что же вы, дама, так и сгореть можно!

Я только открывала и закрывала рот. Отчаянно чихающие собаки сбились у моих ног, кошки выли на верхних полках, жаба Гертруда опустилась на самое дно аквариума и тяжело дышала.

— Горим! — заорал Кирюшка, врываясь прямо в уличных ботинках на кухню. — Лизка, хватай собак, эвакуация!

— Никто не горит, — ответил один из пожарных, по виду старше всех, — слава богу, обошлось! Где сесть можно?

— Вот тут, на стульчике, — засуетилась я.

— Окна откройте, — велел другой парень и, сняв каску, спросил: — Попить дадите?

— Вам чай или кофе? — обрадовалась я. — А что мне будет за вызов? Какой штраф?

— Просто воды налейте, — ответил брандмайор, — ничего не будет, по делу вызывали. — И приказал подчиненным: — Ступайте, парни, на лестницу.

— Ой, все интересное пропустил, — заныл Кирюшка, — пожара не увидел.

— Ну и скажи спасибо, что так, — буркнуло начальство, лихорадочно заполняя какие-то бумаги, — ничего хорошего в огне нет.

— А это что? — спросил Кирюшка, тыча пальцем в какой-то странный, вытянутый предмет.

— Пенный огнетушитель.

— Зачем он?

— Огонь гасить.

— А почему не водой?

— Слушай, парень, — не вытерпел брандмайор, — не видишь, я документ оформляю, сделай милость, не мешай.

— Вижу, — радостно ответил Кирюшка.

У него замечательный характер — ровный, открытый и приветливый. Он почти всегда пребывает в великолепном настроении и моментально находит контакт с посторонними людьми. Одна беда: господь отсыпал ему чересчур много любопытства!

— Вижу, — повторил Кирюшка и глянул через плечо пожарного. — А вы неправильно пишете.

— Где? — удивился мужик.

— Здесь, — радостно ответил мальчик, — смотрите, вот на этой строчке: «очаг возгарания».

— Ну и что, так у нас принято...

— Так «возгорание», — пояснил Кирка. — Корень гар—гор, мы в пятом классе проходили.

— Ну, ты прям Лобачевский, — недовольно ответил майор, — никто не замечал никогда.

— А Лобачевский был математик, — встряла Лиза, — великий, но к русскому языку отношения не имел.

— Раз такие умные, — вскипел начальник, — чего тогда чайник не выключаете? А?

Я хотела было сказать, что дети к этому инциденту непричастны, но Кирюшка опять спросил:

— А как этот огнетушитель работает?

— Просто.

— В электричество включается?

— Нет.

— Где его включают?

— Кнопка наверху.

— Какая? Их там две.

— Правая.

— От вас или от меня?

— Правая она и есть правая, — цедил пожарный.

— Эта, — продолжал Кирюшка, — да? Эта? Ну скажите!

— Какая? — безнадежно спросил майор.

И тут мальчик ткнул пальцем в красную пупочку. Вмиг из небольшого раструба на самом верху огнетушителя послышалось угрожающее ворчание, и через мгновение из отверстия забила толстая струя пены.

— Блин! — заорал майор, кидаясь к агрегату.

Не тут-то было. Наши толстенькие мопсихи, напуганные до полусмерти всем происходящим, тихо сидели, прижавшись друг к другу. Очевидно, у майора дома не было животных, потому что мы, прежде чем шагнуть, машинально смотрим под ноги. Но пожарный бросился вперед не задумываясь. Правая ступня его зацепилась за Аду, левая — за Мулю. Взмахнув руками, с воплем он рухнул между столом и мойкой. Огнетушитель вертелся в разные стороны, плюясь белыми, пухлыми кусками пены.

Баба Зина заорала как ненормальная и выскочила в коридор.

— Как его выключать? — завопила я, подбираясь к баллону.

... — ответил майор.

— Кнопка, — заверещал Кирюшка, — кнопка, Лизка, нажми скорей сверху!

Девочка ловко выполнила приказ, но огнетушитель не послушался. Раструб неожиданно повернулся на сто восемьдесят градусов, и не успела я опомниться, как противно воняющая масса залепила мне нос, рот и глаза. Так что наблюдать за происходящим я больше не могла, слышала только разнообразные звуки: беспрестанный мат брандмайора, нервное поскуливание мопсих, надрывное мяуканье кошек, нечленораздельное мычание, которое издавали баба Зина и председатель Саша, звяканье, топот, фырканье, стук, потом все перекрыл громовой вопль:

— Растуды твою, блин, Николай Евгеньевич, чего стряслось?

— ...Мишка, — возвестил майор, — ...и... и... Больше сказать нечего.

— Лампа, — заорал Кирюшка, — утрите ей морду!

Я открыла рот, чтобы сделать ему замечание, и даже начала:

— Не морду, а... — Но тут пена заползла в рот, и я чуть не скончалась от омерзительного вкуса.

— Пошли, Лампуша, — сказала Лизавета и потянула меня за руку, — давай, умывайся.

Зажурчала вода, кое-как я смыла с лица отчего-то жирную, липкую кашу и наконец-то сумела разлепить веки. Перед глазами предстало дивное зрелище. Когда-то, страшно давно, мама читала мне книжку про эскимосов. Больше всего детское сознание поразила картинка, изображавшая внутренность дома северных жителей. До сих пор помню, что он называется красивым, загадочным словом «иглу». Так вот, наверное, чтобы потрясти детскую душу до основания, живописец изобразил небольшую комнату, где все предметы были сделаны из льда и снега — кровати, стол, стулья, даже газовая плитка. Естественно, такое нереально, а небось на самом деле в иглу висит закопченный горшок над огнем, но цель была достигнута. С замиранием сердца я разглядывала картинки и страстно мечтала оказаться там, внутри. Теперь мне была предоставлена такая возможность.

Вся кухня была покрыта толстым белым слоем отвратительно воняющей субстанции. Когда пожарные, синие от злости, наконец ушли, волоча за собой пустой огнетушитель, я вздохнула.

— Боже, это же целую ночь отмывать!

— Здорово хлестало, — в полном восторге запрыгал Кирюшка, — совершенно офигенно, эх, жаль, Лешка Королев не увидел. Он-то все хвастался, что у них дома батарею зимой прорвало, но мой огнетушитель покруче будет!

Я сунула ему в руки тряпку.

— Начинай!

— Да, — моментально загудел Кирюшка, — почему всегда я?

— Ты на кнопку нажал!

— А ты чайник забыла!

Признав правильность данного замечания, я взяла другую тряпку и предложила:

— Давай вместе, быстрее справимся.

— Ага, — зудел Кирюшка, — мы будем тут все мыть, а Лизка отдыхать!

— Вовсе нет.

— Где она?

— Слышишь, идет по коридору?

Топот приближался, и в кухню влетела соседка Копейка, как всегда, в подпитии и, как всегда, с сигаретой в руке.

— Вона, блин, какая штука! — в полном восторге хлопнула она себя руками по бедрам. — Ну и ну! А все ко мне приставали, ругались! «Смотри, Виктория, сгоришь!» И чего вышло? Сами чуть весь дом не спалили, вроде ты, Лампа, баба приличная, завсегда трезвая, ну и как у тебя такое вышло?

— Откуда ты узнала про сгоревший чайник? — поинтересовалась я, размазывая скользкую пену по столу.

— Тоже секрет нашла, — хмыкнула Вика, обдавая меня водочным амбре, — баба Зина уже всему нашему дому растрепала, теперь в одиннадцатом, ну, в том, где булочная, людям рассказывает.

— Шла бы ты домой, Виктория, — каменным от злости голосом отчеканила я, — чего тут интересного?!

— Да ладно тебе, по-соседски заглянула, ох и грязи! Всю ночь проколупаешься. Да не так надо! — проорала Вика.

Она схватила веник, мигом смела белые клочья в ведро и сообщила:

— Тряпкой только развозюкаешь. Дай на бутылку пятьдесят рублей, мигом порядок наведу.

— Бери, — протянула я ей голубую бумажку.

Вика все убрала с такой скоростью, словно обладала, как богиня Кали, десятком рук.

— За пятьдесят рублей, — обиженно сказал Кирюшка, — я бы тоже так бы носился.

После дождливого дня неожиданно наступил душный влажный вечер, а потом такая же ночь. Я никак не могла заснуть, в открытое окно вплывал густой, горячий воздух, под одеялом было отвратительно жарко, а без него холодно. Я сходила в ванную, вытащила из шкафа банную простыню и укрылась ею. Телу стало лучше, но голова совершенно не собиралась засыпать, в мозгу кипели мысли, и чем больше я думала, тем меньше становилась понятной история, приключившаяся с Володей.

Ну ладно, предположим, с ним случился острый приступ идиотии, и мужик, убив и оставив в квартире кучу следов, в багажнике нож, преспокойненько отправился домой. Но Надежда Колесникова! За каким чертом она сказала Костину, что замужем! Насколько я знаю, женщины обычно поступают как раз наоборот, врут случайным любовникам, что совершенно свободны. Оно и понятно, никому не охота убегать голым от разъяренного супруга. И эта непонятная ложь про отпуск... Ну зачем ей было врать подруге про поездку? Отчего она не рассказала про Володю? Как правило, молоденькие девушки любят похвастаться кавалерами, а майор, хоть и старше девицы почти в два раза, выглядит очень даже ничего: высокий, световолосый... К тому же он балагур, ловко играет на гитаре и с удовольствием рассказывает абсолютно неправдивые, зато невероятно веселые случаи из милицейской жизни. Володя вмиг становился душой любой компании, и он не стал бы бить женщину, даже изменницу. Во-первых, он слишком галантен и воспитан, а во-вторых, дамы падают к его ногам, как срезанные ромашки, и он не слишком-то горюет, разбежавшись с очередной пассией. Все, абсолютно все в этой истории выглядело нелепо. И в довершение — смерть Надежды. Кончина единственного человека, способного подтвердить алиби майора. Конечно, Колесникова и впрямь могла погибнуть в результате бытовой травмы. Но как странно она себя вела! Сотрудникам милиции сообщила, что и слыхом не слыхивала про Костина, а потом зачем-то приехала ко мне, оставила записку... Интересно, вопрос о чьей жизни или смерти волновал ее? Володиной или своей? И зачем ей понадобилась я?

Ни на один вопрос не нашлось ответа, и я заснула под утро, так и не зная, как поступить.

Едва стрелка будильника подобралась к семи, как я схватила трубку и набрала домашний номер Рожкова.

— Да, — ответил сонный, недовольный голос его жены Ларисы, — кто это в такую рань?

Славка и Ларка перманентно находятся в странных отношениях. Иногда у них начинается бурная любовь, и месяц-другой они друг в друге души не чают, но потом мгновенно переходят в стадию ненависти, начинают швыряться предметами, и жена сваливает в квартиру к матери. Детей у Рожковых нет, поэтому они могут до посинения закатывать друг другу истерики. Каких только гадостей не говорит Лариска про Славку. Он и жмот, и негодяй, и импотент, и дурак, и бабник... Валит все вместе, в одну кучу. Ну как, скажите на милость, человек с отсутствием потенции может быть ловеласом? Но Ларису подобные нестыковки не смущают, и в Рожкова летят кастрюли с дерьмом. Но сегодня, похоже, у них опять совет да любовь, потому что Ларка пребывала в семь утра в своей квартире.

— Славу позови, — велела я.

— Кто это такой наглый, — завела Лара, — что это значит — «Славу позови»! Кто говорит?

— Да это я, Лампа.

— А, — поутихла Лариска, — нет его.

— И куда подевался?

— К бабке моей поехал, картошку копать.

— Зачем?

— Затем, что старуха одна не может по полю с лопатой бегать, — вызверилась Лариса, — между прочим, ей скоро девяносто стукнет. Зимой всем нравится вкусную картошечку жракать, не магазинную гнилушку, а свою, рассыпчатую. Да с огурчиком, с грибочками. Бабка у меня не жадная, навертит консервов и раздает всем, но сколько можно у ней на горбу ехать? Я Славке так и сказала: езжай, помогай бабульке, перекопай все, в погреб спустись да возьми сколько хошь... И он...

— Когда вернется? — перебила я ее страстный монолог.

— Ну... Как сделает, дней через пять-шесть, ему отпуск неделю дали.

— Интересно, почему он мне ничего не сказал?

— А мы только позавчера помирились, — пояснила Лариса, — он и сам не знал. Только тут Николай Кошехин в Москву прикатил, телевизор покупать, ну, я с ним вчера в деревню Славку и отправила. И назад его Колька припрет, а то с мешками...

— Так у него же своя машина есть!

— Сломалась, зараза, во дворе кукует, а тебе чего надо?

— Ничего, — ответила я и отсоединилась.

До четырех дня я старательно разворачивала карамельки, сигареты, бульонные кубики и пересыпала в простые, прозрачные мешочки кофе, сахар, чай и какао, наконец, кое-как доперев сумку до машины, поехала на Новослободскую улицу.

Во дворе не оказалось ни одного человека. Отдуваясь, я заволокла бело-красный баул на второй этаж и попросила у дежурной:

— Наберите вот этот номерок, Алексея Федоровича позовите!

Девушка окинула меня оценивающим взглядом, но не стала спорить, а завертела диск. Минут через десять появился мужик. Сегодня он был еще более мрачным, чем вчера. Увидав меня, потную, растрепанную, возле гигантской, словно беременной, сумки, он сердито сдвинул брови и грозно поинтересовался:

— Ну? Еще чего надо?

Испуганная таким приемом, я залепетала:

— Тут, в общем, Слава Рожков обещал, продукты... Сто долларов есть!

Алексей Федорович побагровел, быстро глянул в

сторону дежурной, потом легко, словно дамскую сумочку, подхватил тринадцатикилограммовую торбу и велел:

— Двигайте вниз, ох уж эти родственники! Все перепутают, передачи в подвале принимают.

Во дворе он грохнул сумку на землю и прошипел:

— С дуба упала, да?

— Нет, — растерялась я, — а что?

— А то, дурья башка, что явилась с сумкой и про баксы орешь при свидетелях, совсем головы нет? Вроде Славка говорил, ты нормальная!

— Простите, — пролепетала я, — я в первый раз, больше это не повторится, уж поверьте. Возьмите баульчик, там все как надо, ничего противозаконного, а тут денежка.

— Пошла ты на... со своими деньгами, — спокойно ответил мужик.

Я раскрыла рот.

— Для Володи я и так все сделаю, — пояснил мент, — мы с ним лет десять знакомы, отличный он парень, и дело одно было, за которое я ему по гроб жизни благодарен. Только продукты не возьму.

— Но почему?

— Его увезли.

— Куда?!

— В больницу.

— Что случилось? — спросила я, чувствуя, как слабеют ноги.

— Сердце схватило ночью, похоже на инфаркт. Хорошо хоть сокамерники зашумели. Успели его до врача живым донести, но сейчас положение крайне тяжелое, отправили в «Матросскую тишину».

— Куда?

— В другое СИЗО, на улицу Матросская Тишина.

— Почему? — плохо слушающимися губами спросила я.

— Там большая больница, со сложными случаями всегда туда отвозят, наши врачи в Бутырке не справляются, коли дело плохо.

— А что, так плохо?

— Нехорошо, — вздохнул тюремщик, — честно говоря, я боялся, что живым не доедет. Уж и не знаю, что дальше делать станут. Могут в 21-ю больницу перевести.

— Зачем?

— Там специальных два этажа имеется, — вздохнул Алексей Федорович, — оно, может, и лучше для Володи туда попасть, специалисты понадежнее и лекарств побольше, чем в «Матроске». Только все эти переезды в машине инфарктнику ни к чему...

— Отчего же его сразу в 21-ю не отправили?

— Не положено, сначала в «Матросскую» надо.

— Идиоты!!

— Таковы правила.

— Что же мне теперь делать? — растерянно спросила я.

— Забирайте домой харчи, позвоню вам, давайте телефон.

Я продиктовала номер и взглянула на сумку, где лежали любовно купленные и аккуратно запакованные продукты. Ей-богу, не могу тащить передачу назад, несмотря на то, что потратила на нее кучу денег...

— Послушайте, Алексей Федорович, в тюрьме ведь есть такие люди, которым ничего не присылают?

— Полным-полно.

— Ну вот, возьмите и отдайте одному из них.

— Вы что, — уставился на меня тюремщик, — это ж сколько вы деньжищ убухали...

— Пожалуйста, — устало сказала я, — очень прошу, просто я не смогу внести этот баул назад в квартиру.

ГЛАВА 7

Прибыв около семи домой, я рухнула на диван и мигом провалилась в сон — тяжелый, какой-то беспросветно-черный... Вытащил меня из объятий Морфея звонок в дверь. На плохо слушающихся ногах я добралась до прихожей и, не посмотрев в «глазок», распахнула дверь. Крик застрял в горле.

На лестничной клетке стоял Володя. Отчего-то голый, вернее, без костюма, замотанный в белую простыню, что-то типа национальной одежды индийских женщин — так выглядел его наряд. Лицо майора было бледным, волосы побриты, на голове — терновый венец.

— Володечка, — прошептала я, протягивая руку, — ты откуда?

— Оттуда, — печально ответил приятель, не разлепляя бескровных губ.

— Вовочка, где твои волосы?

— Их уничтожили, Лампа.

— Господи, что на тебе намотано?

— Тут это носят, дорогая.

Я почувствовала, что сейчас потеряю сознание, и попыталась обнять приятеля, шагнула на лестницу, но майор быстро отступил назад.

— Не подходи ко мне, милая, прощай.

— Володя! — заорала я. — Володя! Стой, погоди, ты куда?..

— Так надо, Лампуша, — тихо произнес друг и пошел по ступенькам вниз.

Я смотрела, как он плывет над лестницей, не касаясь ее ногами. Сознание начало мутиться. Внезапно Костин стал исчезать. Сначала растаяла нижняя часть тела, потом грудь, ноги... Осталась одна голова в терновом венце... Вдруг она легко обернулась, и прозвучал до боли знакомый, чуть хрипловатый голос:

— Лампуша, прости за все, люблю вас, прощайте и помогите тем, кто любит меня.

— Володя! — завизжала я и кинулась за ним.

Но мягкие ноги подломились в коленях, я не удержалась и влетела в окно, пробив стекло, земля понеслась мне навстречу, в ушах раздавался несмолкаемый звон... Я закричала и... открыла глаза. Господи, это был сон! Взгляд нашарил будильник: восемь вечера. Липкими от пота руками я потерла голову. Раздался резкий звук. Кто-то нажимал на дверной звонок.

В полном ужасе, еле-еле передвигая ногами, я добралась до двери и глянула в «глазок». На лестнице стояла молодая, симпатичная, но чрезмерно полная женщина. Я распахнула дверь и увидела, что она не толстая, а просто беременная, месяце на девятом, не меньше.

— Простите за беспокойство, — вежливо сказала девушка.

Она была очень хорошенькой и очень молодой. Уж не знаю, исполнилось ли ей восемнадцать. Пухлые щеки покрывал персиковый румянец, огромные карие глаза просто лучились, красиво изогнутые губы улыбались, а на плечи падали темные блестящие волосы, без слов говорящие: их хозяйка не только молода, но и здорова.

— Простите, — повторила незваная гостья, — не знаете, куда подевался ваш сосед Володя из сорок второй квартиры? Звоню, звоню — и никого нет.

— Зачем он вам? — настороженно спросила я.

Девушка замялась.

— Ну, в общем, понимаете, я жду от него ребенка... Письмо отправила, он обещал встретить на вокзале 10 сентября, я хочу в Москве рожать... Но тут такой случай вышел, что пришлось пораньше приехать. Уж извините, он, наверное, на работе... Можно у вас посидеть?

Проглотив стоящий в горле комок, я пробормотала:

— Конечно, входите, Володя — наш лучший друг, можно сказать, брат. Только его внезапно отправили в командировку надолго.

— Ой, — воскликнула женщина, — что же делать? У меня в Москве никого нет!

— Заходите, — окончательно опомнилась я, — ужинать будете?

— С удовольствием, — ответила незнакомка и покраснела: — У меня с деньгами беда, думала, Володя поможет.

На кухне я положила ей на тарелку зажаренную в сухарях куриную грудку и кабачки. Девушка действительно была жутко голодна. Вмиг проглотив угощение, она повеселела и сказала:

— Давайте знакомиться, Ксюша.

— Лампа, — ответила я и спросила: — Где вы познакомились с Володей? Он нам ничего не рассказывал!

Произнеся последнюю фразу, я тяжело вздохнула. Похоже, что после случая с «Оружейной палатой» майор вообще перестал делиться с нами своими амурными приключениями.

Ксения заулыбалась и бесхитростно вывалила мне историю своей встречи с Костиным.

Увидели они друг друга в ноябре прошлого года. Володя отдыхал в небольшом пансионате на Оке, а Ксюша работала там официанткой.

— Володя такой замечательный, — тарахтела девушка, — красивый, веселый, на гитаре играет, истории всякие рассказывает.

Словом, она не устояла и, хоть была мужней женой, кинулась в омут прелюбодеяния.

— Мой муж-то еще тот кадр, — сообщила Ксюша, — пил и пьет, просто водопровод водочный, нажрется — и драться... А мать его целыми днями меня пилила: «Это ты виновата, у хорошей жены муж алкоголиком не станет».

В общем, за два года такой, с позволения сказать, семейной жизни Ксюша не испытала ни разу радости: ни моральной, ни физической. Обожравшийся горячительными напитками муженек по полгода не притрагивался к молодой жене, а когда все же ложился с ней в койку, проделывал все настолько больно и грубо, что бедная Ксюша потом долго плакала от унижения.

Володя был совсем иным: нежным, ласковым и непьющим. Двадцать четыре дня пролетели как один, пятнадцатого декабря любовник уехал в Москву. Ни о каких дальнейших отношениях речь не шла, Ксюша понимала, что строить планы не стоит, и была рада, что в ее жизни случился этот безумный месяц. Другим и такого счастья не выпадает.

В начале января Ксюша поняла, что беременна, причем именно от Володи. «Любимый» муж в последний раз навещал жену аж в августе. До мая жизнь шла как прежде. Но после майских праздников свекровь, окинув тяжелым взглядом слегка располневшую фигуру невестки, поинтересовалась:

— С чего тебя разнесло, а? Ну-ка отвечай, шельма!

Разразился дикий скандал, и Ксюше пришлось убегать из дома ночью, в одной ночной рубашке. Хорошо, подруга пустила на постой... Ни родственников, ни собственной жилплощади у Ксюши нет. Замуж она выскочила почти сразу после школы, вернее, после детского дома. И свекровь с мужем постоянно обзывали ее голодранкой, нищенкой и приютской кошкой.

Почти все лето Ксюша моталась по друзьям, живя по очереди то в одном месте, то в другом... Но в середине августа стало понятно, что больше так продолжаться не может. Поколебавшись, она написала Володе, собственно говоря, ни на что не надеясь. Ответ пришел неожиданно быстро. Он писал, что всегда хотел иметь детей и до сих пор вспоминает дни, проведенные с Ксюшей. Словом, самым невероятным образом жизнь начинала поворачиваться к Ксении светлой стороной. Договорились, что она прибудет в Москву десятого сентября, но неожиданно один из знакомых поехал в столицу на своем автомобиле, и Ксюша, решив сэкономить, напросилась с ним. Адрес Володи она знала, добравшись и предвкушая сюрприз, принялась звонить в дверь.

— А куда он уехал? — поинтересовалась она в конце своего рассказа.

Я замялась. Ну и положение, хуже губернаторского! Володя ничего мне не рассказывал про Ксению. Но каков донжуан! В декабре крутил роман с девчонкой, потом почти одновременно завел шашни с какой-то Репниной, да и в августе, уже зная, что со дня на день должна прибыть беременная от него женщина, ухитрился закадрить в магазине Надю. Хотя говорят, что некоторые мужики накануне свадьбы обязательно устраивают мальчишник, на который зовут девиц легкого поведения, прощаются, так сказать, с холостой жизнью. Наверное, поэтому в Вовкиной судьбе появилась Колесникова. Последний всплеск перед началом семейной жизни. Но как объяснить все это беременной Ксюше? Не могу же я рассказать ей про тюрьму, Репнину и Надю!

— Володю отправили... э... в Воркуту!

— Зачем?

— Ну, по работе, подробностей не знаю.

— Он телефон не оставил?

— Да нет, — начала я вдохновенно врать, — он не в самой Воркуте, а в оленеводческом колхозе, в тундре... Ну как туда дозвониться!

— Что его в тундру понесло? — изумилась Ксения.

Я обозлилась на себя за идиотские выдумки и слишком резко ответила:

— Понятия не имею...

— Но... — начала было Ксюша, но тут открылась дверь, вернулись с занятий английского языка Лиза и Кирюшка...

Ночь я опять провела без сна. Мало того что Володя в тюрьме, хватило бы с лихвой одного этого несчастья, так нет, еще умудрился заболеть... А тут в придачу Ксюша с огромным животом... Ох, недаром говорят, что неприятности имеют обыкновение ходить кучно...

Не успели дети убежать в школу, как раздался телефонный звонок. Строгий мужской голос произнес:

— Позовите Евлампию.

— Слушаю.

— Это Леша.

— Кто? — удивилась я.

— Алексей Федорович, — поправился собеседник.

— Ой, подождите, — обрадовалась я и, прикрыв трубку рукой, осторожно приоткрыла дверь в Ксюшину спальню, увидела, что она безмятежно спит, одетая в Лизину ночнушку, сказала: — Да, слушаю.

— Нам надо поговорить.

— Слушаю.

— Не по телефону.

— Что-то случилось?

— Все при встрече, — не пошел на контакт тюремщик, — через час у метро «Менделеевская», сможете?

— Постараюсь, — ответила я и кинулась одеваться.

Когда, запыхавшись, я выскочила из подземного перехода, Алексей уже стоял возле небольшого летнего кафе.

— Иди сюда, — перейдя на «ты», сказал он и втолкнул меня внутрь желто-синего шатра, — садись и слушай.

Я покорно замерла на белом пластиковом стуле.

Алексей потер широкой ладонью лоб, потом немедленно достал из кармана фляжку, плеснул в стаканчик коричневую жидкость и велел:

— Пей.

— Спасибо, я не люблю алкоголь, а уж с утра тем более.

— Давай!

— Но...

— Глотай!

Пришлось подчиниться. Горячая, прямо раскаленная струя пронеслась по пищеводу и рухнула в желудок. Мигом закружилась голова.

— Что случилось? — с трудом ворочая языком, спросила я.

Алексей внимательно посмотрел на меня.

— Ты замужем?

— Нет.

— Любишь Володю?

— Да, но только как друга.

— Он тебе не любовник?

— Нет и никогда не был, — ответила я и тут же

обозлилась: — Что, в конце концов, происходит, какая тебе разница, кто...

— Костин умер вчера, — ответил Алексей.

На минуту мне показалось, что я ослепла. В кафе потемнело.

— Как умер?

— Скончался.

Неожиданно я спросила:

— В восемь вечера, да? Все случилось именно в двадцать ноль-ноль?

— А ты откуда знаешь? — удивился тюремщик. — Точно, ровнехонько в этот час.

— Он приходил ко мне, — прошептала я, чувствуя, как глаза словно засыпает пеплом, — весь белый, в простыне... Инфаркт, да?

— Сначала решили, что сердце, — вздохнул Алексей, — а потом оказалась какая-то зараза жуткая, вирусная... непонятно что... Теперь никакого суда над ним не будет...

Я плохо помню, как добралась до дома. Вообще не знаю, на чем ехала, вроде взяла такси... Во всяком случае, кто-то меня привез и даже проводил до дверей квартиры... Дальше полный провал. Кажется, суетились Кирюшка и Лиза, хотя откуда бы им взяться, дети были в школе. Затем из тумана возник врач, в руку впилась игла... Последнее, что помню, нервное урчание кошки Пингвы, пытавшейся устроиться у меня на груди.

Яркое солнце ударило в глаза, я села и увидела в другом углу комнаты спящего прямо на полу Кирюшку.

— Эй, Кирка, что случилось?

Мальчик подскочил ко мне.

— Лампа? Нет, это ты расскажи... Пришли домой и видим: ты лежишь на диване, вся в слезах... Спрашиваем — не отвечаешь, только головой трясешь! Пришлось врача вызывать, он тебе снотворное вкатил, так ты на́ двое суток отрубилась. Прикинь, сегодня понедельник!

В ту же секунду я вспомнила все. Володя! Слезы хлынули из глаз потоком.

— Лампуша! — совсем перепугался Кирюшка. — Ты опять потеряла кошелек со всеми деньгами? Ну, не убивайся так, ерунда!

— Хорошо, — пробормотала я и побежала в ванную.

На веревках висело отстиранное белье. Открутив кран, я начала плескать на себя ледяную воду, потом уставилась в зеркало.

Стекло отразило блестящую физиономию с черными синяками и заострившимся носом. Да уж, краше в гроб кладут. Гроб! Кто будет хоронить Володю, у него нет родственников. Как рассказать обо всем детям, а главное, Ксюше? Она беременна, и такой стресс может повредить не только ей, но и ребенку... Как вообще поступить?

Вода текла, я смотрела на пузырящуюся струю. Наконец в голове созрело решение. До Ксюшиного разрешения от бремени осталось небось дней десять, не больше. Пусть спокойно отправится в родильный дом, да и потом недели две ей совершенно не нужны стрессы... Затем, естественно, я открою правду, но пока никому ничего не сообщу — ни ребятам, ни Ксении... А там посмотрим, как жизнь повернется...

Примерно полгода назад Володя пришел ко мне в комнату и положил на стол какую-то бумагу.

— Что это? — удивилась я, увидев, что листок украшают печати.

— Завещание.

— Зачем? Что за блажь тебе пришла в голову!

— Знаешь, Лампа, — вздохнул майор, — человек я одинокий, родственников никого, вдруг чего случится, квартира государству отойдет. А при наличии этой бумаженции вам достанется. Все-таки двое подрастают, пригодится жилплощадь!

— Ничего не случится, — разозлилась я, — и потом, тебе и сорока нет, еще женишься, ну кто заводит разговоры о кончине в таком юном возрасте!

— Если найду жену, — хмыкнул приятель, — мигом перепишу завещание, а насчет смерти... Всякое при моей работе случается!

Теперь мы поселим в его квартире Ксюшу и новорожденного... Думаю, Володька остался бы доволен таким решением... И, конечно, ни я, ни Катя никогда не бросим эту несчастную, так и не успевшую стать законной супругой Костина.

— Лампа, — заорал Кирюшка, — немедленно открой дверь, слышишь, сейчас же отвори, иначе взломаю!

Я высунулась в коридор.

— Чего тебе?

— Почему заперлась?

— Ну не мыться же мне с распахнутой дверью!

— Именно так и мойся.

— Но я хочу душ принять.

— Ну и что? Подумаешь, что я, голую женщину не видел? — отмахнулся Кирюшка.

— Да? — удивилась я. — И где же?

Мальчик со вздохом посмотрел на меня.

— Лампа, в любом киоске продается «Плейбой», там бабы во всех видах.

— Ну я-то не настолько молода и хороша, как фотомодели, потому предпочитаю совершать омовение без свидетелей!

— Чего ты ревешь?

— Кошелек потеряла со всеми деньгами!

— Тьфу, — в сердцах сплюнул Кирюшка, — ну, ты даешь! Так убиваться из-за идиотских бумажек.

— Без этих, как ты выражаешься, бумажек нам никто ничего не даст, даже батончик хлеба, — парировала я, вытирая лицо.

— Погоди, — сказал Кирка и умчался.

Через две минуты он принесся, держа в руках кошелек.

— На, тут три тысячи.

— Откуда так много?

— На хорошие ролики собираю, они триста долларов стоят. Забери и трать, только не плачь больше. И у Лизы деньги есть, правда, меньше, всего тысяча.

— Кстати, где Лизавета?

— В школе.

— А ты почему дома?

— Интересное дело, — воскликнул Кирка, — побоялся оставить тебя в таком состоянии.

Я взяла копилку, поставила ее на кухне, включила чайник и позвала собак на прогулку.

ГЛАВА 8

В почтовом ящике белели номера «Московского комсомольца». Дети не вынимали без меня прессу. Я не слишком люблю это издание, но Лизе и Кирюшке газета нравится. Пока собаки, радуясь солнечному утру, носились по двору, я раскрыла газету, вышедшую в день смерти майора, глянула на третью полосу и чуть не потеряла сознание. Через всю страницу шла «шапка» — «Мент позорный». Статья была о Володе Костине.

«Простые люди, столкнувшись с криминалом, боятся обратиться в милицию. Впрочем, я их понимаю, ведь в кабинете на стуле, облаченный в форму, может сидеть «мент позорный», такой, как майор Владимир Костин», — так бодро начинался материал. Строчки дышали ненавистью и источали яд. Достаточно подробно была описана ситуация с Софьей Репниной, но это еще полбеды. Некий корреспондент Константин Ребров сообщал откровенно лживые, гнусные факты, от которых у простых читателей волосы должны были встать дыбом по всему телу. Майор Костин брал огромные взятки, прикрывал за деньги дела, сажал за решетку невинных, бедных людей и вызволял из СИЗО бандитов. «Откуда у простого сотрудника МВД деньги на новую квартиру в элитном районе? — вопрошал Ребров. — Четыре комнаты дорого стоят, даже на окраине. К тому же квартира шикарно обставлена, а в подземном гараже стоит джип. Знаете, сколько стоит такая машинка? Нет? Тогда сообщу — ровнехонько зарплату сотрудника милиции за десять лет. Может, конечно, господин Костин не ел, не пил, не одевался, а копил деньги на джип, но что-то мешает мне поверить в это. Уж не знаю, где майор взял бешеную сумму, но твердо уверен в другом: именно из-за таких, как Владимир Костин, сотрудников милиции зовут «ментами позорными», а районные отделения — «легавками».

Я принялась с ожесточением рвать газету. Подбежавшие собаки решили, что хозяйка затеяла новую веселую игру, и стали хватать клочки. Еле-еле успокоившись, я поднялась наверх. Нужно немедленно звонить в редакцию.

На обороте вчерашнего номера «Комсомольца» был напечатан номер.

— Секретариат, — прозвучал ответ.

— Позовите Константина Реброва.

— Кого?

— Корреспондента Константина Реброва.

— У нас нет таких сотрудников.

— Но в газете материал за его подписью!

— Погодите минуту.

Из трубки донеслось шуршание, потом тот же голос произнес:

— Заметка шла через отдел информации, туда и звоните.

Минут пятнадцать меня футболили по разным номерам, пока наконец не раздался раздраженный мужской баритон:

— Ну и что вам не понравилось?

— Все! Вы Ребров?

— Нет, Шлыков.

— Позовите Реброва.

— Это мой внештатный автор, я готов выслушать претензии.

— Как вы посмели оклеветать честного человека?!

— Что-то не пойму, — хмыкнул Шлыков, — вы майор Костин?

— Издеваетесь, да? Слышите же женский голос.

— Никто и не думал смеяться, — монотонно пояснил корреспондент, — у мужика тоже дискант бывает, в особенности если ему яйца дверью прищемят. А майор Костин, если обиделся на справедливую критику, может лично выразить негодование и даже подать иск о защите достоинства. Милости просим, наша газета регулярно выигрывает процессы.

— Володя Костин — честнейший и благороднейший человек, а вы нарушили закон, назвали гражданина преступником до решения суда по его делу.

— Пусть сам обращается, а не баб подсылает!

— Майор Костин не может вам позвонить и защитить свою честь, он умер.

— Когда?

— Вчера, — сказала было я, но потом вспомнила, что проспала двое суток, и поправилась, — в пятницу.

— Чудесненько, — неожиданно обрадовался собеседник.

Я оторопела.

— Что же хорошего?

— Значит, он скончался и не читал статью.

— Не читал.

— Ну и отлично, а теперь прощайте, у меня летучка начинается.

— Но...

— Напишите нам письмо и получите официальный ответ.

Трубка запищала. Подавившись клокочущей злобой, я позвонила Володе на работу.

— Козлов, — гаркнул Мишка.

— Романова, — в тон ему ответила я, — ты знаешь, какое несчастье стряслось?

— В курсе, — буркнул Володин сослуживец.

— И что теперь будет?

— Дело закроют.

— Почему?

— В связи со смертью основного подозреваемого.

— А если это не он? Тогда что?

— Ничего, говорю же — дело закроют.

— И не станут искать настоящего преступника?

— Нет, все улики против Владимира.

— Значит, он останется убийцей и негодяем?

— Отцепись от меня, Лампа, — железным тоном ответил Козлов.

— Сейчас оставлю в покое, только я думала, что с ним у вас были дружеские отношения и тебе небезразлично его доброе имя.

— Слушай, — свистящим шепотом прошептал Мишка, — дело закроют — и точка, больше разбираться не будут. Костин покойник, ему все равно!

Я нажала на зеленую кнопку. Нет уж, конечно, Володю не вернуть, но мне совершенно не безразлично, какая память останется о нем. А ребенок? Он вырастет, захочет пойти работать юристом, а ему скажут: «Твой папенька, детка, убийца, взяточник и негодяй».

Даже у того, кто ушел в небытие, должна оставаться возможность отстоять свою честь. И потом, я-то знаю Володю лучше всех, он никогда не делал ничего противозаконного. В статье сплошная ложь. Квартира его состоит из одной, весьма скудно обставленной комнаты, гаража нет и в помине, у подъезда маячит раздолбанная машина, да и с деньгами у Вовки всегда беда... И вот теперь, когда он в могиле... Могила!

Я снова начала тыкать в кнопки.

— Козлов! — рявкнул Мишка.

— Когда мне отдадут тело?

— Чье?

— Володи.

— Евлампия, — просвистел приятель, — ты ему кто? Мать? Жена? Сестра? Тетка? В каком родстве состоишь с покойным? И почему тебе должны отдавать его тело? А?

— Но ты же знаешь...

— Ничего знать не желаю, он кремирован.

— Как? Когда? Почему мне не сказали?

— А почему должны были тебе, постороннему человеку, сообщать? Впрочем, если хочешь знать о всех похоронах, могу дать твой телефон сотрудникам морга Склифа, начнут каждый день тебя извещать. А мне больше не звони, по крайней мере, на работу! Володька сам дурак, нарубил дров! Убил бабу, а потом помер. Отвяжись от меня!

— Я, гражданин Козлов, больше никогда, слышите, никогда не позвоню вам, ни разу в жизни, и желаю вам сегодня споткнуться, выходя из трамвая, и сломать ногу!!!

Выпалив эту фразу, я швырнула трубку на стол, но промахнулась, и она свалилась у окна. Затем, схватив страничку из записной книжечки на букву К, я изорвала ее на мелкие части и тут же пожалела о содеянном. Козлов — мерзавец, но теперь пропали номера всех друзей, чьи фамилии начинаются на эту букву.

Слегка остыв, я закурила и уставилась в окно. Старая истина, придуманная не нами: друзья познаются в беде. Мы-то считали Козлова приятелем! И вот каким он оказался, когда в дверь постучалось несчастье! Бедный, бедный Вовка, кремированный впопыхах равнодушными людьми, ушедший без отпевания и поминок, оклеветанный, унесший на тот свет замаранное имя! Ну уж нет! Я встала, вышвырнула окурок в окно и решительно потянулась к валявшемуся на полу телефону. Нет уж, не бывать такому! Я не дам вывалять честное имя Володи в грязи, может, ему и впрямь уже все равно, но я просто не смогу смотреть в глаза Ксюше. Я обязана защитить фамилию Костин. Да, но как это сделать? Очень просто — найти настоящего убийцу Софьи Репниной, а потом заставить мерзкую газету

«Московский комсомолец» напечатать другую статью, ту, которую я напишу сама.

Действовать следовало незамедлительно. Для начала я позвонила на работу и, зажав пальцами нос, загундосила в трубку:

— Алло, это кто? Роман, вы? Простите, бога ради, я заболела, простудилась, насморк подцепила.

— Мы уж вам звонили, — перебил Ломов, — но Кирюшка ответил, что вы спите.

— Да, продрыхла двое суток.

— Евлампия Андреевна, дорогая, не думайте ни о чем, болейте на здоровье, — пропел Ломов, — за неделю поправитесь?

— Надеюсь!

— Ну и отлично.

Я кинулась к шкафу. Все-таки мой начальник — идиот, ну как можно болеть на здоровье?

Адрес Репниной — Аргуновская улица, дом 6, квартира 15, сказанный вскользь Славкой Рожковым, — врезался мне в память, наверное, на всю жизнь. Домишко, где проживала убитая, оказался так себе, пятиэтажка, но кирпичная. Правда, от блочных собратьев здание практически не отличалось. Я влезла наверх и, отметив, что на простой деревянной двери нет бумажки с печатью, позвонила. Внутри квартиры послышались быстрые шаги, и перед моими глазами предстала худенькая женщина в потертых джинсах и желтой, заляпанной краской футболке. До носа долетел запах краски и чего-то специфического — то ли обойного клея, то ли шпаклевки.

— Вам кого?

— Я по объявлению, — ответила я, — уж извините, без звонка, рядом живу, вот и решила прийти.

— По какому объявлению? — удивилась хозяйка, вытирая руки о грязные брюки.

— О продаже квартиры.

— И где вы его прочитали?

— В газете «Из рук в руки», сегодня увидела. —

Я принялась достоверно врать, наблюдая, как у тетки медленно расширяются зрачки. — Меня уж очень данный вариант интересует, поэтому и поторопилась, чтобы первой прибежать. Сама тут проживаю, в соседнем здании, а теперь сына отселить решила. И цену вы приемлемую объявили — двадцать тысяч. У меня как раз столько. Вы же небось торопитесь? Там написано: «Продаю срочно». Можно на квартиру взглянуть?

— Ах, гнида! — обмерла хозяйка.

Я оскорбилась:

— Вы мне? Ну, ничего себе выраженьице! За такое и схлопотать можно!

— Ой, простите, — затарахтела хозяйка, — конечно же, я не вас имела в виду, а Тоньку или Гальку, уж не знаю, которая из них объявление дала. Только прав у них никаких на жилплощадь нет, мне все принадлежит.

— Что-то я не пойму, о чем речь!

— Да входите, — велела тетка и втянула меня внутрь. Прихожей не было. Буквально пятьдесят сантиметров отделяло входную дверь от комнаты. — Проходите, — хозяйка подтолкнула меня к стулу, — уж извините, беспорядок тут. Вещи разбираю, а заодно окно крашу, совсем сгнило, скоро вывалится. Сонька-покойница ленивая была, прости господи. В ванной кафель попадал, на кухне линолеум зацвел, и в сортире потолок сыплется. Горе, а не квартира, сюда бог знает сколько средств вложить надо, чтобы до ума довести.

— Ничего, ничего, — быстренько сказала я, — были бы стены, у меня сын рукастый и невестка прилежная, вмиг гнездышко обустроят.

— Да не продается ничего! — в сердцах закричала баба.

— А объявление?

— Вот сволочи! Вот гады! Ну, я им покажу, — вскипела хозяйка, — за моей спиной орудуют! Между прочим, еще в права наследства не вошли, а уже распоряжаются. Моя квартира, моя, Веры Салтыковой, а не ихняя, потому как они Соньке не родные. Да и потом, вы не захотите здесь жить.

— Почему?

— Тут человека убили.

— Где? — отшатнулась я, изображая ужас.

— Вот прямехонько на этом месте, где сейчас сидите, она и лежала.

— Ужас, ужас, — забормотала я, — а кого убили? За что? Из-за денег?

Вера прищурилась.

— Не-а, любовь такая вышла у Соньки, смертельная, я ей еще когда говорила: твой ментяра — зверь. А она: «Много ты понимаешь, я из него веревки вью». Довилась, вон чем кончилось: Сонька на кладбище, а я тут шмотки ее грязные разбираю, не попивши, не поевши, да еще гниды объявления дают.

— Знаете, — лучезарно улыбнулась я, — вещи выбрасывать так тяжело, вы, наверное, устали, проголодались. Сейчас я сгоняю домой, притащу жрачку, и бутылочка есть.

— Водки не пью, — отрезала Вера, но глаза у нее заблестели.

— И я горькую не употребляю, дамское в холодильнике стоит, красненькое, сладкое... Ну так как, а? Помянем несчастную, поболтаем.

— Гони, — велела Вера, — и то правда, отдохнуть пора, с раннего утра возилась, без роздыха, прямо спину свело. Дуй к себе, пока я картошечку сварю.

Я выскочила на улицу и понеслась в ближайший магазин. Очень хорошо, что Вера Салтыкова любит выпить, и очень плохо другое: я-то алкоголь совершенно не переношу, просто на дух не перевариваю. А придется пить вместе с теткой, чтобы у той развязался язык. У прилавка маячили две личности неопределенного возраста с опухшими лицами.

— Слышь, дочка, — прохрипела одна непонятного пола, — дай денег на хлеб.

— Нету, — отрезала я.

— Нету на батончик, отсыпь на водочку, — жалобно просипело второе существо.

Меня всегда привлекают люди, говорящие правду, потому второму бомжу я протянула рубль. Купив две бутылки крепленого вина, я аккуратно открыла одну и стала выливать содержимое на клумбу возле супермаркета.

— Эй, погодь, — закричал один из алкоголиков и кинулся ко мне, — что делаешь-то?

— Вино выплескиваю, бутылка пустая нужна.

— Дай выпью.

— Только не из горлышка, неси стакан.

— Не вопрос, — обрадовался парень и протянул грязную литровую банку, — сюда лей.

Я наполнила сосуд и потом, купив в бакалейном отделе пакет вишневого сока, перелила его в освобожденную емкость. Вышло здорово, даже вблизи было невозможно заметить разницу. Прихватив еще колбасы, банку зеленого горошка, грамм триста сыра и пачку масла, я вернулась к Вере.

— Вот, что было.

— А и здорово, — обрадовалась Салтыкова, — картошечка поспела, колбаска какая? «Докторская»? Отлично, жирную я не люблю.

— Я тоже.

Обрадовавшись схожести вкусов, мы сели за стол. Я всплеснула руками:

— А хлеб?

— Ща порежу, — пообещала Вера и отвернулась к кухонному шкафчику.

Я быстренько налила ей портвейна, а себе вишневого сока и предложила:

— Давай, не чокаясь, за упокой.

Вера мирно опрокинула стакан. Я тоже не подкачала и разделалась с соком. Честно сказать, я больше люблю томатный, но вишневый все же лучше, чем портвейн.

Мы положили на тарелки картошку, и тут зазвонил телефон. Вера пошла в комнату, я быстренько повторила операцию по розливу. После второй дозы у хозяйки покраснели щеки. Потом она очень удачно захотела выйти в туалет и по возвращении получила третий стакан. Одним словом, через полчаса дама оперлась локтями о стол и слегка заплетающимся языком спросила:

— Любовные романы любишь?

— Обожаю, — покривила я душой, — целый день только их и читаю.

— Так я тебе про нас и Соньку расскажу такой роман! Хочешь послушать?

— Очень, — радостно воскликнула я, — вся внимание.

ГЛАВА 9

Мать Сони Репниной была любвеобильной дамой и без конца выходила замуж. Конечно, каждый портит свою жизнь как хочет. Кто-то пьет горькую, кто-то балуется наркотой, ну а Лидия Ивановна обожала менять мужей. Сколько их было на самом деле, старшая дочь, Верочка Салтыкова, и сосчитать не могла. Ее родной папа Андрей ушел от маменьки году этак в 70-м, когда Вере исполнилось пять лет, и она его хорошо помнила. Вернее, запомнился не столько папа, сколько тот факт, что, убегая из дому, он метнул в спокойно улыбающуюся маму табуретку. Она просвистела над ухом Лидии Ивановны и попала в большой шкаф, мигом разбив зеркало.

— Ну и... с ним, — сказала мамочка.

Верочка была еще очень маленькой, но такие слова хорошо знала. Мама пела в ресторане, и подвыпившие посетители частенько ругались.

— С кем, — спросила девочка, — с папой или шкафом?

— С обоими, — ответила мать, потом подумала и добавила: — Все же от гардероба больше пользы, и по бабам не бегает.

Потом появился дядя Сеня, у которого имелась своя дочка Галка, на год старше Веры. Он прожил с Лидией Ивановной два «сезона» и скончался. Лидия удочерила Галю и стала тянуть двух девочек. Но одна она оставалась недолго. Буквально через пару месяцев вдова вышла замуж. Нового супруга звали Николай, он был на десять лет младше молодой жены и имел пятилетнюю сестру Антонину.

Дядя Коля не понравился ни Вере, ни Гале. Он играл на гитаре в каком-то, как тогда говорили, вокально-инструментальном ансамбле и пил горькую. Вернее, употреблял все: горькое, сладкое, кислое... Напившись, начинал драться, бил девочек и Лидию. Мамочка совсем было собралась разводиться с извергом, но тут господь взял дело в свои руки, и Николай попал под машину. Естественно, Тоня осталась с Лидией Ивановной. Далее в жизни певицы случились по очереди Иван, Саша и Саша. Из-за того, что имена у последних мужей оказались одинаковыми, девочки звали их, как царей: Александр Первый и Александр Второй. Детей у них, слава богу, не было. Потом последовали романы с Виктором и Семеном, а в 1978 году Лидия Ивановна опять сошлась с Андреем Салтыковым. Мужик к тому времени полностью отказался от искусства и занялся... пошивом сумок. Словом, стал тем, кого в далекие советские времена звали цеховиком. На небольшой подмосковной фабрике, расположенной в богом забытом городке Пенкин, шились отвратительные, уродливые изделия, зато кожа на них шла превосходная. Андрей мигом организовал дело. За счет экономного раскроя материала стали получаться большие остатки, и из них мастера тачали шикарные сумки, на подкладках которых был нашит ярлык: «Париж». Готовая продукция реализовывалась через знакомых директоров магазинов. Потом Салтыков осмелел, стал закупать кожу, и подпольное производство заработало на всех парах. Впрочем, так же в те годы шили джинсы и мужские «фирменные» рубашки с планкой и воротничком на пуговицах.

В 1980-м родилась Сонечка, единственная родная сестра Веры. И хотя девочек разделяло пятнадцать лет, они относились друг к другу очень нежно, в особенности старшая, всегда опекавшая младшую. Вера недолюбливала Галю и Тоню. В подростковом возрасте она жутко ревновала к ним Лидию Ивановну. Девочки постоянно ругались, даже дрались. Конец распрям положил Андрей. Он явно не хотел видеть дома посторонних подростков, постоянное напоминание о череде других мужей супруги. Поэтому Салтыков поступил просто. У Гали неожиданно обнаружился порок сердца, ее отправили жить и учиться в специальный подмосковный санаторий, а у Тони заболели легкие, и девочка тоже оказалась в «лесной школе». Их никто не бросил. И Лидия, и Андрей часто навещали детей, привозили им одежду, сладости, игрушки, но домой больше не брали никогда, даже на Новый год. В 1986 году Салтыков легализовал бизнес, стал кооператором.

Удивительное дело, но многие дети строят свою жизнь таким образом, чтобы ни за что не повторить судьбу родителей. Верочка, обладавшая неплохим голосом и отличным слухом, не захотела стать, как Лидия, певицей. Ее привлекала спокойная денежная профессия ветеринара. Девушка поступила в академию, закончила ее и теперь спокойно работала в клинике. Замуж она пока не вышла, да и не очень хотела — насмотрелась в детстве на семейную жизнь матери.

Соня была совсем другой — вертихвосткой, глуповатой и ленивой. Как ни старались отец и мать, в институт младшая дочь не попала. Андрей хотел было отдать ее на платное отделение, но тут у Сони случилась любовь, и она выскочила в семнадцать лет замуж за Сергея Репнина. Обрадованный Андрей купил дочери квартиру и махнул рукой на ее высшее образование. Однако через полгода Софья развелась, но фамилию оставила, не захотела вновь заводить канитель с документами. Работать она тоже не желала, предпочитая брать деньги у родителей и жить в свое удовольствие. А удовольствие Соня понимала просто — хорошая еда, сладкая выпивка и отличный любовник. Впрочем, если без первых двух слагаемых счастья девушка еще могла обойтись, то мужчина требовался ей всегда. Причем Соня любила заводить романы с тридцатилетними, сверстники ее не привлекали — торопливые, безденежные мальчики.

— Она меняла мужиков, словно колготки, — бормотала Вера, — никак остановиться не могла.

От одного плохо пахло, у другого оказались кривые ноги, третий храпел, четвертый урод, пятый... Даже Лидия Ивановна, не отличавшаяся особенным целомудрием, удивлялась. А Андрей разозлился и велел дочери остепениться и устроиться на работу. Но Соня не послушалась и продолжала порхать по клубам и ресторанам. Тогда отец обозлился и перестал давать ей деньги. Соня фыркнула и бросила:

— Подумаешь, и без тебя проживу, старый дурак!

— Ты как со мной разговариваешь! — взбеленился тот. — Выросла, в проститутку превратилась, в кого только ты такая?

— Вся в тебя и в мамочку, — парировала Соня.

У нее был острый язык, и за словом в карман она не лезла.

— Немедленно извинись перед матерью, — прошипел отец.

— Еще чего, — взвилась Соня, — у нее сколько мужиков было, и вроде как нормально, а я блядь?

— Я выходила замуж, — попробовала расставить

точки над «i» Лидия Ивановна, — всегда жила в законном браке, а ты таскаешься по парням...

— Можно подумать, что штамп в паспорте меняет дело, — захохотала непочтительная дочь, — блядь и есть блядь, как бы мужней женой ни прикидывалась. Сколько у Верки папочек было? Десять? Двенадцать?

Лидия Ивановна только растерянно моргала, а Андрей Иванович схватил дочурку за нежные запястья и выкинул на лестницу с воплем:

— Чтобы ноги твоей, развратная дрянь, тут больше не было!

— Насрать на вас три кучи, — проорала Соня, стоя во дворе, — чтоб вы сдохли, лицемеры!

Естественно, после такого выяснения отношений все контакты между родственниками были порваны. Соня попала в тяжелое положение. Когда отец, лишив материальной поддержки, выгнал ее из родительского дома, у нее как раз случился «простой», в череде любовников образовалась брешь, и денег на житье взять было неоткуда. Вера, конечно, помогала сестре, но много она дать не могла.

Пришлось Софье, наступив на горло собственной песне, устраиваться на работу. Девушка была настоящей красавицей, и ее охотно взяли в элитный салон «Лилия», торгующий дорогущими букетами, икебанами и горшечными растениями. Зарплата была невелика, зато в торговую точку частенько заглядывали богатые мужики, и Сонечка просто расцвела, любовники менялись, словно кадры в кинопленке...

Но весной, где-то в марте, а может, и в апреле, Вера не помнила точно, она пришла к Соне без звонка, просто работала тогда на машине ветеринарной «Скорой помощи» и была на вызове буквально в соседней с Сониной квартире. Время близилось к одиннадцати вечера, и Верочка подумала, что сестра дома. Мысль о том, что у нее, скорей всего, в кровати мужик, пришла старшей сестре в голову только тогда, когда Соня приоткрыла дверь и недовольно протянула:

— Чего тебе?

— Вот, заскочила проведать, — ответила Верочка, окидывая взглядом черный коротенький пеньюар, красовавшийся на сестре.

Потом она увидела на вешалке дубленую мужскую куртку и уловила запах хороших сигарет. Соня, несмотря на легкость поведения, вела здоровый образ жизни: не пила, не курила и даже посещала тренажерный зал.

— Давай завтра встретимся, а? — предложила Софья. — Гость пришел.

— Ладно, — пожала плечами Вера, — мешать не стану.

Но завтра ей было некогда ходить по гостям, и к сестре она собралась только через неделю, но теперь, наученная горьким опытом, предварительно позвонила.

— Да, — прошелестела Соня тихим голосом.

— Ты заболела?

— Так, ерунда.

— Я сейчас приеду.

— Не надо, у меня просто насморк.

Но Вере очень не понравился какой-то убитый тон сестры, и она мигом кинулась к ней.

Когда Софья распахнула дверь, старшая сестра чуть не заорала. Лицо младшей напоминало подушку: опухшее, сине-желто-зеленого цвета, заплывшие глаза превратились в узенькие щелочки, а рта просто не было, вернее, казалось непонятным, где кончаются ссадины и начинаются губы.

— Что с тобой? — выкрикнула Вера.

Соня зарыдала. Сквозь всхлипы старшая сестра с трудом разобрала правду.

Сонечку избил очередной любовник, приревновал ее и разделался с изменницей по-свойски.

— Немедленно собирайся, — велела Вера.

— Куда? — пролепетала Соня.

— Сначала в травмопункт, где дадут справку о побоях, потом в милицию.

— Нет, — упиралась Соня.

Но старшая сестра была настроена решительно.

— Одевайся.

— Не пойду, — зашлась в рыданиях младшая.

— Почему? — удивилась Вера.

И снова ей пришлось напрячься, чтобы понять бормотание сестры, но, даже разобрав слова, она не могла поверить своим ушам: Сонечка влюбилась.

— Он замечательный, — рыдала сестра, — потрясающий, красавец, мне нужен только он, я хочу выйти за него замуж.

— Где он работает?

— Не твое дело, — ответила Соня.

Вера так и замерла с открытым ртом.

— Где?

— Не твое дело, — повторила Сонечка.

— Значит, не слишком обеспечен, — поинтересовалась Вера, думая про себя: «Ну, эта любовь ненадолго».

Но тут сестра удивила ее еще раз:

— Плевать на деньги, главное, что он рядом. Он меня обожает, он замечательный, он...

— Он тебя избил до полусмерти, — взвилась Вера.

— Бьет — значит любит, — выдала стародавний постулат Соня, — он очень ревнивый. Кстати, ты больше ко мне не ходи.

— Почему? — растерялась старшая.

— Он не разрешает, хочет, чтобы я общалась только с ним.

— У него есть имя?

— Есть, — впервые ухмыльнулась Соня.

— Ну, и как зовут Ромео?

— Иван Иванов!

Верочка секунду смотрела на победно улыбающуюся сестру, потом отвернулась и пошла к лифту. Соня ее не остановила. Больше Вера к ней не приходила,

Софья иногда звонила старшей сестре и с упоением рассказывала, какой он замечательный, все разговоры заканчивались одинаково.

— Дай немножко денег, — просила Сонечка, — совсем чуть-чуть, у него сигареты кончились.

— Пусть он идет разгружать вагоны, — парировала Вера, но сестра не обижалась и звонила вновь.

Но старшая сестра закусила удила и материальную помощь оказывать не хотела.

Один раз Соня пояснила:

— Он работает, просто мало получает.

— Это не моя проблема, — отрезала Вера.

Так она никогда и не увидела таинственного любовника сестры, знала только, что он высокий, широкоплечий, блондин «небесной красоты».

— Она жила только с ним, — вздыхала Вера, — вот уж диво дивное. До этой встречи Сонька больше недели, ну десяти дней, ни с кем не держалась, надоедали ей мужики мгновенно. И чем этот взял? Может, у него одно место со свистком было? И ведь влюбилась, как кошка. Честно говоря, я даже не предполагала, что она способна на такие чувства. Совсем ум потеряла. Ну прикинь, звонит в полном восторге и щебечет: «Ах, Верочка, он меня так любит, так любит... Вчера пошли в магазин, я хотела ему рубашку купить. А продавец, мужчина, возьми да и скажи: «Такая красавица, как вы, может работать манекенщицей». Ну, не поверишь, что он дома сделал! Поднес к моему лицу бритву и проорал: «Будешь кому глазки строить, вмиг морду перекрою!» Представляешь, как обожает!»

Вера только вздыхала. Объяснить сестре, что патологическая ревность не имеет никакого отношения к любви, она не могла.

— Убьет тебя когда-нибудь Ромео, — один раз не утерпела старшая сестра и сейчас горько раскаивалась в сказанных словах.

— Ну прямо накаркала, словно напророчила. Ножом и порешил, кухонным! Слава богу, быстро его нашли. И не поверишь, кем подлец оказался.

— Ну?

— Милиционером, майором. Тут оперативники приходили, бабкам у подъезда карточки показывали, так они его сразу узнали. Говорят, зимой тут все крутился, вежливый такой. Одной старухе вроде сумочку до квартиры доволок, потом до аптеки довез...

— Что за старуха-то?

— Да наша, местная, — отмахнулась Вера, — баба Лена из 23-й, вечно у дома толкется. Вот какое горе у меня теперь, за сестрой вещи убрать, да еще эти Галька с Тонькой на квартиру пустую пасть разинули, сестрами себя считают, родными, уж и объявление дали. Да они к Соне никакого отношения не имеют, жабы! Давай еще по одной!

Я быстренько налила ей полный стакан портвейна. Вера разом проглотила темно-красную жидкость, зевнула и, пробормотав:

— Чегой-то спать охота, — положила голову на стол.

Я подождала, пока из ее груди донесется легкий храп, и, осторожно захлопнув дверь, ушла.

Двадцать третья квартира находилась на пятом этаже в другом подъезде. Часы показывали полпервого. Самое удачное время для посещения дамы пенсионного возраста. Родственники убиваются на работе, а она самозабвенно смотрит «Мануэлу» или «Чужую кровь», или не знаю, какие сейчас сериалы демонстрирует телевидение. Интуиция не подвела. Баба Лена коротала время у голубого экрана. Когда она отворила дверь, из глубины квартиры донеслась страстная речь:

— Дорогая, ты так хороша, что глазам больно смотреть на твою красоту.

Я оглядела тумбообразную старушку, закутанную, несмотря на теплый сентябрьский день, в байковый халат и серый пуховый платок.

— Вы Елена... извините, отчества не знаю.

— Зови просто баба Лена, — разрешил божий одуванчик и поинтересовался: — Тебе чего? Ты вроде не из наших, своих я всех знаю.

— Я с телевидения, программа «Криминальные новости».

— Да ну, — удивилась старушка, — а ко мне зачем?

— Можно войти?

— Шагай, — кивнула бабулька, — только туфли скидай, а то грязи натащишь.

Я покорно переобулась и вошла в довольно просторную комнату, обставленную недорогой, но явно новой мебелью отечественного производства. Баба Лена устроилась на диване, я в кресле.

— И зачем я тебе понадобилась?

— В доме у вас девушку убили, Софью Репнину...

— Девушка, — хмыкнула старуха, — скажешь тоже, никакая она не девушка.

— А кто?

— Прошмандовка, — припечатала баба Лена, — гулящая. Через день нового мужика вела. Накрасится, кудри начешет, духами обольется и топает на каблучищах или на машинах приезжает... Автомобили все дорогие, парни чванливые, мимо пройдут — головы не наклонят, и Сонька сама летит — фыр-фыр, словно и незнакомы. Гордая слишком была с соседями здороваться, куда нам до нее, со свиным рылом в калашный ряд...

— И все мужики такие?

— Один только был приличный, на «Жигулях» старенький ездил, зимой появился, уж не упомню, когда. В декабре, что ли! Я с внучком у подъезда гуляла, смотрю, машина подкатила. Вываливается Сонька, а с ней парень. Дошли до меня, мужик так вежливо и произносит: «Здравствуйте».

Баба Лена прямо растерялась от неожиданности.

На следующий день она, вооружившись для надежности палкой, побрела в аптеку. Идти предстояло далеко, на проспект, киосков с лекарствами в округе полно, но только в государственной аптеке можно получить необходимое по бесплатному рецепту.

Старуха, боясь упасть на покрытом льдом тротуаре, медленно проползла через двор. Вдруг рядом остановились «Жигули», высунулся вчерашний Сонькин кавалер и спросил:

— Куда собрались, бабуля?

— В аптеку, сынок.

— Садитесь, подвезу.

Удивленная невероятным вниманием, баба Лена влезла в «Жигули» и вмиг была доставлена сначала по нужному адресу, а потом домой.

— Вот какой воспитанный, — вздыхала старушка, — а изменился он с зимы по весну!

— Почему?

Баба Лена пожала плечами.

— Кто его знает, может, Сонькино влияние. Дурное завсегда хорошее перешибет, как ни старайся. Плохому быстро учатся.

— Нет, вы не поняли. Почему вы решили, будто он изменился?

— А и решать нечего, все было видно.

Всю зиму баба Лена не встречала приветливого парня. Сонька приводила все время мужиков, но других, а вот в марте опять приехал этот, в стареньких «Жигулях». Баба Лена обрадовалась и встретила мужика как родного.

— Здравствуй, сынок, давненько я тебя не видела.

Но еще недавно вежливый, хорошо воспитанный человек, уткнувшись носом в воротник дубленки, прошмыгнул мимо нее в подъезд, не сказав ни слова. Потом он начал довольно часто появляться и каждый раз старательно прикрывал лицо. Сначала воротником дубленки, потом плаща, затем натянул на голову кепку с огромным козырьком и черные очки. И больше он никогда не здоровался, не подвозил бабу Лену и не улыбался. Ну а потом разнесся слух, что Соньку Репнину прирезал хахаль, и к бабе Лене пришли из милиции, показали несколько карточек, и старуха из кучи снимков безошибочно выбрала тот, где был запечатлен парень, подвозивший ее в аптеку.

— А вы уверены, что зимой и весной видели одного и того же человека? — осторожно поинтересовалась я.

— Конечно.

— Отчего вы так решили?

— А кому другому быть? Высокий, плечистый, блондинистый... и машина одна.

— Какая?

— «Жигули», точно знаю, у зятя такая.

— Цвет?

— Синий, нет, черный, нет, коричневый, — запуталась бабка, — словом, темный.

Я молча вышла на улицу и села на лавочку у подъезда. Синий, черный, коричневый, просто темный цвет... Не слишком точные показания. И еще одно — у Володи никогда не было дубленки, следовательно, он не мог идти к подъезду в марте, пряча лицо в воротник овечьего полушубка. Значит, это был не Вовка! Но если не он, то кто?

ГЛАВА 10

Домой я возвращалась в расстроенных чувствах, открыла дверь и ахнула. Прихожая и видневшийся вдали коридор были вымыты, нет, выскоблены, натерты до блеска, и по квартире разливался упоительный аромат мясного наваристого супа.

— Эй, есть кто здесь живой? — крикнула я.

— Мы тут, — раздался многоголосый хор.

Я вошла на кухню и обнаружила за огромным сто-лом кучу народа: Лиза, Кирюшка, Маша Гаврюшина, Саша Кротов... Дети опять притащили одноклассни-ков. У плиты, завязав косынкой волосы, суетилась Ксюша, увидев меня, она слегка покраснела.

— Уж извините, похозяйничала без вас. Открыла холодильник, обеда нет, ну и сварила, что сумела, из того, что в заморозке нашла.

Я уставилась на восхитительно пахнущий суп и горку ароматных котлет, посыпанных зеленью с чесно-ком. В холодильнике лежали только обрезки, куплен-ные мной для собак.

— Небось устали? — заботливо поинтересовалась Ксюша и, ловко неся огромный живот, достала тарел-ку. — Садитесь скорей, котлет попробуйте. Правда, мясо не ахти было, но свежее, только жилистое.

Я молча проглотила три котлетки. Как, интересно, она ухитрилась сделать такую вкуснотищу из бросово-го продукта?

Дети тоже молча орудовали в тарелках. Собаки сы-то щурились на диванчике.

— Надо с ними выйти, — вздохнула я.

На улице опять начинался дождь, и перспектива прогулки совершенно не радовала.

— Уже сходила, — весело возвестила Ксюша, — я люблю животных. Вот та, толстенькая, — она ткнула пальцем в осоловевшую Мулю, — сначала на меня ры-чала, но, как мясо попробовала, мигом успокоилась, такая продажная оказалась.

Выпалив последнюю фразу, Ксюша радостно рас-хохоталась. Ее веселый, какой-то детский смех прока-тился по кухне. Встречаются иногда такие светлые, чистые люди, от одного присутствия которых окру-жающим становится хорошо.

Я невольно улыбнулась и, запихивая в себя четвер-тую котлету, пробормотала:

— Тебе нельзя так утомляться, еще и полы мыла.

— И белье постирала, — влез Кирюшка, — и из моей комнаты весь мусор выволокла.

— Не делай больше этого, — велела я, — отдыхай перед родами.

— Ерунда, — отмахнулась Ксюша, — вы целый день заняты, а я получаюсь лентяйка-нахлебница. Не могу сидеть сложа руки. Эх, жаль, спиц нет.

— Ты вяжешь?

— Как машина, — ответила Ксюша, — жилетку за три часа.

— А шарлотку печь умеешь? — с набитым ртом поинтересовался Кирюшка.

— С каким кремом? Ванильным или шоколадным?

— Не знаю, — растерялся Кирка, — Лампа вообще без крема делает, просто бисквит с яблоками.

— А ты испеки и с таким и с таким, — посоветовала Лиза.

— Ну прекратите, — разозлилась я, — словно из голодного края приехали. Как не стыдно беременную к плите приковывать!

— Ничего, мне в радость, — ответила Ксюша.

И тут раздался звонок в дверь.

На пороге стоял парень с небольшим чемоданчиком.

— Здрасти, служба «Цербер».

— Кто? — ошарашенно спросила я.

— Романова Евлампия Андреевна?

— Да.

— Квартиру на пульт ставите? Заявление писали? Пришел, как договаривались, шестого сентября.

— Извините, — воскликнула я, — совсем забыла, склероз!

— Не переживайте, — вежливо ответил юноша, — сам порой все путаю.

В конце августа этого года в нашей квартире стали раздаваться странные звонки. Некто сопел в трубку, но на предложение представиться не реагировал. Сначала я думала, что балуется кто-то из приятелей ребят, но потом поговорила с Володей, а он насторожился:

— Похоже на прозвон, давай поставим квартиру на пульт.

— Дорого небось.

— Нет, установка шестьсот рублей, и потом ежемесячная плата — пятьдесят, зато можно спокойно уходить.

— Хорошо, — согласилась я.

Володя договорился, и вот теперь пришел монтер.

— Тревожную кнопку ставить? — поинтересовался он.

— Что это такое?

— Штучка полезная, — ответил юноша, показывая нечто, похожее на выключатель старого образца, — если кто, не дай бог, в квартиру ломится, просто нажмите — и все, мигом патруль примчится.

— Валяйте, ставьте, — согласилась я.

Монтер начал разматывать провода, дети и собаки столпились вокруг него. Кошки, забравшись на вешалку, наблюдали за происходящим сверху, из кухни доносился шум работающего миксера. Ксюша послушно выполняла заказ на шарлотку с кремом.

Я пошла в гостиную, раскрыла справочник «Вся Москва» и, отыскав цветочный магазин «Лилия», набрала указанный номер.

— Добрый день, — пропел мелодичный девический голос, — рады вас слышать. Что интересует? Букет для свадьбы? Композиция для банкета? Гирлянды, венки...

— До которого часа вы работаете?

— Круглосуточно, — прощебетала девушка, — мы можем обслужить клиента в любой час, приезжайте.

— Давайте адрес, — велела я.

Примерно через полчаса монтер крикнул:

— Хозяйка!

Я, полностью одетая для похода в «Лилию», вышла в коридор.

— Слушаю.

— Систему наладил, давайте научу пользоваться.

Значит, так, перед уходом набираете вот этот номер и говорите код — 754. В ответ девушка с пульта называет свою фамилию, допустим Белова, и название города.

— Какого?

— Да любого, нашего, российского, ну, к примеру, Москва, Орел, Курск...

— Зачем?

— Это пароль, он меняется каждый день.

— А, понятно, — заорал Кирюшка, — когда возвращаемся, сообщаем ей город! Ну клево! Очень просто!

Мне система тоже показалась несложной.

— Кнопочку тревожную без надобности не трогайте. Желаю, чтобы она вам вообще не понадобилась, — сообщил монтер и ушел.

— Мы сейчас гулять пойдем, — возвестила Лиза.

— А уроки?

— Ну их, потом сделаем, — отмахнулся Кирюшка, — и Ксюшу прихватим, пусть на Москву поглядит, пока ребеночек не родился.

— Ключи не забудьте, — приказала я, выскакивая из квартиры.

Салон «Лилия» выглядел фешенебельно. Я первый раз оказалась в подобном месте. Честно говоря, если случается необходимость, я стараюсь покупать цветы у метро. Именно у... Потому что в подземке те же хризантемы мигом подскакивают в цене. В торговые точки типа «Лилии» я даже и не суюсь, так как понимаю, что букетики, составленные руками красавиц-продавщиц, потянут на бешеную сумму.

Огромное, наверное, стометровое помещение было оформлено под джунгли. Под потолком покачивались зеленые веревки, призванные изображать лианы, на них висели игрушки — огромные плюшевые обезьяны, в центре зала тихо журчал комнатный фонтанчик, а вокруг господствовали море цветов и куча всевозможных растений в горшках — от маленьких, робких фиалок до гигантских фикусов, если я, конечно, правильно называю эти деревья с огромными мясистыми листьями. Честно говоря, ботаник из меня никакой, а практический садовник — еще меньший. На даче у нас скончался на грядках даже неприхотливый укроп, а соседи уверяли, что он вырастает всегда и у всех.

Не успели ноги ступить на мягкий ковер цвета свежего салата, как из невидимых динамиков полилась музыка. Однако я первый раз слышу подобное произведение в стенах магазина — Бетховен, Людвиг ван, гениальный композитор. Преодоление страданий и победа над собой — вот главный пафос искусства немецкого автора. И сейчас в ушах звучала Соната для фортепиано номер 7, вторая часть, Largo e mesto... Интересно, кто у них занимается музыкальным оформлением? Просто хочется посмотреть на этого человека. Обычно в магазинах или других общественных местах незатейливо звучит Моцарт, ну в крайнем случае Чайковский... Но Бетховен?!

— Чем могу угодить? — раздался нежный голос.

Я повернулась и чуть не шлепнулась на пол. Около меня улыбалась хорошенькая девушка лет двадцати, не больше, наряженная киской.

На голове продавщицы сидела меховая шапочка с остроконечными, торчащими ушками, красивое стройное тело обтягивал серо-полосатый комбинезончик с длинным хвостом, а тонкие пальцы заканчивались длинными кроваво-красными ногтями.

— Чем могу вам угодить? — повторила «киска».

От растерянности я брякнула:

— Мне букет нужен.

— Прекрасно, — защебетала «кошечка», — пойдемте сюда.

Она подвела меня к двум мягким креслам, между которыми устроился журнальный столик, и поинтересовалась:

— По какому случаю цветы? Свадьба? Юбилей? Признание в любви? — Потом она посерьезнела, смела с лица улыбку и, сделав постную мину, поинтересовалась: — Похороны?

— Нет, — быстро сказала я, — день рождения.

— Мужчина, женщина?

— Разве лицам сильного пола дарят букеты?

— Конечно, — оживилась девица, — и очень красивые, но составлять их надо особым образом: строгий стиль, без кокетства...

— У моей ближайшей подруги сорокалетие...

— Прекрасная дата, — обрадовалась продавщица, — могу предложить чудесный вариант.

Ее руки замелькали над вазами.

— Вот так, так, так и так...

— Может, ленточку?

— Ой, ну что вы, ни в коем случае, — воскликнула артистка, — у нее есть дети?

— Да.

— Тогда можно украсить фигурками на подставках. Если желаете, приложим коробку конфет...

— И сколько будет стоить такой букет?

— Триста, — спокойно ответила девушка, но не успела я порадоваться тому, что в моем кошельке лежат четыре сотни, как она добавила: — Сейчас из у.е. в рубли переведу.

Из кармашка появился калькулятор, и красотка уточнила:

— Восемь тысяч четыреста, но без доставки.

Стараясь скрыть ужас, я произнесла:

— Ваш букет мне не нравится.

— Хотите в красных тонах? — спокойно спросила «киска» и опять пошла к вазам.

— В прошлый раз, когда я покупала венок для похорон, меня обслуживала другая женщина, она делала композиции лучше, — схамила я.

— Не знаете ее имя? — ласково улыбнулась «киска».

— Откуда бы, но...

— Вот у нас здесь карточки, — не дала мне договорить девочка и указала на столик. Там на тоненькой ножке болтался плакатик «Сегодня вас обслуживает Леночка».

— По-моему, было написано «Сонечка», да, да, абсолютно точно — «Сонечка», позовите ее!

Леночка напряглась.

— Простите, у нее выходной, но есть Света, старшая по смене, кандидат наук, профессиональный ботаник!

— Не хочу Свету, — капризничала я, — хочу Соню. Кстати, букет на сорокалетие подруги — только начало, я хотела поручить вашему салону оформление банкетного зала для своего юбилея, двести квадратных метров, думала, справитесь, но теперь вижу, что не хотите удовлетворить клиента, не желаете получить выгодный заказ. Или разыщите Соню, или я отправляюсь в салон «Орхидея»!

— Сейчас, сейчас, — засуетилась девушка, — минуточку подождите, извините за задержку, сейчас директор придет!

Быстрее молнии «киска» метнулась вбок, музыка стихла. Через секунду хлопнула дверь, и передо мной возникла подтянутая дама лет сорока, холеная, с безупречным макияжем, скромными, но дорогими украшениями, в элегантном деловом костюме.

— Вот, — пропела «киска», — знакомьтесь, Наталья Константиновна...

— Ступай, Лена, — велела директриса и вежливо, но без всякого подобострастия поинтересовалась: — Вы хотели видеть Соню?

— Да, — достаточно зло ответила я, — именно Соню, только ее, с другими и разговаривать не стану!

Наталья Константиновна открыла было рот, но тут вновь раздалась музыка, и я не сумела сдержать удивление:

— Однако!

— Что вам не нравится? — довольно резко осведомилась директриса, наверное, я ей не понравилась.

— Да вот музыка.

— Она вам не по вкусу?

— Мне нравится Бетховен, а сейчас звучит вещь,

которую редко исполняют. Рондо для фортепиано «Ярость по поводу утерянного гроша», никогда не слышала ее в магазине.

Теперь возглас изумления не удержала директриса:

— Вы музыкант?

— Теперь нет, но когда-то закончила Московскую консерваторию по классу арфы.

Наталья Константиновна всплеснула руками:

— Ну такого просто не бывает! Между прочим, я тоже выпускница консерватории и тоже арфистка.

Мы уставились друг на друга. Потом директриса сказала:

— Вот что, пошли в мой кабинет, там и поговорим по душам.

В отличие от торгового зала комната, где сидело начальство, была маленькой, даже крохотной, без всякого намека на цветы и «сухие композиции». Наверное, роскошные орхидеи, розы и хризантемы надоели Наталье Константиновне до зубовного скрежета.

— Кофе будешь? — по-свойски обратилась ко мне коллега по арфе.

Честно говоря, терпеть не могу растворимые напитки, но болтать о том и о сем лучше за чашечкой напитка, пусть даже и отвратительного.

Но меня ждало неожиданное. Директриса включила маленькую экспресс-машину и вмиг приготовила две чашечки отличного натурального кофе.

— Как твоя фамилия?

— Романова.

— Слушай, у тебя была коса? Длинная, до пояса!

— Верно, — удивилась я, — на четвертом курсе отрезала, еле-еле маму уговорила. Все вокруг давно со стрижками бегали, а у меня косища по спине моталась, надоела — жуть!

— Значит, я правильно вспомнила, — улыбнулась Наташа, — у Эммы Теодоровны занималась?

— Да.

— Я тоже. Только старше на три года.

— А как твоя фамилия?

— Амиранова.

— Погоди, погоди, так это ты получила второе место на конкурсе в Варне, когда училась на пятом курсе?

— Точно, — засмеялась Наташа, — я.

— Что же больше не играешь?

— А ты сама концертируешь?

— Нет.

— Почему?

Я растерянно пробормотала:

— Сначала замуж вышла, и потом, кому теперь арфа нужна? В симфонических оркестрах места заняты, а сольные концерты, по-моему, только Дулова и давала. Некоммерческое предприятие арфа.

— Вот и я тоже, — вздохнула Наташа, — замуж вышла, потом развелась, осталась одна с ребенком, пришлось идти в такое место, где деньги платят. Еще хорошо пристроилась, при цветах... Сережку Лаптева помнишь? Ну, контрабас, подающий огромные надежды?

Я кивнула:

— Конечно. У него и мама, и папа в оркестре в Большом играли.

— Родители умерли, — вздохнула Наташа, — а сам Сережка теперь директор кладбища.

— Кто?!

— Могилами заведует. Приезжал недавно в «Лилию» весь в цепях, перстнях и пальцы веером, так что цветы еще не худший вариант. А ты где служишь?

Неожиданно я соврала:

— В детективном агентстве.

— А-а, — не удивилась Наташа, — вот почему ты про Соню спрашивала, небось какая-нибудь жена наняла за мужем следить...

— Ты не поверила, что мне нужен букет?

Наташа звонко рассмеялась.

— Конечно, нет. Извини, но ты не тянешь на нашу клиентку. Правда, иногда прислугу присылают. Но для наемной рабочей силы ты слишком нагло держалась. Лена сразу поняла, что ничего покупать не станешь.

— Как ты их выдрессировала, — покачала головой я, — девушка только улыбалась...

— Она тоже может ошибиться, — пояснила Наташа, — вот позавчера пришел мужик, по виду натуральный бомж, брюки веревочкой подвязаны, на голове панамка грязная, и скупил полмагазина. В трудных случаях, когда продавщица не знает, как поступить, меня зовут на помощь.

— И Соня так делала?

Директриса тяжело вздохнула, вытащила пачку сигарет «Собрание» и сообщила:

— Софья всегда знала, что делать. Просто чутье имела, нюх на людей. Очень активная девушка была.

— Почему была? Ты ее выгнала?

— Софью убили несколько дней назад.

— Да что ты говоришь, — всплеснула я руками, — а кто?

— Не знаю, но думаю, что любовник.

— У нее было много мужчин?

Наташа раздавила в пепельнице недокуренную сигарету.

— Ужасное количество. Конечно, она была необыкновенно хороша собой, однако одновременно и патологически глупа, образования никакого, но мужички-клиенты, а таких тут большинство, просто млели при виде ее ног. От Сони исходила какая-то аура звериной сексуальности. Стоило ей глянуть на представителя сильного пола своими огромными глазами, и все, парни падали замертво.

— Вроде в фешенебельных магазинах не любят, когда продавщицы строят глазки покупателям.

— Верно, я своим тоже запрещаю кокетничать на рабочем месте. Но что девчонки делают в свободное время — никого не касается. Впрочем, Софья ни к кому не приставала, она так жила. Между прочим, многие ее кавалеры часто приходили в «Лилию», салону только выгода была от ее любвеобильности.

— Неужели ни разу никаких неприятностей не было?

Наташа нахмурилась.

— Однажды только.

— И что же произошло?

Директриса промолчала, потом все же ответила:

— Жена пришла и такое устроила!

— Да ну, и что?

Наталья Константиновна секунду удерживала серьезное выражение на лице, потом не утерпела и весело рассмеялась:

— Ну ты своя, можно и рассказать!

ГЛАВА 11

Восьмого марта этого года, как раз в женский праздник, в «Лилию» ворвалась шикарная дама. Роскошная шиншилловая шуба волочилась за ней, словно хвост за крокодилом-трехлеткой. Пальцы и шею посетительницы украшало неимоверное количество золотых изделий с огромными натуральными камнями. Ножки женщины были обуты в крохотные открытые туфельки, держащиеся лишь на узеньких перепонках, что без слов говорило о том, что она пришла не пешком, а приехала в авто. Да и за рулем красавица восседала не сама, потому что следом за ней вошел молодой человек и, небрежно вертя на пальце колечко с ключом зажигания, прислонился к стене у входа.

— Позовите Соню, — тоном человека, привыкшего раздавать приказы прислуге, заявила незнакомка.

И тут Наталья Константиновна оказалась сама виновата в происшедших событиях. Ее затем и поставили на директорское место, чтобы она ловила вовремя мышей. Но уж больно суетный выдался день. В «Лилии», как правило, больше двух клиентов одновременно не сталкиваются. Запредельные суммы, которые стоят букеты, могут заплатить только очень обеспеченные люди или богатые организации... Но 8 Марта по залу ходило сразу штук пятнадцать мужиков, и Наталья Константиновна, не обратив внимания на лихорадочные, красные пятна, покрывавшие шею и лицо тетки, крикнула:

— Соня, подойди ко входу, клиент ждет.

Репнина вырулила из зарослей традесканции и защебетала:

— Всегда к вашим услугам, чем могу помочь?

Наталья Константиновна в связи с небывалым наплывом жаждавших приобрести дорогостоящие веники тоже стояла за прилавком и невольно услышала злобный ответ расфуфыренной дамы:

— Да уж, ты обслужишь по первому классу, сука!

Удивленная столь грубым выражением из уст сорокалетней, весьма интеллигентной особы, директриса сделала шаг вперед, и тут началось!

Сначала посетительница изо всей силы толкнула Соню. Продавщица, не ожидавшая нападения, не удержалась на каблуках и с размаху села в огромную корзину с пальмой. Дама злобно рассмеялась, схватила лейку и мигом оросила голову девушки душем из минеральной подкормки. Соня завизжала. Посетительница принялась тыкать продавщицу лицом в грязь, приговаривая:

— Поешь дерьма, лучше станешь, красавица, а ну жри землю, а то убью!

— Немедленно прекратите! — заорала Наталья Константиновна и кинулась к ненормальной бабе.

Но та выхватила из дамской сумочки пистолет и выстрелила в воздух. Пуля попала в одну из ламп, и раздался оглушительный взрыв. Потом наступила полная тишина. Мужчины-клиенты замерли, словно видеокассета на паузе.

— Не бойтесь, — хмыкнула баба, швыряя Соне в лицо комья грязи, — вас не трону, вот только с этой сучкой разделаюсь. Но лучше мне не мешать, кто подойдет, мигом подстрелю.

Клиенты быстро пошли к выходу, девушки-продавщицы затаились в зелени. Только шофер равнодушно взирал у порога на увлекательное действо.

Наталья Константиновна кинулась к нему:

— Остановите свою хозяйку, пожалуйста.

— Я таких прав не имею, — спокойно заявил юноша, наблюдая, как разъяренная фурия разрывает костюм «киски» на девушке, — и вообще, она молодец, так вашей стерве и надо.

— За что? — изумилась директриса.

— Нечего к чужим мужикам в койку лазить, — последовал ответ.

И Наталье Константиновне осталось только смотреть на расправу. У «Лилии», естественно, был охранник, но в элитарном цветочном магазине никогда не случалось ничего из ряда вон. Покупатели — все солидные люди, бомжи или пьяные сюда никогда не заглядывали, поэтому, когда минут десять тому назад охранник попросился сходить пообедать, директриса не протестовала. Охрана всегда отправлялась поесть в это время... А милицию вызывать Наталья Константиновна не могла — владелец магазина строго-настрого велел гасить конфликты самостоятельно, без привлечения правоохранительных структур.

— Мне не надо, чтобы в салон менты являлись, поняла? — грозно спросил он у бывшей арфистки, нанимая ее директрисой. — А не справишься сама — уволю!

Поэтому несчастная Наташа только бегала вокруг озверелой бабы, приговаривая:

— Ну не надо, ну давайте поговорим, ну успокойтесь!

Спустя минут пятнадцать в «Лилию» вернулся довольный и сытый охранник, но к тому времени битва уже завершилась. Скандалистка успела уйти, бросив на пол визитную карточку со словами:

— Ущерб оплатит этот...

На двери магазина спешно повесили табличку: «Извините, у нас учет», это Восьмого-то марта, в самый «продажный» день! Девчонки-продавщицы отмывали в туалете рыдающую Соню.

— Я ее не знаю, первый раз вижу, — выкрикивала Репнина, — небось из психушки удрала!

Наталья Константиновна подняла с пола перепачканную землей визитку «Пантелеев Петр Валерьевич, генерал».

— Ты слышала про такого? — поинтересовалась она у Сони.

Та всхлипнула:

— Петя!

И мигом прикусила язык.

— Ты позвонила ему? — спросила я.

— Конечно.

— И что?

— Мигом прилетел — роскошный мужик, на вид лет сорок, высокий, широкоплечий, светловолосый. Генерал без малейших споров заплатил за все: сломанную пальму, испорченный пол, разбитую лампу...

Наталья Константиновна осмелела и, быстро сообразив, что может не рассказывать хозяину о неприятном происшествии, потребовала:

— И еще две тысячи долларов. Именно такую сумму мы потеряли, прикрыв «Лилию» в самый лучший для торговли цветами день.

Петр Валерьевич беспрекословно достал бумажник, но дал две пятьсот.

— Эти, — махнул он головой на «лишние» ассигнации, — отдайте Соне в качестве платы за моральный ущерб.

— Но она сама виновата, — завела Наталья Константиновна.

— Нет, — прервал генерал, — девочка ни при чем, это мне бес в ребро вступил, что, кстати, неудивительно, уж больно она у вас хороша, просто картина! А жену извините, ревнивая очень, мы со школьной скамьи вместе...

— Не знаешь, он какой генерал?

— Как какой? — не поняла Наташа. — Настоящий, раз столько денег, не чихнув, отдал.

— Ну, они бывают пехотные, артиллерийские, ракетные, милицейские в конце концов...

— В штатском приходил, — пояснила директриса, — по-простому, в костюме, правда, шикарном...

— И больше с Соней никаких неприятностей не случалось?

— Нет, но... А почему ты задаешь о ней столько вопросов?

— Один из Сониных кавалеров, человек, искренне любивший девушку, нанял меня, чтобы отыскать убийцу, и теперь я хочу опросить всех ее кавалеров.

— Ну, легче пересчитать песчинки на дне морском, — ухмыльнулась музыкантша, — по-моему, она сама всех назвать не могла. Хотя, может, дневничок вела, чтобы на старости лет было что вспоминать!

Меня поразила какая-то яростная жестокость, с которой Наташа выплюнула последнюю фразу. Что-то глубоко личное стояло за ней. Хотя, может, просто зависть сорокалетней дамы, в одиночку воспитывавшей ребенка, к молодой девочке, пользовавшейся бешеной популярностью среди лиц мужского пола?

— Как Соня попала к вам в салон на работу? Вы ведь небось не берете первых попавшихся, с улицы?

— Нет, — отрезала директриса, — только по рекомендации, сама понимаешь, ни в одно приличное место по объявлению не попасть.

— А Соню кто привел?

— Дай бог памяти, — прищурилась Наталья Константиновна, — ну, конечно, Анечка Веревкина. Она у нас раньше работала, а потом вышла замуж за моряка, укатила в Североморск... С Соней они вместе в парикмахерском училище учились и очень дружили. У нас главный критерий — внешние данные, и Софья подошла по всем параметрам, она была красавицей.

— У вас не сохранился телефон Веревкиной?

— Где-то был, — ответила Наталья Константиновна и принялась перелистывать записную книжку. — Пиши, только Анечка давно в Москве не живет. Очень жаль.

— Почему?

— Чудная девочка. Красавица, не хуже Софьи, только в отличие от той умница, отлично воспитана, думающая, читающая... Мы даже пару раз ходили друг к другу в гости, что-то вроде дружбы возникло, несмотря на разницу в возрасте...

Я вышла на улицу и посмотрела на часы. Что ж, придется поехать домой, а оттуда уже делать звонки.

Услышав звук открывающегося замка, собаки бросились ко мне. Я вошла в идеально убранный коридор, повернулась, чтобы захлопнуть входную дверь, и обнаружила прикрепленную записку, написанную рукой Кирюшки: «Лампа, звонила тетя Пуля из Орла, как придешь, немедленно соединись с ней, не забудь, Пуля из Орла».

Повертев в руках дурацкое сообщение, я пошла на кухню. Кирюшка обожает розыгрыши и надеется, что я кинусь набирать нацарапанный на клочке телефон и звать неведомую женщину. Но я-то не такая дура, как ему кажется. Во-первых, номер явно московский, в Орле небось они шестизначные, а во-вторых, вы когда-нибудь встречали женщину с именем Пуля? Глупее и не придумаешь, Кирюшка держит меня совсем за идиотку, если решил, что я поверю в подобную чепуху. Хотя следует признать, что основания для такого поведения у него есть.

Весной мы собрались в гости к Ренате Логиновой — на день рождения. По дороге Кирюшка с самым серьезным видом заявил:

— Лампуша, давай купим пять кило репчатого лука.

— Зачем? — изумилась я.

— А у тети Ренаты кошка Маркиза обожает жевать лук, помнишь, она рассказывала?

Я засомневалась, но Кирюшка так убедительно вещал:

— Неужели ты забыла? Тетя Рената еще жаловалась, что Маркиза ходит по квартире и все время головки жрет, в особенности синие любит, вон как те, в ящике. Давай порадуем киску, ну что тебе, жалко? Он недорогой! Только помельче бери, у кошки пасть маленькая.

Я не буду вам описывать лицо продавщицы, которая поинтересовалась, увидев, как покупательница выискивает самые крохотные головки: «На подоконнике посадить хотите?» — и получила ответ:

— Нет, для кошки стараюсь.

Запихнув в пакет пять кило лука, больше похожего на крупный зеленый горошек, я явилась к Ренате и, вручив ей сначала коробку с феном, а потом пакет с вонючими, шелухастыми головками, сказала:

— В твой день рождения пусть и у Маркизы будет праздник!

— Спасибо! — ошарашенно ответила Рената, разглядывая содержимое пакета. — Но при чем тут кошка?

Мне бы сразу насторожиться, но нет! Как дурочка, я присела на корточки и, взяв одну луковицу, стала подсовывать ее недовольно фыркающей Маркизе:

— Кис-кис, кушай, вкусно!

Обозленная киска, зашипев, взметнулась на книжные полки, Рената растерянно пробормотала:

— Она вообще-то только мясо жрет.

Остальные гости уставились на меня, словно на собаку, прогуливавшуюся по улице с сигаретой в зубах, а Кирюшка так и согнулся от смеха.

— Ой, Лампа, только ты могла купиться на такое! Кошка лук любит! Ну, умора! На календарь глянь, сегодня первое апреля!

Так что на тетю Пулю из Орла я никак реагировать

не стану! Лучше сейчас поставлю чайник и спокойно подумаю, как провести разговор с генеральской женой. Но не успела я включить воду, как входная дверь с треском распахнулась, послышался многочисленный топот, и в кухню влетело несколько парней в милицейской форме.

— Руки за голову, лицом к стене, — заорали они хором.

Храбрые мопсы мигом кинулись к моим ногам, а Рейчел и Рамик вспрыгнули на диван. Никто даже и не подумал защищать хозяйку.

— Вы что, ребята?! — изумилась я. — Кто вам разрешил врываться в дом?

— Молчать! — рявкнул один.

— Топай в машину, — велел другой.

— Еще чего, — вспыхнула я и села на стул, — сначала объясните, что происходит.

Один из ментов шагнул вперед, но тут на кухню влетели дети и Ксюша.

— Так и знал, — заорал Кирюшка, — стойте, стойте, Аржанникова, Орел.

Милиционеры повернулись к нему.

— Она забыла на пульт позвонить, — тарахтел Кирюшка.

— Несите паспорт, — почти вежливо сказал один из стражей порядка.

Плохо понимая, что происходит, я повиновалась. Повертев бордовую книжечку и внимательно изучив штамп прописки, милиционер вздохнул:

— С вас двадцать один рубль восемьдесят копеек.

— За что?

— За ложный вызов. В другой раз с пульта снимайте, когда входите.

Тут только до меня дошло, что дети поставили квартиру на охрану. Когда патруль уехал, Кирюшка с Лизой налетели на меня, как лисы на цыпленка.

— Можно ли быть такой растяпой!

— Но я не знала...

— Красную лампочку на двери видела?

— Нет.

— Надо быть слепой, чтобы ее не заметить, — фыркнула Лизавета.

— Записку нашла? — поинтересовался Кирюшка.

— Да, — окончательно обозлилась я.

— Почему же не позвонила?

— Послушай, ты еще и издеваешься!

— Это был шифр, — сообщил Кирюшка.

— Какой?

— Тетя Пуля — это пульт, а Орел — город, который следовало назвать, снимая квартиру с охраны! Ну неужели так сложно?!

— Говорила же тебе, что она не догадается, — влезла Лизавета.

— Почему просто не написали: позвони на пульт, пароль — Орел.

Лиза с жалостью посмотрела в мою сторону.

— Лампа, какой тогда смысл в охране? Вор зайдет внутрь, увидит сообщение и преспокойненько воспользуется информацией. А вот шифр — это надежно!

Да уж, абсолютно точно. Одно хорошо, теперь знаем, что охрана работает, а патруль не спит.

— Будет вам ее ругать, — попыталась утихомирить детей Ксюша, — пошли лучше чай пить да ужинать пора.

Не успели мы помыть руки, как в дверь вновь затрезвонили. Искренне надеясь, что это не вернулся патруль, я глянула в «глазок» и увидела Карину — соседку с девятого этажа.

— Входи, — заявила я, распахивая дверь, — как раз чай пить собрались, хочешь пирожка?

— Ой нет, спасибо, некогда, выручай, Лампуша!

— Что стряслось?

— Отдыхать уезжаю, в Турцию.

— Ну? Отлично, говорят, там здорово!

— Ага, а кошка? Договорилась с подругой — у нее

оставить, до самолета четыре часа, выезжать пора, а Ленки нет и нет. Звоню ей домой, а она, оказывается, заболела...

Уже понимая, какая просьба последует за этим жалобным рассказом, я со вздохом сказала:

— Ну, давай!

Карина мигом сунула мне корзинку, где сидела черная кошка Лина.

— Спасибо тебе, — крикнула соседка, кидаясь к лестнице, — на две недели всего. Кстати, она жрет только телятину, сухой корм не трогает. Покупай ей мясо, пожалуйста.

Я втащила киску в квартиру и, вытряхнув ее на пол, строго сказала:

— Ну уж нет, моя милая, парную телятину по сто рублей за килограмм мы и сами не каждый день употребляем. Будешь питаться как все, не нравится, сиди голодной!

Незваная гостья подняла хвост и молча двинулась в сторону кухни. Ее спина выражала полнейшее презрение.

ГЛАВА 12

Утром, едва выставив недовольно ворчащих детей в школу, я схватилась за телефон. Конечно, неприлично беспокоить людей в такое время, но, с другой стороны, это верный шанс застать всех дома.

— Алло, — раздался бодрый женский голос.

— Простите, это квартира Пантелеевых?

— Нет, вы ошиблись.

Я вновь позвонила.

— Слушаю, — произнесла та же девушка.

Ничего не сказав, я быстренько отсоединилась. Надо же, заклинило, бывает иногда такое с телефонами! Выпив из чашечки кофе, я предприняла еще одну попытку и вновь налетела на ту же особу. Тут я уже не выдержала и сказала:

— Бога ради, извините, но меня все время с вами соединяет, это телефон 152-60-51?

— Да.

— Пантелеевы тут живут?

— Нет.

— Они переехали?

— Эта квартира всегда принадлежала только мне, — вежливо ответила девушка, — Веревкиной, никаких Пантелеевых тут не было.

— Вы Аня?! — обрадовалась я.

— Да, — удивилась женщина, — а вы кто? И почему просите каких-то Пантелеевых, если хотите со мной поговорить?

— Бога ради, простите, директор салона «Лилия», Наталья Константиновна, дала мне два телефона, ваш и еще одного генерала. А я перепутала, думала — звоню ему, а попала к вам. Но вы мне даже больше нужны. Правда, Наталья Константиновна сообщила, будто вы давно уехали из столицы... Помните ее?

— Конечно, — спокойным голосом ответила Аня, — я работала в «Лилии» целых три года, потом вышла замуж и уехала, вы меня абсолютно случайно поймали, я всего на два дня вернулась, у меня мама заболела.

— Анечка, — взмолилась я, — мне очень надо с вами поговорить.

— Да кто вы? И о чем будем беседовать?

— Вы Соню Репнину знали?

— Очень хорошо, учились вместе в парикмахерском училище, а потом я ее в «Лилию» рекомендовала на свое место, но почему вы говорите о ней в прошедшем времени? — насторожилась Аня.

— Соня погибла.

— Как, — ахнула девушка, — она же такая молодая, что случилось?

— Ее убили.

— Как! — снова ахнула Аня.

— Давайте я подъеду и все расскажу.

— Конечно, пишите адрес.

Я быстренько оделась и крикнула Ксюше:

— Ничего не делай, пирогов не пеки, котлеты не жарь, вернусь и сама приготовлю.

— Невкусно было? — расстроилась Ксюша.

— Нет, что ты, потрясающая вкуснятина.

— Тогда почему?

— Тебе уставать нельзя, вредно перед родами.

— Ой, — засмеялась Ксюша, — разве от этого можно устать? Вот когда я в столовой носилась с подносами, это — да! Прямо руки-ноги отваливались! Приползешь домой, ляжешь, а под коленками словно вода переливается... А дома, у плиты, разве это утомительно?! И потом, Кирюшка с Лизой так здорово кушают, так приятно...

— Все равно, ложись на диван и читай, сама приготовлю.

— Ладно, — кивнула Ксюша, — только с собаками прогуляюсь.

Я вздохнула. Не слишком люблю топтаться во дворе с нашей сворой и при любом случае стараюсь переложить эту обязанность на чьи-нибудь плечи, как правило, заставляла гулять Кирюшку или Лизавету. Но дети целыми днями тотально заняты, и потом, беременным ведь полезен свежий воздух...

— Хорошо, — согласилась я, — с собаками можно, но потом на диван, с детективом!

— Я их не люблю, лучше стихи.

— Пожалуйста, пошарь у Кирюшки в комнате, там в шкафу полно сборников.

— А Володя не говорил, он звонить будет?

Я остановилась так, словно налетела на стену, и от растерянности ответила слишком резко:

— Нет.

— Странно... — протянула Ксюша.

— Ничего необычного, теперь очень дорого попусту болтать.

— Да? А он вроде говорил, что ему на работе переговоры оплачивают.

— Нет, — рявкнула я, — и потом, он в тундре, там нет телефонов.

— Нет так нет, — покладисто ответила Ксюша, — наверное, скоро вернется. Ну, девочки-мальчики, гулять пойдете?

Рейчел, Рамик, Муля и Ада ринулись к двери.

— Тише, тише, — засмеялась Ксюша, — с ног сшибете.

Радостно улыбаясь, она пошла к лифту. Я молча глядела ей вслед, чувствуя, как к глазам подкатывается горячая влага. Нет, Ксюша, Володя никогда не позвонит и не вернется, нам всем придется учиться жить без него.

...Анечка Веревкина оказалась самой настоящей красавицей. Огромные черные глаза, бездонные, словно море, смоляные волосы, красивыми крутыми волнами падающие на точеные плечики, но кожа не смуглая, а нежно-розовая, похожая на лепестки бутонов шиповника... И фигура не подкачала. Анечка запросто могла сделать карьеру в модельном бизнесе. Рост у нее был, очевидно, где-то около метра семидесяти пяти, талия тонюсенькая, бедра стройные, но в отличие от большинства плоскогрудых «вешалок» бюст Ани тянул размер на третий, никак не меньше... И зубы у нее оказались хороши, и ногти на руках были удлиненной миндалевидной формы! Бывают же такие счастливые женщины, которым господь отсыпает всего полной мерой...

— Это вы мне звонили? — вежливо спросила хозяйка, отступая в глубь квартиры.

— Да, простите за беспокойство.

— Ничего, ничего, — воспитанно ответила девушка и провела меня на кухню.

— Что случилось с Соней? — спросила она. — Видите ли, я прилетела вчера днем, сразу кинулась к маме, просидела у нее всю ночь и только-только пришла сюда. Вообще говоря, собиралась позвонить Софье, я ей подарок привезла. Вот.

Она легко поднялась с табуретки и взяла с подоконника трехлитровую банку с красной икрой.

— У нас на Сахалине этот деликатес просто даром, правда, вывозить нельзя, но знакомые летчики помогли. У меня ведь муж служит в военной авиации, друзей в небе полно... Соня обожает икру, именно красную, черную на дух не переносит, а эту способна есть ложкой и без хлеба или картошки. Я всегда удивлялась, глядя на нее. Купит баночку и вмиг проглотит, мне бы сразу плохо стало.

Я вздохнула. Надо же, точно так же любил красную икру и Володя. Иногда мы с Катериной покупали ему грамм двести и торжественно подносили на блюдечке. Майор мигом проглатывал угощение и довольно щурился.

— Ты бы хоть с хлебом ел, — поднимал в Катюше голову врач, — или с сухариком! Разве можно так, без «гарнира»!

— Нет, девушка, — смеялся Володя, — вы ничего в икре не понимаете, красная, в розетке, да под чай сладкий... Восторг!

Я лично и представить себе не могла, как можно запихнуть в рот ложку соленых рыбных эмбрионов и потом прихлебывать сладкое, как растворенный мармелад, пойло. Но в конце концов, каждому свое. Едят же некоторые огурцы с медом или шоколад с арбузом?

— Она ее запивала невероятно сладким чаем, — завершила рассказ Аня, — икру клала в розетку и ела, как варенье!

Я уставилась на девушку во все глаза, искренне пораженная полным совпадением вкусов Володи и Софьи. Но Анечка, очевидно, поняла мое удивление по-своему, потому что спокойно улыбнулась:

— Понимаю, такое сочетание выглядит дико, но, например, моя сестра обожает селедку со сгущенным молоком.

Мы помолчали, потом Аня дрогнувшим голосом спросила:

— Соню правда убили?

— Да.

— Как?

— Ударили кухонным ножом.

— Каким? — вскрикнула Аня. — Длинным, жутко острым, с красной ручкой? Ужас, это я его ей подарила!

Я не знала, как выглядит нож, которым зарезали Соню, но на всякий случай быстро сказала:

— Нет, нет, короткий, с широким лезвием, а рукоятка зеленая.

Аня слегка успокоилась, вытащила «Золотую Яву», чем немного удивила меня. Такой девушке подошли бы другие сигареты, поэлегантнее. «Парламент», в конце концов. Впрочем, удивляло не только это.

— Разве ваш муж летчик?

Анечка затянулась и кивнула:

— Да, именно поэтому нам и пришлось уехать на Сахалин из Москвы. Впрочем, надеюсь, что Павла в конце концов переведут в столицу.

— А Наталья Константиновна говорила, будто он моряк и вы живете в Североморске...

Анечка удивленно вскинула брови.

— Нет. Странно, что она перепутала, хотя мы не переписывались, несмотря на то, что одно время пытались дружить. Впрочем, с Соней тоже не обменивались письмами, мне некогда, все-таки двое детей, да и она не любительница водить ручкой по бумаге...

— У вас двое детей? — изумилась я, оглядывая безупречную фигуру красавицы.

— Близнецы, — спокойно пояснила та, — годовалые, с мужем остались, то-то ему достанется, бедному! — И без всякой паузы спросила: — А что, Соня в «Лилии» работала или ушла куда?

— Нет, в салоне.

— Странно, — вздохнула Аня.

— Почему? — удивилась я.

— Да так, — увильнула от ответа девушка, — честно говоря, я полагала, она устроилась в другое место.

— Почему? — повторила я.

Анечка глянула на меня своими черными, словно лакированными глазищами.

— Вы из милиции? Или не так?

Москвичи крайне беспечны. Большинство из нас, несмотря на криминальную обстановку в столице, бесстрашно распахивают входную дверь, не спрашивая «Кто там?». Впрочем, даже задающие этот вопрос, услыхав ответ: «Из собеса» или «Проверка Мосэнерго», моментально впускают в квартиру незнакомого человека, не интересуясь документами, а уж любая форма парализует чувство недоверия в один миг. Вид человека в белом халате или милицейском мундире просто завораживает... Только хорошо бы помнить, что костюмчик сотрудника правоохранительных органов запросто можно приобрести в «Военторге» вместе с фуражкой, погонами и резиновой дубинкой, а с белым халатом и того проще. Верительных грамот никто не требует, впрочем, сейчас, когда повсеместно стоят цветные ксероксы, лазерные принтеры и сканеры, «создать» любую ксиву можно без особых усилий. К тому же наши люди, вернее, бывшие советские граждане, те, чье детство, как у меня, прошло при тотальном режиме, заслышав слова: «Мы из милиции», мигом вытягиваются по струнке и начинают оказывать содействие органам. Наверное, в нас говорит генетическая память отцов, матерей и дедов, переживших сначала 1918-й и 1924-й, а затем 1937 и 1952 годы. Поэтому я запросто могла сказать Ане: «Да».

Но отчего-то ответила:

— Нет.

— Тогда кто вы? — спокойно спросила девушка.

Сама не понимая почему, я рассказала ей про Володю и Ксюшу. Анечка слушала молча, не перебивая, а когда поняла, что я выплеснула информацию до дна, тяжело вздохнула:

— Никогда бы не стала даже и вспоминать об этой истории, но, раз такое дело, слушайте.

Сонечка и Анюта познакомились в парикмахерском училище. Софья поступила учиться на куафера из-за того, что в школьном дневнике тесными рядами толпились одни двойки, а у Анечки была другая ситуация. У нее-то как раз с успеваемостью был полный порядок, щедрый господь вместе с красотой наделил девушку еще и умом. Согласитесь, редкое сочетание. Бог старается поддерживать справедливость, полагая, что одной достаточно смазливенького личика, а другой — блестящего ума. Но, наверное, когда родилась Аня, создатель пребывал в великолепном расположении духа и расщедрился. Кстати, потом он спохватился и решил, что подарков хватит. Детство Ани было не слишком счастливым: постоянно болеющая мама и сильно выпивающий, но хорошо зарабатывающий отец.

Когда девочка закончила восьмой класс, папенька нашел себе молодую, здоровую женщину и бросил хворую жену с дочерью. Денег он им не давал ни копейки. Мама работать не могла, давно была на инвалидности, получала грошовую пенсию, и Анечке пришлось уйти из школы, простившись с мечтой о высшем образовании. Путь ее лежал в парикмахеры.

Она оказалась в одной группе с Соней и мигом подружилась с ней. Вернее, это Софья подсела к Ане и бесхитростно спросила:

— Сечешь в алгебре? Можно, я списывать буду? Я в математике ни бум-бум.

Впрочем, скоро выяснилось, что такими же знаниями девочка может похвастаться и в области русского языка, литературы, химии, физики, географии... А по иностранному языку ее даже никогда не спрашивали. Сердобольная англичанка, не желавшая портить ребенку жизнь, великолепно понимала, что Сонечка никогда не захочет читать Шекспира и Диккенса в подлиннике, потому просто ставила ей четверки.

Недостаток ума полностью восполнялся красотой. Вокруг Сони постоянно толклись мальчики, а мастер-наставник, объясняя принцип химической завивки, всегда подолгу останавливался возле ее стола.

Училище-то они закончили, но работать по профессии не стали. Соня выскочила замуж, и вообще она была слишком ленива, чтобы щелкать ножницами и махать расческой. К тому же родители давали ей на жизнь вполне приличную сумму. Анечке тоже не слишком нравилось быть дамским мастером, но ей в отличие от подруги было некуда деваться, деньги требовались срочно. Даже когда началась обвальная аллергия на лак и химсостав, Веревкина не могла уйти. Чихая и кашляя, она сооружала прически, радуясь любым, даже самым маленьким чаевым. Но потом у нее случился приступ астмы, причем прямо на рабочем месте, на глазах испуганной дамы, сидевшей в кресле.

Когда уехала спешно вызванная коллегами «Скорая помощь», недостриженная клиентка сурово заметила:

— Тебе нельзя работать в салоне.

Всегда приветливо улыбающаяся Аня расплакалась и рассказала про больную маму и вечное безденежье. Дама выслушала ее и предложила:

— Давай переходи ко мне цветами торговать.

Это оказалась Наталья Константиновна. Анечка послушалась и никогда не пожалела о принятом решении. Правда, иногда девушка начинала чихать и кашлять, но тогда директриса быстренько перемещала ее на бумажную работу. Между новенькой продавщицей и директрисой завязалось что-то вроде дружбы. Анечка по старой памяти стригла и укладывала Наталью Константиновну, а та всячески выделяла Анюту. Вызывала ее обслуживать особо денежного, щедрого клиента или поручала выполнить выгодный заказ на оформление банкетного зала. Получив в первый раз за любимую работу от сотрудников банка сто долларов на чай,

Анечка принесла пятьдесят баксов начальнице. Но та поморщилась.

— Ну что ты, детка...

Они даже сходили пару раз вместе в консерваторию, Анечка обожает классическую музыку и хорошо в ней разбирается.

— Мне так неприятно, — вздыхала Аня, — что отплатила ей за добро злом, а все Соня...

С Репниной они перезванивались. Софья иногда прибегала к Анюте и перехватывала у той кое-какую мелочь. Анечка давно поняла, что долги подруга никогда не отдает, но все равно выручала ее. Впрочем, Сонечка любила Анюту и старалась ей угодить. Деньги не возвращала, но частенько делала презенты: приносила духи, колготки, косметику. Скорей всего это были вещи, подаренные ей любовниками и не подошедшие по цвету или запаху.

— Соня словно на маятнике жила, — пояснила Аня, — есть богатый кавалер, она наверху, ходит в ресторан, шикарно одевается, в сумочке полно денег. Случился «простой» — пьет кефир и бежит ко мне за материальной помощью.

Иногда случались и нищие кавалеры, но они долго около девушки, привыкшей к шикарной жизни, не задерживались.

Потом Аня встретила Диму, полюбила его, вышла замуж и собралась на Сахалин. Но возникла небольшая проблема.

— Найди кого-нибудь себе на замену, — попросила Наталья Константиновна.

Анечка в растерянности принялась листать записную книжку. В «Лилию» брали только девушек с исключительными внешними данными — либо красавиц, либо с экзотическими лицами. Например, мулаток. Пока Аня в задумчивости перебирала телефоны, позвонила Соня и разрыдалась. Родители отказались давать ей дотацию, любовника нет, жизнь отвратительна, придется идти на службу.

Анечка обрадовалась:

— Давай на мое место, зарплата великолепная, клиенты высокопоставленные, богатые люди, обязательно дают чаевые, начальница милая, товарки не противные, и с цветами приятней возиться, чем с чужими сальными волосами...

Соня согласилась и была представлена Наталье Константиновне. Директриса благосклонно посмотрела на смазливую кандидатку, и Репнину взяли на службу. Анечка спокойно уехала с любимым мужем на Сахалин, не предполагая, какие ужасные последствия вызовет устройство Сони на работу.

Наталья Константиновна в то время была замужем. Супруг ее служил в хлебном месте, что-то связанное с выдачей разрешений на торговлю. Кстати, именно он помог хозяину «Лилии» получить такое бойкое место для цветочного магазина. Наверное, Михаил брал взятки, причем немаленькие, потому что ездил на шикарном автомобиле, великолепно одевался и вообще имел вид богатого, ухоженного человека. Скорей всего он и пристроил супругу директором в «Лилию». Какие чувства связывали Наталью и Михаила, Аня не знала, но пара жила вместе десять лет, и внешне они выглядели вполне счастливо. Карьера арфистки у Натальи не задалась, но из нее вышел хороший руководитель, неконфликтный, справедливый и внимательный. Коллектив «Лилии» работал спокойно, согласитесь, что управлять двадцатью бабами так, чтобы они не устраивали перманентных скандалов и истерик, большое искусство, не всякому удается овладеть им, но Наталья преуспела.

Миша иногда по вечерам заезжал за женой и... покупал той букет. Красивый, эффектный жест, заставлявший кое-кого из девчонок-продавщиц завистливо вздыхать.

Первую неделю Соня работала вместе с Аней, училась у нее мастерству. В среду появился Михаил, увидел новенькую, та искоса бросила на него быстрый взгляд, облизала и без того ярко блестевшие губы... Анечке, ставшей свидетельницей этой сцены, показалось, что влажный воздух «Лилии» стал совсем душным и в нем разлилось нечто этакое...

Ни слова не говоря, Миша пошел за Наташей, но букета он ей в тот день не преподнес.

Потом Аня укатила на Сахалин и появилась в Москве только в этом марте. Естественно, сразу позвонила Соне. Та радостно затарахтела о кавалерах, подарках... Анюта сообщила ей о «сувенире», банке красной икры, и соединилась с Натальей Константиновной, ей она тоже привезла деликатес.

Бывшая начальница долго не снимала трубку, потом просипела:

— Алло.

— Это я, Аня, — сказала Веревкина, — вот хочу...

— Сволочь, сука, дрянь! — завизжала всегда корректная Наталья.

Анюта страшно перепугалась. Неужели у директрисы помутился рассудок?! Но еще один звонок Соне развеял эти домыслы.

— Ты ей под горячую руку попала, — хихикала Соня, — она развелась сегодня с Мишкой, небось напилась...

— Погоди, — пробормотала Аня, — ты в этом не замешана?

Репнина фыркнула.

— Мужик сам решил от нее уйти, кончилась любовь, не я, так другая бы появилась. В чем я виновата, если успехом пользуюсь?

Анечка страшно разволновалась. Получалось, что, приведя в салон Соню, она сделала жуткую гадость Наташе. Поколебавшись некоторое время, девушка прихватила икру и поехала к бывшей начальнице домой.

На двери болталась записка. «Дверь не ломайте, открыта». Удивленная Анюта вошла в квартиру и обомлела. Почти у самого входа, на крюк, с которого была снята красивая хрустальная люстра, прилаживала веревку с петлей Наташа. Увидев Аню, хозяйка сначала расхохоталась, потом зарыдала, затем, отшвырнув кусок каната, заорала:

— Зачем пришла?

— Вот, икру привезла, — в растерянности протянула ей банку Аня.

Наталья схватила подарок и швырнула об стенку. Раздался сочный звон, по обоям побежали красные икринки, осколки брызнули в разные стороны. Было даже красиво: дождь из красных капель покрыл стену. Наташа упала на ковер и зарыдала. Изредка сквозь плач слышались слова:

— Сволочь, сволочь, сволочь.

ГЛАВА 13

Испуганная Аня забегала по квартире, пытаясь одновременно напоить Наташу коньяком, валокордином и чаем. Наконец истерика стихла. Вытерев лицо подолом платья, директриса внезапно сказала:

— Извини, ты тут совершенно ни при чем, с катушек я съехала, первый раз такое, ведь собралась с собой покончить, вон смотри.

И она показала на журнальный столик, где белела записка. Анечка схватила ее. «В моей смерти прошу никого не винить!»

— Но как же, зачем, — залепетала Веревкина, — нельзя так, все наладится, утрясется...

Наташа тяжело вздохнула и, глядя на блестящие кучки красной икры, расшвырянные по холлу, совершенно спокойно сказала:

— Нет, ничего уже не изменить и не поправить, поезд ушел. Впрочем, хорошо, что ты пришла, мне надо выговориться, а смерть — это навсегда. Так что спасибо.

— Это я виновата, — прошептала Аня.

— Да нет, — отмахнулась Наташа, — так фишка легла, бывает. Пошли на кухню.

За чашкой темного, почти черного чая бывшая начальница рассказала Анюте то, что произошло за время ее отсутствия. Любимый и любящий муж Михаил словно с цепи сорвался. Сначала сказал, будто отправился в командировку, но Наташа вмиг узнала, что он живет у Сони. Вне себя от гнева Наталья велела Репниной убираться. Софья только пожала плечами и спокойно доработала день. Вечером Наталье Константиновне позвонил пока еще законный супруг и прошипел в трубку:

— Имей в виду, если с головы Сони упадет хоть один волос, тебе не жить. Только попробуй турнуть ее из салона, мигом сама окажешься на улице, если не на кладбище.

Наташа струхнула. Муженек водил дружбу с криминальными авторитетами, массово подавшимися в бизнес, а убрать женщину ее положения в Москве очень просто и дешево. Можно подыскать киллера за тысячу долларов. Потому Наталья Константиновна на следующее утро сказала нагло улыбающейся Соньке:

— Ступай в подвал, там надо расфасовать землю.

Обычно такую грязную работу выполняли две уборщицы, но в груди Натальи кипела злоба, и раз уж она была вынуждена терпеть возле себя нахалку, то пусть та хоть чаевых лишится от добрых клиентов, посидит на голом окладе.

Но Сонечка не стала спорить.

— Хорошо, — преспокойно заявила она и ушла вниз. Наташа только подивилась бесконфликтности счастливой соперницы. Впрочем, уже через час причина столь покорного поведения выяснилась. В «Лилию» ворвался Михаил.

— Где Софья? — грозно поинтересовался он.

Директриса перепугалась, но решила вида не подавать.

— Сегодня в подвале работает.

Супруг выматерился и кинулся к лестнице. Через пару минут он притащил в кабинет Софью. Та хоть и была дурой, догадалась, как следует поступить, чтобы окончательно, с одной стороны, разжалобить, а с другой стороны, обозлить мужика. Она не надела ни халата, ни косынки, ни резиновых перчаток и теперь стояла посреди кабинета, потупив хамский взор, в ужасающем виде. Нежные ручки до локтя перемазаны в черноземе, ногти обломаны, а платье мерзавки походило на рабочую одежду коровницы. Контраст с одетой в великолепный костюм Наташей был ужасающий.

— Слушай сюда, — велел Миша, — сейчас Сонюшка приведет себя в порядок, и ты отправишь ее в зал обслуживать лучших клиентов, поняла, сука?

Наталья Константиновна, не привыкшая к такому обращению, хотела было высказать все, что думает о Репниной, но муж мигом стиснул ее руку, а потом, когда жена невольно ойкнула, схватил со стола какие-то счета и ударил ее по лицу — сначала по правой щеке, потом по левой... Было не больно, но очень обидно. Так хозяева наказывают провинившуюся собачку, наподдают той газетой по морде, чтобы причинить не физические, а моральные страдания.

— И запомни, — абсолютно равнодушно и от этого страшно произнес некогда заботливый и любящий супруг, — еще раз узнаю, что унизила Сонюшку, не жить тебе.

Наташа глянула в его прозрачные глаза и поняла: Михаил и впрямь уничтожит ее из-за смазливой девчонки. С тех пор она больше никогда не отправляла Соню в подвал, и если в «Лилии» появлялся особо привлекательный клиент, он доставался Соне. Надо отдать должное Репниной, та никогда не лезла на рожон, не наглела и усиленно делала вид, что боится директрису. Но от такого поведения Наташе делалось только хуже, лучше бы нахалка устраивала скандалы. Но нет, дура Соня оказалась не такой уж идиоткой и повода для негодования не давала.

Потом на глазах изумленной Наташи начала разворачиваться настоящая драма. К Соне стал наведываться другой парень. Михаил вернулся домой просто черный и крепко запил. Затем вновь вернулся к Соне, потом опять пришел домой, и так несколько раз. Софья играла с мужиком, как кошка с мышью. И в конце концов Наташа не вытерпела. Однажды, когда Соня, напевая, красила губы в раздевалке, директриса вошла и отрывисто сказала:

— Либо живи с мужиком, либо оставь в покое, зачем мучаешь?

Репнина повернулась к начальнице и неожиданно ответила весьма фамильярно:

— Да забирай его себе, надоел! Не уходит вон, еще драться решил!

Наташа отшатнулась от соперницы и ушла в кабинет. Странные чувства бушевали в душе. С одной стороны, злорадство. Так ему и надо, пусть теперь помучается, поплачет ночью в подушку, полежит без сна, наблюдая, как по потолку бегают синие тени... С другой стороны, острая жалость клещами хватала за сердце... Через какое-то время Михаил подал на развод.

Анечка уехала на Сахалин с тяжелым сердцем и вот сейчас, только-только вернувшись в Москву, узнала страшную новость.

— Мне кажется, — тихо сказала девушка, — это Михаил убил Соню, он очень любил ее, но отличался буйным нравом, ревновал и мог даже ударить...

— А откуда вы это знаете? — удивилась я.

Анечка смущенно улыбнулась.

— Мне было очень жаль Наташу, она в петлю полезла от безысходности, и потом, я все-таки чувствовала себя виноватой, вот и поехала к Сонечке.

Аня, добрая душа, попробовала увещевать подругу, но та сказала:

— Сама не рада этому роману, представляешь, он меня ревновать начал, попытался поколотить, орал:

«Если не мне, то и никому не достанешься», пистолетом размахивал...

— Ужас, — испугалась Аня, — еще убьет!

— Ерунда, — отмахнулась Соня, — так просто, пугает...

— Вот, наверное, и ударил Соню, — закончила Веревкина, — господи, ну зачем она так себя вела! Понимаете, ей нравилось дразнить людей. Могла позвонить анонимно жене кого-нибудь из своих любовников и пропеть в трубку:

«Знаете, где ваш муж проводит время? И напрасно, хорошо бы поинтересоваться».

Соня обожала скандалы, она сталкивала людей лбами и с удовольствием наблюдала за ссорами. И еще. Мужчины, попадавшие к ней в постель, быстро надоедали девушке. Десять дней, от силы — две недели, и она теряла интерес к любовнику. Большинство мужиков искренне не понимали, в чем дело, и приставали к Соне с вопросом:

— Что случилось?

Сонюшка хмурилась, надувала губки, сдвигала бровки, и чем больше любовник суетился, тем меньше она желала с ним разговаривать. Но стоило тому перестать звонить, вернуться к жене и наплевать на Репнину, как та мигом делалась приторно ласковой и начинала рыдать в телефон:

— Дорогой, ты меня бросил, я так страдаю!

Обрадованный Ромео спешил к Джульетте, но вместо ласковых объятий его встречал ушат ледяной воды. Соня обожала такие игры.

— Кто-то быстро понимал, что к чему, и переставал с ней общаться, — грустно сообщала Аня, — ну а кому-то требовался не один месяц, чтобы разобраться. Был у нее такой Антон Селиванов, вот уж бедняга! Соня над ним измывалась ужасно, разбила семью, а он все звонил и спрашивал: «Сонечка, объясни, что происходит?»

— Разве Антон Селиванов не был ее хорошим другом? — тихо спросила я.

— Кто? — удивилась Анюта. — Тоша? Что вы! Он проделал очень длинный путь от страстной любви до лютой ненависти. Нет, он никогда с ней не дружил, сначала обожал, просто сох, потом видеть не мог, да и было за что. Из любви к скандалам Соня натравила на него милицию, уж не знаю, что там произошло, но Антона арестовали, как раз у меня мама опять заболела, я в Москве целый месяц провела, и на моих глазах все действие и разворачивалось, в марте. Потом, правда, отпустили, но Соню он с тех пор на дух не переносил.

— И они не общались, не пили вместе чай...

— Антоша бы скорей сел за стол с гремучей змеей, — усмехнулась Аня, — можете у него самого спросить, хотите, дам его телефон?

Я закивала,

— Да, да, пишу.

От Анечки я ушла, с трудом сдерживая волнение. Однако интересные вещи выясняются. Милейшая Наталья Константиновна, фанатка Баха, оказывается, приветливо улыбаясь, наврала мне с три короба. Во-первых, она терпеть не могла Соню. Во-вторых, невесть зачем директриса пыталась скрыть место жительства Ани да еще набрехала про профессию мужа, правда, дала московский телефон. Небось думала, что девушка на Сахалине, и мне ее не найти. Но самая главная ложь не эта. В деле активно замешан бывший супруг очаровательной цветочницы... Потом Антон Селиванов! Ведь именно он дал показания, окончательно потопившие Володю Костина. Уверял, что прибежал помогать лучшей подруге, нашел ту с синяком под глазом, не успел испугаться, как крайне вовремя появился Володя... И ведь именно Селиванов потом опознал Костина. А я-то дура! Надо было сразу разыскать этого «ближайшего приятеля» и потрясти как следует! Ни на минуту теперь не верю ему! Интересно, кто приказал Антону оговорить Володю и что получил за это Селиванов?

С распухшей головой я прикатила домой и обнаружила на кухне свиной окорок, издававший дивный аромат, картошку, приготовленную с майонезом, печеные яблоки, шарлотку... Дети уже спали. Оно и понятно, после такого количества вкусностей их сморило, и они легли не в полночь, как обычно, а около десяти. Наверное, я была не права, угощая их легким ужином! Я даю обычно на ночь что-то необременительное для желудка: йогурты, творог или геркулесовую кашу. Пишут же в разных книгах, что мясо, слопанное после программы «Время», приводит к бессоннице... Но, оказывается, диетологи массово ошибаются. Проглотив полезные для организма молочные продукты, Лиза и Кирюшка затевают драки, бурные выяснения отношений, носятся по комнатам с ужасающими воплями, и никакие мои жалобные просьбы типа: «Прекратите, завтра в школу, марш в кровать» — на них не действуют.

Укладываются они поздно, а утром стонут и бродят по квартире, зевая и дрожа от недосыпа. Сегодня же, пожалуйста, спят, словно ангелы, а все в результате съеденной свинины. Кстати, похоже, собакам тоже перепала немалая толика. Наши псы обожают вечерами заводить потасовки, пристают к кошкам и устраивают охоту за ногами домочадцев. А сейчас они мирно дрыхнут, сбившись в многолаповую кучу. «И все равно, свиной окорок на ночь есть нельзя, да еще в сочетании с политой майонезом картошкой», — подумала я.

Но пока в голове крутилась эта мысль, руки как-то сами собой отрезали добрый ломоть мяса и навалили на тарелку штук пять картофелин.

Через пятнадцать минут, еле-еле держась на ногах, я вползла в спальню и рухнула прямо поверх пледа. Сил не было ни на что, последнее, что я смогла сделать, распахнуть настежь балкон — на Москву опять опустилась липкая духота.

Плюхнувшись на подушку, я увидела, как из угла к

открытому проему метнулась черная тень, и слегка испугалась. Но потом поняла, что это кошка Лина, большая любительница парной телятины, оставленная мне на две недели уехавшей в Турцию соседкой.

«Нет, теперь буду всем давать на ночь вредные мясные, жирные продукты», — пронеслось молнией в голове, и пришел сон.

ГЛАВА 14

Разбудил меня вопль, жуткий, какой-то нечеловеческий, на одной ноте:

— А-а-а-а...

Испугавшись, я подскочила и крикнула:

— Что случилось?

Но в квартире стояла ровная тишина, домашние мирно посапывали в разной тональности: Лизавета тоненько, а Кирюшка более густо, в эти мирные звуки органично вливались похрапывание собак и легкие вздохи, доносившиеся из комнаты, занятой Ксюшей.

Я откинулась на подушку, небось почудилось.

— А-а-а-а-а... — донеслось с улицы, — помогите, убивают!

Я бросилась на балкон. Крики доносились из квартиры, расположенной внизу, под нашей. Там живет милая и очень обеспеченная старушка Элеонора Евгеньевна. В прошлом дама была певицей и с успехом выступала в театре оперетты. Узнав, что я по образованию арфистка, Элеонора Евгеньевна стала считать меня за свою и иногда приходила попить чайку, по-соседски, в халате. Хотя тут я сказала неправду. В халате ее как раз никто не видел. Милейшая дама всегда прекрасно одета, изысканно причесана, а ее губы и щеки имеют приятный розовый цвет. Однажды я не утерпела и спросила:

— Элеонора Евгеньевна, вы всегда так сидите дома, при всем параде?

— Дорогая, — улыбнулась певица, — это молодость может позволить себе шляться по квартире в грязной футболке, с всклокоченной головой. Если тебе за тридцать лет, ты прекрасна всегда, но дама, скажем, э... за сорок, обязана тщательно следить за собой, иначе есть риск превратиться в неряшливую старуху. В старости вообще, чтобы не казаться жалкой, нужно хорошо одеваться, дорого и носить украшения...

Чего-чего, а последних у соседки хватает. Серьги, кольца, броши, браслеты, причем один, вызывая шквал косых взглядов, она носит на щиколотке. Кстати, квартира ее похожа на музей. Повсюду картины, некоторые очень дорогие, элегантная посуда, хрусталь, бронза, старинная мебель... Не так давно, на 80-летие, сын подарил ей роскошный музыкальный центр, и Элеонора наслаждается теперь лазерными дисками... Так что в ее квартире есть чем поживиться вору.

— Спасите, — несся вопль, — убивают...

Значит, к старухе проник бандит! Потеряв по дороге тапки, я ринулась к телефону. Срочно нужно вызвать милицию, а потом бежать вниз. Ну где же трубка? Взгляд упал на нечто, напоминающее старомодный выключатель. Тревожная кнопка! Я ткнула в нее пальцем, надеюсь, сейчас приедет патруль!

В то же мгновение раздался звонок в дверь. Ничего себе, оперативность! Они что, сидели у подъезда? Не глянув в «глазок», я распахнула дверь и заорала от ужаса:

— Мамочка!

На пороге, покачиваясь, стояла Элеонора, но в каком виде! Ее руки и лицо покрывали длинные, тонкие порезы, из которых сочилась кровь, ночная рубашка из нежного, дорогого батиста была изодрана в клочья, волосы стояли дыбом, но в ушах висели бриллиантовые подвески, а залитые алой жидкостью пальцы унизывали кольца.

— Что случилось? — завопили дети, выскакивая в коридор.

Из дальней комнаты высунулась встревоженная Ксюша.

— Убивают, — прошептала Элеонора, — бритвы...

— Кто, кто?

— Там, — ткнула соседка пальцем вниз, — в квартире.

Она закатила глаза и стала медленно съезжать по стене. Кирюшка подхватил ее под мышки, Ксюша, бросившись на помощь, подставила стул. Мы с Лизой стояли в растерянности, не понимая, что делать. Тут с лестничной клетки послышался звук приехавшего лифта. Влетевшие милиционеры, увидев окровавленную старушку, присвистнули, и один грозно поинтересовался:

— Что здесь произошло, граждане?

— Это наша соседка снизу. — Я принялась бестолково объяснять ситуацию: — На нее напал бандит, изрезал бритвой, вроде она его закрыла в квартире и как-то ухитрилась убежать.

— Вы, Сережка и Ленька, вниз, Константин — в подъезд, и вызовите «Скорую», — приказал самый старший.

Я ринулась вместе с милиционерами, прихватив на всякий случай швабру. Но в квартиру Элеоноры ни меня, ни нервно подпрыгивающих детей не пустили. Несколько минут мы переминались у порога, тревожно вслушиваясь в то, что происходило за дверью, обитой красивой лакированной кожей. Но на лестницу не доносилось ни звука. Наконец один из патрульных вышел.

— Что? — кинулись мы к нему гуртом. — Поймали негодяя?

— Ушел, — вздохнул парень, — никого в квартире, только кошка, вон, смотрите...

Он распахнул дверь: в прихожей, под стулом, сжавшись в тугой комок, сидела угольно-черная киска. Зеленые глаза испуганного животного горели злобным огнем, шерсть торчала дыбом, и весь вид без слов говорил — не подходи, растерзаю!

Надо же, Элеонора, оказывается, завела абиссинку, точь-в-точь такую, как оставленная мне Лина.

Спустя полчаса умытая и слегка пришедшая в себя старушка пролепетала:

— Ушла?

— Кто? — не поняла я. — Врач со «Скорой»? Да, велела не волноваться, порезы хоть и глубокие, но не опасные, зашивать их не потребуется.

Элеонора покачала головой.

— Нет, не доктор, она ушла?

Я тяжело вздохнула. Вот неприятность, у бедняжки от стресса поехала крыша...

— Элеонора Евгеньевна, милая, успокойтесь, я понимаю, вам страшно, но, если хотите, можете остаться у нас...

— Нет, нет, нет... — бормотала соседка, — только скажите... там... она где?

Ее старческие пальцы, украшенные перстнями, дрожали, голос предательски срывался, а в глазах плескался ужас.

— Давайте я переночую у вас? — предложила я альтернативный вариант. — Сейчас мы все вместе спустимся вниз, посмотрим квартиру, вы лично убедитесь, что там никого нет.

Старушка обрадованно закивала:

— Хорошо, только пусть Кирюша возьмет вон то одеяло...

— Зачем? У вас останусь я!

— Ее ловить! — выдохнула Элеонора и затряслась.

Я погладила старую даму по острому плечу.

— Ничего, ничего, сейчас мы ее прогоним.

— Кого? — поинтересовался Кирюшка.

Я пнула его ногой и незаметно для Элеоноры повертела пальцем у виска.

— Ах, ее, — мигом подхватил понятливый ребенок, — ща мигом выловим и утопим!

— Спасибо, Кирочка, — прошелестела Элеонора, — что бы я без вас делала!

Она принялась всхлипывать, потом пробормотала, показывая на израненные руки:

— Вот дрянь!

Тут только до меня дошел смысл ее речей.

— Погодите, хотите сказать, что на вас напала женщина?

Соседка горестно вздохнула:

— Не могу утверждать, что это была дама, вполне вероятно, мог оказаться и кавалер.

— Вы не знаете разницу между мужчиной и женщиной? — спросила ошарашенно Лиза.

Элеонора, внешне совершенно пришедшая в себя, хмыкнула:

— Ну, в мои годы можно, между прочим, и позабыть. А что, Лизочек, ты вот так сразу отличаешь особи мужского пола от женского?

— Да, — заявила девочка, — легко.

— И как же?

— Ну, у парней усы, борода, голос грубый, ботинки размером больше, брюки носят, в конце концов, хотя это не показатель теперь, — быстро пришла я ей на помощь, — ваш ночной гость как был одет?

— Никак, — последовал ответ.

— Голый? — в голос спросили Кирюша, Лиза и Ксюша.

— Не совсем, — ответила Элеонора, — но можно и так сказать.

Чувствуя, что сейчас сама лишусь рассудка, я нелепо спросила:

— И вы не поняли, кто это, несмотря на отсутствие брюк?

— Чем бы мне помогли штаны? — невпопад ответила Элеонора и неожиданно добавила: — Эта дрянь такая волосатая!

— Хочешь знать мое мнение? — тихо спросил Кирюшка, когда мы спускались по лестнице вниз.

— Ну?

— Это чеченец!

— Почему?

— Ну сама посуди, жутко волосатый... Они все такие заросшие, на пляже видел. И ноги, и руки, и грудь, и спина!

— А почему голый?

— Понятно, — откликнулся Кирка, — разделся, чтобы легче было грабить квартиру. Когда вор убегает, его за что хватают? За одежду!

Я пожала плечами. Легенда об обнаженном грабителе, выходце из Чечни, не выдерживала никакой критики. Может, этот идиот действительно скинул одежду, чтобы напугать до смерти старуху, но как он предполагал идти по улице?

За дверью квартиры Элеоноры стояла могильная тишина. Впрочем, за другими дверьми на лестничной клетке тоже, что естественно, — будильник показывал пять утра.

Мы притормозили у входа. Я осмотрела «группу захвата». Кирюшка держал в руках устрашающего вида шампур для шашлыка, Лизавета обнимала огромный эмалированный таз, Ксюша прихватила скалку. Интересное дело, зачем они вооружились до зубов, ведь милиционеры четко сказали: внутри никого нет. Впрочем, у меня самой под мышкой была зажата швабра, та самая, с оранжевыми ленточками на конце, столь широко разрекламированная по ТВ-6. К слову сказать, она ловко разделывается с грязными лужами только в рекламном ролике, а на реальной кухне практически бесполезна...

— Ну, давайте, — отчего-то шепотом произнесла Лиза.

Кирюшка пнул дверь ногой. Она распахнулась, перед нами предстал пустой холл.

— Говорила же... — начала я, и тут вдруг Элеонора издала дикий, утробный крик.

Как у бывшей певицы, у нее отлично развиты легкие и голосовые связки, поэтому звук получился офигенный.

— А-а-а-а! — понеслось по лестнице, отталкиваясь от стен. — А-а-а-а, вон она! Скорей, бросайте же одеяло, бейте, бейте...

Лизавета с перепугу выронила таз. Огромная эмалированная миска с жутким звуком полетела вниз по ступенькам. Кирюшка ринулся внутрь квартиры, размахивая шампуром. Ксюша неожиданно схватилась за низ живота. Скалка, выпавшая из ее рук, последовала за тазом, издавая весьма немелодичные звуки — бряк, бряк, бряк... Потом донеслось оглушительное — бум! Это скалка догнала таз, и они вместе, со всего размаха, пролетев лестничный марш, врубились в стальную дверь Федотовых, больше похожую на вход в подземный бункер, где должно в случае атомной войны происходить заседание правительства. От растерянности я выпустила локоть Элеоноры. Старушка, лишившаяся опоры, рухнула на кафельный пол, продолжая издавать отчаянные визги:

— Бейте, бейте, бейте!

Сказалась выучка театра оперетты — даже упав, Элеонора не прервала сольную партию.

Залязгали замки, и на лестницу начали выглядывать обозленные соседи.

— Что случилось? — рявкнул Миша из сорок восьмой. — Взрыв?

— Нет, — ответила я.

— Слава богу! — выдохнула Алина из пятьдесят третьей. — Ой, что это вы в таком виде?

Мы стали бестолково объяснять суть дела. Из квартиры Элеоноры по-прежнему не раздавалось ни звука.

— Там мальчик, Кирюшка, — дергалась я, — один, с шампуром...

— Ща, — ответил Миша и позвонил в пятидесятую квартиру. — Эй, Ванька, открой, свои.

Дверь распахнулась, и к нам вывалился Иван Кисин, местный уголовный авторитет. Толстую шею мальчишки украшала голда, накачанный торс был облачен в роскошный велюровый халат. За Ванькой маячила встрепанная девица, явно не наша жиличка.

— Ну, только не говорите, что менты обыск проводят и меня понятым зовут, — брякнул Кисин, — чегойто у нас происходит, взрывают?

— Слышь, Вань, помоги. — Мишка принялся вводить братка в курс дела.

Надо отдать должное Ване, он мигом разобрался, что к чему.

— Погодьте-ка, — велел он и исчез в квартире.

Девица, одетая в черную прозрачную рубашку, уставилась на меня во все глаза. Решив проявить вежливость, я сказала:

— Здравствуйте.

— Добрый вечер, вернее, утро, — ответила девчонка.

— Душно, однако, — завела я светскую беседу, но тут вернулся Ванька.

В правой руке он держал пистолет, в левой гранату «Ф-1». Соседи мигом попрятались в своих квартирах.

— Может, не надо сразу гранату бросать? — робко предложила я.

— Она ненастоящая, — хихикнул Ванька, — так, для испугу, — и заорал: — А ну сдавайся, падла рогатая!..

Элеонора ойкнула. Из глубины квартиры вылетел абсолютно целый Кирюшка и заверещал:

— Ой, здрассте, дядя Ваня, а тут никого.

— Вообще? — спросил Кисин.

— Ага.

— Везде посмотрел?

— Даже в унитаз заглянул, — бойко пояснил мальчик.

— Вот видите, — тяжело вздохнула я, поднимая Элеонору,— вам почудилось.

Но бабушка снова разинула рот, однако я мигом спросила:

— Ну где, кого вы видите?

— Под стулом сидит, — неожиданно мирно ответила Элеонора.

Ванька мигом нагнулся и вытащил на свет черную кошку, та шипела и плевалась слюной.

— Вот зараза, — удивился Кисин, — царапается как больно!

— Всю меня изодрала, — опасливо прячась за спину Лизы, сообщила бабуся.

Тут только на меня снизошло озарение.

— Это ваша кошка изодрала вам руки и лицо?

— У меня нет животных, — пояснила Элеонора.— Я проснулась ночью оттого, что грудь давит, словно камень положили. Открываю глаза и вижу — морда черная, усатая, зубы сверкают, ну и заорала от ужаса, а эта дрянь вцепилась когтями. Побежала с перепугу к вам, думала, она бешеная... Смотрите, слюна с рожи капает, точно больная... И как она ко мне попала, и вообще — откуда она?

Я в растерянности смотрела на Лину. Не знаю, кто проектировал блочную башню, где находятся наши квартиры, но есть тут такая странная вещь, как пожарная лестница. Причем она идет не по стене, а соединяет балконы. Может, видели когда-то такую? Теоретически с девятого этажа вполне можно спуститься до первого. Сегодня я легла спать из-за духоты с открытым балконом, небось Элеонора сделала то же самое... Лина, взбудораженная ночевкой в чужом месте, вышла на свежий воздух и спустилась к старухе, пробралась в комнату и по своей привычке устроилась спать в кровати. Кошки обожают укладываться на человека. Представляю, как испугались обе. Элеонора, когда увидела перед самым носом невесть откуда взявшуюся кошачью рожу, и услышавшая вопль певицы Лина. Она и расцарапала даму от растерянности и ужаса.

— Откуда она взялась, — как заведенная твердила соседка, — чья кошка? Ее надо утопить!

Понимая, что признаваться нельзя, я подхватила и прижала к груди киску. Та хорошо знает меня и мигом успокоилась.

— Утопить! — нервно вопила старуха.

— Обязательно, — пообещала я.

— Но это же... — начала Лиза.

Я изо всей силы пнула девочку ногой. Та мигом захлопнула рот.

— Во блин, кошка, — заржал Кисин.

Внезапно до моих ушей донесся тихий стон. На лестнице, отчего-то в луже воды, сидела Ксюша.

— Что случилось? — испугалась я.

Но Ксюша только вздыхала.

— Воды у нее отошли, — пояснила девица в черной рубашке, — рожать начинает.

— Ой, — перепугалась я по-настоящему, — что же делать?

— Как чего, в родильный дом ехать, — пожала плечами девчонка, — машина-то есть?

— Есть, — растерянно ответила я, — но...

— Вань, давай свезем их?

— Не вопрос, — ответил Кисин, — все равно не засну.

Замотав Ксюшу в плед, мы покатили в клинику. Я лишний раз радовалась, что успела договориться с Настей Левитиной, знакомой Кати. Левитина работает акушером-гинекологом. И сегодня нам все-таки повезло — Настасья оказалась на дежурстве и, услыхав мое «Рожаем!!», совершенно спокойно ответила:

— Ну и что? Незачем орать! Давайте приезжайте!

Когда мы плотной группой вошли в вестибюль, Настя, курившая у окна, недовольно сказала:

— Все приехали?

— Ага, — кивнула я.

— Ну так уезжайте, тут никто, кроме роженицы, не нужен. Впрочем, отец может остаться. Вы отец? — повернулась она к Кисину.

— Нет, — испуганно ответил Ванька, — я сосед.

— Сосед, — хмыкнула Настя и вдруг заорала: — А это что? Лампа, с ума сошла, психопатка, немедленно выбрось!

Я растерянно посмотрела на свою жилетку. Из маленького кармашка торчала, угрожающе похожая на настоящую, учебная граната «Ф-1». Как она попала ко мне? И почему я не почувствовала ничего постороннего, сидя в машине?

Кисин выхватил «лимонку» и сунул в сумочку девицы.

— Простите, доктор, не пугайтесь.

— Сумасшедшая, — прошипела Настя, уводя Ксюшу, — так и знала, ежели с тобой, Лампа, связаться, можно свихнуться.

ГЛАВА 15

Дома я появилась около девяти и схватилась за телефон. В квартире Селиванова трубку сняли сразу, раздалось тихое: «Алло!»

— Можно Антона?

— Нет, — мрачно ответила женщина, — нельзя, невозможно.

— Почему?

— Он умер.

— Как, — ахнула я, — как умер?

— Просто, — ответила собеседница, — скончался, бытовая травма.

— А вы кто? — обмерла я.

— Жена, бывшая, Алена, — пояснила дама и шмыгнула носом.

— Аленочка, мне очень надо с вами поговорить, сейчас приеду...

— Зачем?

— Ну... Антон давал мне деньги в долг, хочу вернуть, — не подумав как следует, ляпнула я.

— Хорошо, — мигом согласилась Алена, — я только сейчас ухожу на работу, вернусь после десяти вечера.

— Мне надо срочно! Где вы служите?

— В ГУМе.

— Можно я туда приеду?

— В принципе, можно, — неуверенно ответила бывшая супруга Селиванова и быстро добавила: — Только мне не хочется на глазах у девчонок беседовать.

— А и не надо, в ГУМе небось есть какое-нибудь недорогое кафе?

— Да, «Ростикс».

— Чудесно, приглашаю вас на обед. Где вас искать?

— Второй этаж, третья линия, салон обуви «Бирмолина».

Я пошла одеваться в спальню, недоуменно качая головой. Бытовая травма? Антон скончался? Час от часу не легче...

Не успела я натянуть шорты, как раздался звонок телефона.

— Ну, — затарахтела Левитина, — поздравляю.

— Родила! — ахнула я.

— А то! — гордо сказала Настя. — У нас все рожают.

— И кто?

— Мальчик, просто отличный, крикливый такой, активный. Вес — 3,520, рост 52 сантиметра.

— Что ей из еды привезти?

— Ничего, — ответила подруга, — я только из родовой вышла, она сейчас до вечера спать будет, завтра привезешь, позвоню и все расскажу.

— Но...

— Извини, некогда, — отрезала Настасья и отсоединилась.

Я почувствовала дрожь в коленях и села на диван. Мальчик! У Володьки появился сын, только Костин об этом никогда не узнает, и только от меня зависит, достанется ли ребенку незамаранное имя.

Я очень давно не бывала в ГУМе, последний раз, кажется, заходила туда году этак в 90-м, пытаясь найти зимние сапоги. Помню огромную очередь, начинавшуюся на первом этаже и заканчивавшуюся в недрах второго, номер, написанный шариковой ручкой на ладони, крики «вас здесь не стояло» и «больше двух пар одному человеку не давайте»... Сапоги мне, естественно, не достались. Мамочка добыла их у фарцовщика, переплатив за обувь ровно вдвое. И вообще, Главный Универсальный Магазин мне никогда не нравился. Продавщицы в нем выглядели, словно неприступные крепости, а товар поражал убожеством. За мало-мальски приличными вещами, вроде польской косметики и венгерского трикотажа, мигом начинали змеиться хвосты. Впрочем, существовала тут где-то двухсотая секция, где отоваривалась кремлевская верхушка. Поговаривали, что там на прилавках есть все, начиная от совершенно недоступных дубленок и заканчивая такой милой ерундой, как заколки-невидимки, украшенные пластмассовыми цветочками... Но я, естественно, никогда не бывала в элитарном отделе, а выйдя замуж и став женой преуспевающего бизнесмена, предпочитала ЦУМ или маленькие бутики. Потом последовал развод, из обеспеченной дамы я мигом превратилась в бедную, и вопрос о покупке одежды отпал сам собой. Сейчас я не так плохо зарабатываю, но по старой памяти бегу на рынок. Впрочем, Катюша присылает из Америки регулярно посылки. Не далее как неделю назад мы получили с оказией огромный ящик из-под сигарет «Мальборо», набитый под завязку всякой всячиной.

Следует признать, однако, что нынешний ГУМ разительно отличался от прежнего. В нем практически не было покупателей. Редкие люди бродили по роскошным отделам, где на полках, вешалках и стеллажах находилось огромное количество красивых вещей. Да и продавщицы резко изменились. Вместо толстых баб предпенсионного возраста в синих халатах за прилавками стояли молодые женщины, изо всех сил старавшиеся угодить покупателям.

Секция «Бирмолина» не была исключением.

Не успела я шагнуть на бежевый ковролин, как ко мне со всех ног кинулась девочка в узеньком темнобордовом костюме.

— Заходите, у нас сейл.

— Кто? — не поняла я.

— Распродажа.

— А-а-а, простите, Алена тут?

Продавщица поскучнела и крикнула:

— Лена, выйди.

Из заднего помещения показалась еще одна сотрудница, тоже в бордовой униформе.

— Слушаю.

— Мы договаривались пообедать в «Ростиксе».

— Здравствуй, — неожиданно улыбнулась бывшая жена Селиванова, — сколько лет, сколько зим! Рада тебя видеть, пошли!

Потом она повернулась к внимательно смотревшей на нас продавщице и сказала довольно весело:

— Риточка, справишься одна? Видишь, подружка пришла!

— Иди, иди, — разрешила та.

Мы вышли из отдела и направились в конец линии.

— Извините, — нарушила молчание Алена, — Рита невероятно любопытна и отвратительно болтлива, мне не хотелось, чтобы у нее возник интерес к нашей беседе. А так, ничего особенного, просто трапезничаю со знакомой.

Добравшись до «Ростикса», мы взяли по куриной грудке и уселись у огромного полукруглого окна, тянувшегося от пола до потолка. Через него был виден вход в ГУМ.

— Как ваша фамилия? — неожиданно поинтересовалась Алена.

— Романова, — удивленно ответила я.

— Романова, Романова, — стала повторять она, перелистывая толстую, растрепанную записную книжку.

Я наблюдала за ее манипуляциями. Что она там ищет?

— Романова, — повторила еще раз Алена и глянула на меня: — Но вас тут нет!

— А где я должна быть?

— Тут, — спокойно ответила она, показывая книжку, — Антон всегда тщательно заносил в кондуит всех, с кем имел денежные дела. Впрочем, наверное, я вас разочарую, но только после его смерти я маклерством не занимаюсь. Кстати, имейте в виду, я — бывшая жена, и никакой ответственности за деятельность Селиванова не несу и, если он взял у вас деньги в задаток, ничего отдавать не стану!

Я раскрыла было рот, но Алена решительно хлопнула по столу ладошкой. Коричневый фонтанчик выплеснулся из пластикового стаканчика с надписью «Кока» и разлился по оранжевому пластику.

— Тут один пытался братков подослать, — сердито продолжала Алена, — только взять у меня нечего, видите, продавщицей работаю, за прилавком стою. Стала бы я людям ботинки предлагать, кабы имела капитал, а? И потом, поймите, Антон никого из покупателей обмануть не хотел, просто внезапно умер. Я, честно говоря, не в курсе его дел, но знаю, что денежные суммы он записывал в эту книжку. Более того...

— Простите, — прервала я ее, — а отчего он умер?

— Да из-за чистой глупости, — тяжело вздохнула женщина, — жуткая нелепая смерть. Плита у него на кухне электрическая, отечественная, старая, прямо допотопная, «Лысьва» называется. Ей сто лет. Давно ему говорила — поменяй на новую! Нет, каждый раз он отмахивался: «Зачем? Суп не варю, пирогов не пеку». И вот результат!

— Его ударило током?! — невольно продолжила я.

— Точно, — ответила Алена, — насмерть! Мастер потом руками разводил. Бывает такое, но редко, напряжение на корпус пошло, и все, там жуткое количество вольт, больше чем 220. Может, кто другой и выжил бы, но у Антона больное сердце, вмиг остановилось. Врач потом объяснял, что можно было бы и спасти, только рядом никого не оказалось. Я с дочкой в другом месте живу... Два дня он пролежал один. Я приехала за алиментами, он мне деньги давал, открыла дверь, прошла на кухню, а там уже черви шевелятся.

Ее передернуло. Я молчала, пытаясь свести воедино расползающиеся мысли.

— И чего он полез в духовку? — недоумевала Лена. — Все всегда в СВЧ-печке готовил...

— В духовку?

— Ну да, — кивнула продавщица, — дверца была открыта.

— Может, он задел, падая?

Алена пожала плечами.

— Маловероятно, на его правой руке варежка была такая, стеганая, чтобы горячее вытаскивать, а в духовке курица лежала, гриль в фольге. Испек он ее!

— Ну вот, а говорите, зачем полез в духовку?! Ясно же, за цыпленком.

Алена кивнула:

— Понятное дело, я не так выразилась. Но Антон никогда ничего не готовил! Максимум что мог — пельмени сварить или тосты поджарить, даже яичницу не умел сварганить. Чаще всего он брал готовое или в ресторане ел... И потом, ну зачем он полез в духовку, когда рядом СВЧ стоит? Намного же проще и быстрей в ней! В «Лысьве» духовка дрянь, часа два курочка готовилась бы...

— Может, у него женщина была в гостях, — предположила я, — она цыпленка и запекла, велела ему вытащить, ну и...

— Ну и что? — возмущенно воскликнула Алена. —

Увидела, что случилось несчастье, и удрала? Бросила любовника умирать? Вы бы убежали?

— Нет, конечно, но бывают разные ситуации...

— Какие такие ситуации, — кипела бывшая жена Антона, — что должно произойти, чтобы бросить умирающего без помощи, одного, а?

— Ну, — промямлила я, — допустим, она замужем, побоялась приезда милиции, не хотела становиться свидетельницей... Объясняй потом супругу, что делала на квартире у постороннего мужика!

Алена возмущенно фыркнула:

— Из всех его баб, а поверьте, их целая армия, на такое была способна лишь одна дрянь, некая Репнина!

— Соня, — воскликнула я, — продавщица из цветочного магазина!

Собеседница поперхнулась:

— Вы ее знаете?

Я пожала плечами.

— Говорят, очень милая девушка, красавица!

— Милая? — побагровела Алена. — Дрянь подзаборная, сволочь последняя, гадина болотная!

— Зря вы так...

— Ничего себе зря, — Алена совершенно потеряла самообладание, — да из-за нее у нас семья разрушилась и...

— Хорошая пара никогда не разведется. Если мужик сбегал налево, — подлила я масла в огонь, — значит, были какие-то другие предпосылки для разрыва. Вот мой муж сбегает налево и приползает назад с виноватым видом, знает, лучше родимой жены не найти!

— Мой тоже так делал, — гневно воскликнула Алена, — только в недобрый час с Репниной познакомился! И как только мне в голову не пришло, что она могла там, на кухне, быть? И точно, это в ее стиле — удрать, бросив человека.

Я хотела сказать, что Соня мертва, но Алена просто не давала мне вставить слова в свой монолог.

— Дрянь, мерзавка, пробу ставить негде, она его

другим человеком сделала! Из приличного мужика мерзавца вылепила!

— Ну уж вы слишком!

— Ничуть, — подскочила на стуле Алена и, перейдя на «ты», выпалила: — Вот слушай, что у нас стряслось! Какие бывают дряни редкостные...

Я взглянула в ее бледное лицо, покрытое лихорадочными, красными пятнами, в полыхавшие ненавистью глаза и вздохнула.

Наверное, сильно ее достала Сонечка Репнина, если Алена собирается выложить семейные тайны совершенно незнакомой женщине.

А может, просто устала носить груз в душе? Подругам жаловаться не с руки, в глаза пожалеют, а за спиной начнут сплетничать и посмеиваться... Сейчас же перед ней сидит тетка, которая гарантированно исчезнет навсегда после этой встречи... Кажется, в психологии это называется «эффект попутчика». Ну, когда люди, сев в вагон и развернув пакет с жареной курицей, начинают исповедоваться перед соседом по купе, великолепно отдавая себе отчет в том, что больше никогда не увидятся. Володя рассказывал, как однажды по дороге из Адлера в Москву один мужик, не зная, что случайный сосед милиционер, рассказал ему о том, как десять лет тому назад в состоянии аффекта убил жену и представил дело так, словно произошел несчастный случай...

Вот и Алене явно хотелось поплакать в жилетку.

— Ну? И какие же дряни случаются?

— Жуткие, — ответила продавщица, — только слушай!

Антон получил в свое время великолепное образование, окончил юридический факультет МГУ. Выпускники этого учебного заведения делают, как правило, хорошую карьеру, только у Селиванова она не слишком задалась. Несколько лет он безуспешно занимался адвокатской практикой. Но клиенты попадались малоденежные, в основном мелкие хулиганы, которым защитника нанимали родители, но даже эти простые, ясные процессы Селиванов, как правило, проигрывал. Чем-то раздражал он судей! Может, тихой, спокойной речью, изобилующей цитатами из римского права? Дамы средних лет, восседавшие в судейских креслах, с досадой морщились, заслышав всяческие «ab ovo», «alter ego» и «dura lex». А потом вламывали подзащитному Антона на полную катушку... За адвокатом прочно закрепилась репутация неудачника, парень сидел в юридической консультации, отвечая на вопросы граждан. Ни денег, ни славы, ни удовлетворения эта служба не давала.

Но Алена не ругала мужа, понимая, что тот старается как может. Положение изменилось три года назад, когда в консультацию явилась тетка и попросила проследить за сделкой. Баба приобретала квартиру и страшно боялась, что ее «кинут». У каждого человека случаются припадки вдохновения, вот он и приключился у Селиванова в момент посещения риелторской конторы. Хозяин агентства посмотрел на юриста, легко щеголявшего разнообразными терминами, послушал цитаты на латинском языке и, в отличие от судей придя в полный восторг, предложил Селиванову перейти к нему на работу.

Антон решил рискнуть и ушел из юридической консультации. То, что риелторское агентство занимается не совсем законными операциями, он понял сразу, но механизм узнал только через несколько месяцев.

Когда одинокий человек умирает, его квартира отходит государству, это в случае, если скончавшийся не оставил завещания. Кстати, в советское время существовал жесткий закон: если освобождалась такая площадь, работники жилищно-коммунального хозяйства обязывались сообщить об этом в трехдневный срок. Сейчас же государство никак не отслеживает такие случаи. И сотрудники РЭУ и ДЭЗов либо сдают освободившиеся квартиры, либо находят знакомого маклера, которому и продают «добычу». Вот контора, в которой начал работать Антон, и искала такие «мертвые души». Стройная цепочка начиналась в самом низу, у столика простой жэковской паспортистки, и, проходя через препоны коммунальных служб, префектуры, прокуратуры, милиции, добиралась наконец до покупателя. При этом сотрудники конторы искренне считали себя честными людьми. Они никого не убивали, не отселяли малолетних детей, оставшихся без родителей, в Калужскую область, не превращали стариков и алкоголиков в бомжей и никогда не надували покупателей. Страдающей стороной тут было государство, а все остальные, начиная с домоуправа и заканчивая новоселами, оказывались довольны. В конце концов, государство — это нечто такое безликое, неконкретное... Словом, совесть не мучила никого, а Антон — тот просто расцвел. Его многословие, очки, умный вид и бесконечные латинские цитаты действовали на клиентов завораживающе. У мужика появились деньги, а вместе с ними машина, одежда, новые привычки и... любовницы.

Но Алена не устраивала истерик. Женаты они были не первый год, страсть поутихла. И потом, отдавать другой бабе мужика, который только-только начал зарабатывать, женщина не хотела. Не хотела она оставаться и одинокой бабой с ребенком на руках, поэтому все походы Селиванова налево никак не осуждались. Алена бросила работу, сидела дома и стала подумывать о второй дочери, но тут налетел февраль месяц, принесший семье жуткие несчастья. Антон познакомился с Соней, причем, по иронии судьбы, он приехал в «Лилию», чтобы купить букет ко дню рождения Алены, зашел в торговый зал, увидел Соню... День клонился к вечеру, до закрытия магазина оставалось полчаса. Сонечка, оглядев респектабельного, высокого, светловолосого мужика, стрельнула глазками и наклонилась, чтобы поднять упавший на пол лепесток. Вырез на ее кофточке открыл все прелести... Словом, после окончания работы они с Антоном отправились сначала в ресторан, потом на квартиру к Репниной. Алена так и не дождалась мужа в день своего рождения. Впрочем, не пришел он и завтра... Когда супруга дозвонилась ему на работу, ярости ее не было предела. Любитель погулять на стороне, Селиванов всегда соблюдал приличия и, если собирался остаться у любовницы, звонил домой и, не моргнув глазом, врал:

— Еду в командировку, дорогая. Вернусь в пятницу, жди с подарками.

Впрочем, подобное случалось редко. Антон успевал сделать все, что хотел, во время рабочего дня, а уж праздники гарантированно проводил с Аленой. Тут же день рождения — и такой пердюмонокль!

Услышав злобное контральто супруги, Тоша неожиданно отрезал:

— Не пришел и не приду!

— Как? — изумилась Алена.

— Так, — спокойно пояснил муж, — я другую полюбил, но не волнуйся, вас не оставлю, деньги буду давать, и квартира твоя, себе новую подберу...

Так и вышло. Через неделю Селиванов съехал, а растерянная, ничего не понимающая Алена осталась одна. Единственное, что она знала про счастливую соперницу, это место работы и то, что прелестная продавщица по красоте превосходит розы и орхидеи.

Потом начался перманентный кошмар. Двадцатого февраля Антон пришел к Алене в слезах. Соня выгнала мужика. Тихо радуясь, супруга утешила Селиванова, и тот даже, расчувствовавшись, сказал:

— Боже, какой я дурак, ты лучше всех!

Три дня длилась идиллия, про заявление на развод забыли все. Потом раздался телефонный звонок, и Антон, мигом собравшись, убежал на двое суток!

Затем вернулся к Алене, потом вновь к Соне. Алена — Соня — Алена — Соня.

В конце концов все закончилось плохо. Восемнадцатого марта позвонили из милиции и сообщили, что Антон задержан за... избиение гражданки Софьи Репниной. Не чуя под собой ног от ужаса, Алена помчалась в отделение. Разговаривал с ней толстый, одышливый мент.

— И что я могу вам сказать, гражданочка, — басил он, оглядывая с ног до головы Алену, — идите и просите Репнину забрать заявление назад, а то светит вашему муженьку срок.

Алене чуть плохо не стало, даже в кошмарном сне не могла она представить себе, что придется беседовать с Соней, но не бросать же Антона на нарах?

Взяв у мента адрес, она поехала к сопернице. Софья открыла дверь и, увидав Алену, фыркнула:

— Ну, чего надо?

У бедняги Селивановой язык присох к горлу, но пришлось начать мольбы. Соня молча выслушала Алену и буркнула:

— Ладно, подумаю.

В квартиру она законную супружницу не пустила, и у Алены осталось отвратительное чувство гадливости, которое ощущает человек, случайно наступивший в дерьмо.

На следующее утро, ровно в восемь, раздался звонок. Алена, собиравшаяся на работу — она как раз пристроилась в ГУМ торговать обувью, — распахнула дверь. С порога шагнул мрачный, просто черный Антон.

— Спасибо, — буркнул он, не глядя на бывшую жену, — не надо было только перед Соней унижаться, сам свои проблемы решу.

— Ты ее и правда побил? — полюбопытствовала Алена.

— Вмазал разок от злости, — пояснил Антон, — пнул, а она упала и ребро сломала, случайно вышло! Я не хотел.

— Держись теперь от этой бабы подальше, — посоветовала Алена, — дрянь она жуткая.

— Твоя правда, — вздохнул Антон, — и близко не подойду.

Он помылся в ванной и попросил кофе. Алена по

старой привычке подогрела ему на завтрак кашу, а муж, вернее, бывший муж, быстро проглотил содержимое тарелки.

— Кто бы мог подумать, что наша с тобой жизнь завершится на такой ноте, — протянула Алена, — а как хорошо жили до появления Репниной.

— Хочешь, начнем сначала? — неожиданно предложил Селиванов.

Жена молча барабанила пальцами по столу.

— У меня с ней все! — горячо заявил Антон.

— Не говори «гоп», пока не перепрыгнешь! — усмехнулась Алена. — Сколько раз обещал завязать с Сонькой, только все попусту. Прямо наркотическая зависимость!

Антон только вздохнул, но ничего не сказал. Потом он ушел, и Алена не знала, как дальше развивался его роман с Соней. С бывшей женой Антон остался в хороших отношениях, раз в неделю давал той денег на ребенка и даже предлагал ей бросить утомительную работу продавщицы. Но Алена не хотела больше целиком и полностью зависеть от Селиванова. Они часто встречались, даже сходили, как добрые знакомые, пару раз в театр, но о Соне больше не разговаривали, старательно обходя щекотливую тему.

— Она, точно она, — раздраженно повторяла Алена, нервно скатывая катышки из хлеба, — запекла курицу и приказала ему вынуть, а когда бедного мужика током долбануло, унеслась, чтобы с милицией не связываться, а ведь могла «Скорую» вызвать, вдруг бы его спасли! Ну как я сразу не поняла, кто птичку готовил! Интересно, можно ее по статье за неоказание помощи привлечь, а?

Я мрачно смотрела в полукруглое огромное окно. Нет, Соня Репнина, хоть и малопривлекательная особа, в данном случае была совершенно не виновата. К моменту смерти Антона его бывшая любовница уже лежала на столе прозектора...

— В вашей ситуации могу посоветовать только одно, — вздохнула Алена.

— Что?

— Отправляйтесь к Андрею Малахову...

— Это кто такой?

— Хозяин риелторской конторы, где работал Антон, — спокойно пояснила Алена. — Сами понимаете, я не могу вам вернуть деньги, а он обязан, если документ есть. Наверное, Антон расписку выдал?

— Какие деньги? — удивилась я, думая о своем.

— Как какие? — изумилась собеседница. — Вы же сказали мне по телефону, что хотите получить доллары, небось задаток отдавали, да?

Вообще-то я, выискивая повод для встречи, сказала, что якобы желаю вернуть долг Селиванову, но Алена, очевидно, не поняла меня...

— Да-да, спасибо за совет, а где находится агентство?

Алена написала на салфетке телефон и протянула мне. Я спрятала бумажку в карман, выкину по дороге к метро. В риелторской конторе мне абсолютно нечего делать. Хотя, честно говоря, непонятно вообще, как поступить... Наверное, нужно опять посетить Наталью Константиновну, директрису «Лилии», и потребовать у нее координаты бывшего супруга. Надеюсь, с ним не случилось ничего дурного. Однако как странно! Два человека, показания которых, вернее, честные показания которых могли бы обелить Володю Костина, скончались в одночасье, причем оба от бытовой травмы. Надежда Колесникова включила посудомоечную машину, Антон Селиванов открывал духовку...

Я опять уставилась в окно. Сквозь хорошо вымытые стекла было отлично видно, как у входа в ГУМ толкалась толпа. У дверей стояло штук шесть женщин, державших в руках кофточки, пуловеры и кардиганы... Около них останавливались люди, щупали вещи и размахивали руками. Кое-кто вытаскивал кошелек. Даже издалека было заметно, что шмотки не блещут качеством, но цена небось копеечная. Кстати, вон та розовая водолазка очень даже ничего, мне бы пошла такая. Может, посмотреть?

В эту минуту к тетке, державшей вешалку с понравившейся мне кофточкой, подошел мужчина и стал о чем-то ее спрашивать. Баба начала тыкать рукой в сторону и объяснять дорогу. Мужчина повернул голову, и я обомлела. Прямо на меня смотрел Володя Костин.

ГЛАВА 16

Роняя стулья, сшибая у людей со столов стаканы с кокой, провожаемая негодующими воплями, я выскочила на улицу, подбежала к торговке с розовой водолазкой и завопила:

— Сейчас тут стоял мужчина, что он у тебя спрашивал?

— Как пройти в ЦУМ, — растерянно ответила баба, роняя от неожиданности на пол вешалку с кофтой.

Не сказав ни слова, я ринулась в переход. Там, как назло, клубилась толпа. Расталкивая народ локтями, я неслась вперед и у самой лестницы, ведущей к метро, увидела его. Володя тихо шел, не глядя на витрины. Наверное, следовало подождать, пока он спустится вниз и окажется на относительно свободном пространстве, но я не могла в этот момент трезво рассуждать.

Дико заорав:

— Вовка! — я кинулась на майора со спины.

Нос уловил безумно знакомый, родной запах, смесь ароматов табака, одеколона и еще чего-то неуловимого Володиного, щемяще дорогого, близкого.

— Вовка, — рыдала я, прижимаясь к нему, — Вовочка, ты жив!

Внезапно мужчина резко повернулся, и плач застрял у меня в горле. С чужого, растерянного лица на меня смотрели карие, а не голубые глаза. Подбородок был у́же, чем у Костина, а волосы, хоть и светлые, но не пепельно-русые, а желтоватые, смахивающие на свежую солому. Единственное, что у этого совершенно незнакомого парня было общим с Володей, так это фигура: высокая, стройная, с широкими плечами и узкими бедрами.

— Простите, — пробормотала я, вглядываясь сквозь слезы в чужие, совсем неродные черты, — бога ради, извините, я ошиблась.

— Бывает, — улыбнулся парень и совершенно Вовиным жестом откинул со лба прядь волос.

Внезапно я опять заплакала, глотая слезы, стекавшие по щекам к губам.

— Что случилось? — спросил мужчина. — Я могу вам помочь?

Я покачала головой:

— Нет.

— Вам нужны деньги? Возьмите.

И он стал совать в мою руку сторублевую бумажку.

— Не надо.

— Берите, берите, — пробормотал он, — пригодится.

Я кивнула, не решаясь обидеть его:

— Спасибо.

— Вот и хорошо, — обрадовался незнакомец, — больше не плачьте, в конце концов, это только деньги, их можно заработать... А вот здоровье не купишь.

Вымолвив последнюю фразу, он повернулся и зашагал по лестнице вниз. Я тупо смотрела, как до боли похожая на Володину фигура исчезает в шумной толпе. Руки разжались сами собой, розовенькая ассигнация выпорхнула и медленно спланировала на пол. Я уставилась на деньги.

— Эй, детка, — прошамкала бабка-нищенка, просившая подаяния у входа в магазин, — гляди, сотенную потеряла, эй, очнись, ты что, девка!

Я медленно нагнулась, подняла купюру и сунула старухе:

— Возьмите.

— Спасибо, родимая, — запричитала бабулька, — дай бог тебе счастья, здоровья да мужа найти богатого, щедрого, доброго...

Я побрела к метро, с трудом передвигая ставшие отчего-то каменно-тяжелыми ноги. Интересно, почему цыганки, гадающие у вокзалов, и попрошайки, получающие подаяние, мигом вычисляют мой незамужний статус? Уже у входа в метро, толкая огромную деревянную дверь, я неожиданно подумала: «Господи, сколько же раз мне еще будет чудиться Володька?..»

...Наталья Константиновна сидела в своем кабинете. Увидев меня, она слегка нахмурилась, но потом мгновенно взяла себя в руки и нацепила улыбку:

— О, дорогая, что случилось?

Наверное, встреча, происшедшая у метро, сильно задела меня, потому что я плюхнулась без приглашения на стул, вытянула ноги и отчетливо произнесла:

— Врунья!

— Кто? — оторопела Наташа.

— Ты!

— Да как ты смеешь...

— Запросто, — прервала я ее, — запросто смею. Зачем сбрехала, что муж Ани Веревкиной моряк?

— А он кто?

— Летчик. И еще ты сказала, якобы она уехала в Североморск...

— Ну, точно.

— Хватит лгать, Аня живет на Сахалине, и ты об этом великолепно знаешь.

— Но с чего ты это взяла?

— С того. Она привозила тебе банку красной икры, а ты, когда Анечка помешала тебе совершить самоубийство, в знак благодарности шмякнула сувенир о стенку. Правда, Веревкина сказала, будто это выглядело даже красиво — красные икринки на обоях... Только, наверное, ей все же было обидно. Тащила из такой дали жуткую тяжесть!

— Но, — побледнела Наташа, — но откуда...

— Нет ничего тайного, что не стало бы явным, — отчеканила я, — знаю все и понимаю, как ты не хочешь моей встречи с твоим супругом, но, увы, она состоится. А ну говори, где он живет?

Наташа отвернулась к окну. Повисло молчание. Потом директриса с абсолютно спокойным видом вытащила сигареты и равнодушно обронила:

— С Михаилом мы в разводе.

Голос ее звучал нейтрально, но на шее у нее быстро-быстро билась голубая жилка, и я поняла, что она с трудом сдерживает волнение.

— Где он сейчас живет, точно не знаю.

— Опять врешь.

Наташа дернулась.

— В подобном тоне я больше не стану поддерживать разговор.

— Хорошо, — ответила я, вставая, — тогда прощай.

Наташа, не ожидавшая столь легкой победы, не сумела сдержать возгласа удивления:

— Уходишь?

— Да, — спокойно ответила я, — отправляюсь восвояси, но скоро вернусь, правда, не одна.

— А с кем? — тихо поинтересовалась Наташа.

Я вздохнула.

— Конечно, не хочется доставлять тебе неприятности, но у бедного майора Костина, того самого, что обвиняют в убийстве Репниной, есть ближайший друг, почти брат... Криминальный авторитет, из солнцевских. Милый такой мужчина, два метра ростом и двести кило весом. Пусть он с тобой побеседует. Кстати, хочу предупредить: прятаться бесполезно, под землей достану...

Наташа, вертевшая в руках карандаш, невольно сжала кулак, раздался сухой треск. Я пошла к двери.

— Погоди, — прозвучало за спиной, — я и впрямь не знаю, где он теперь.

— Я это уже слышала...

— Но в апреле жил на Болтовской улице, в доме восемь, квартира семьдесят четыре... Вместе со своей матерью.

— Спасибо, — вежливо сказала я и вышла.

На улице начинался дождь. Собираясь в ГУМ, я не взяла машину. В центре, возле Красной площади, трудно найти место для парковки, а на метро я добираюсь до «Площади Революции» всего за пятнадцать минут. Зато теперь придется весь день пользоваться общественным транспортом, и зонтика нет...

Быстрым шагом я пошла к метро. Я хорошо знаю, где Болтовская улица, там находится мастерская по починке струнных инструментов, и в прежние годы, учась в консерватории, я иногда привозила туда свою арфу. Добравшись до «Павелецкой», я прошла по Валовой и нырнула в третью арку. Насколько помню, этот двор проходной, и я сильно сокращу путь.

Дом номер восемь высился среди маленьких трехэтажных домов, словно огромный океанский лайнер среди речных трамвайчиков. Серый, с колоннами и эркерами, он выглядел импозантно, несмотря на облупившийся фасад и потемневшие оконные рамы.

В просторном подъезде вполне можно было играть в крикет, зато лифт отсутствовал, а семьдесят четвертая квартира оказалась под крышей.

Тяжело отдуваясь, я влезла на шестой этаж, поискала глазами нужную дверь, но не нашла ее, и тут за стеной раздался скрип, потом лязг, и в самом дальнем углу площадки открылось нечто, больше всего похожее на лаз в лисью нору.

— Ищете кого? — любезно спросила женщина.

— Да, — ошарашенно сказала я, — семьдесят четвертую квартиру, думала, она тут, на последнем этаже, но что-то не вижу где. А, простите, там, откуда вы вышли, что?

Дама рассмеялась и поставила на пол набитую хозяйственную сумку.

— Лифт.

— Лифт? Но где же шахта?

— Пристроили снаружи, знаете, так иногда делают, стеклянный стакан, в котором ходит кабина.

— Но внизу, в подъезде, нет входа в него, там только дверь в одну квартиру...

Женщина снова заулыбалась.

— Вы первый раз к нам пришли, да?

Я кивнула.

— В подъемник можно попасть только со двора, на втором и первом этаже в подъезде не сделали двери, а начиная с третьего... Вот смотрите...

И она распахнула маленькую дверь, открывавшую нечто, больше всего похожее на вход в подземелье, куда скользнула за кроликом Алиса, чтобы попасть в Страну чудес.

— А семьдесят четвертая квартира там, — показала любезная дама на крохотную узкую лестницу, ведущую вверх.

— На чердаке?

— Ну, в нашем доме такое помещение называется мансарда, — пояснила тетка, — хотя вы, конечно, правы. Чердак он и есть чердак. Потолок у Лариных на голове висит.

— У кого?

— Ну, у Ольги Петровны, ее фамилия Ларина. Вы что, не знаете, к кому идете?!

— Вообще, не к ней...

— Да? — удивилась соседка, гремя ключами у квартиры с номером семьдесят три. — А к кому?

— К Михаилу.

Соседка резко бросила связку ключей в сумку и, входя в свою квартиру, протянула:

— К Мише? Ну, ну, однако.

Удивленная столь странной реакцией, я пошла по страшно неудобной лестнице вверх. В старинных московских зданиях встречаются иногда совершенно невероятные квартиры. У одной из моих подруг кухня расположена прямо за входной дверью. То есть, войдя в ее квартиру, вы сначала попадаете к плите и мойке, а только потом можете снять пальто, так как прихожая находится дальше. Хорошо хоть туалет не у лифта.

В семьдесят четвертой квартире не было звонка, и мне пришлось колотить в дверь сначала кулаком, а потом ногой.

Наконец дверь приотворилась, и появился мужчина — маленький, сухонький, одетый в дешевый спортивный костюм, явно купленный на вьетнамском рынке. На голове у старичка клубился легкий седой пух, делавший его похожим на перезревший одуванчик. Над верхней губой топорщились довольно густые черные усы.

— Вам кого? — неожиданно тоненьким голоском пропищал дедушка.

— Ольгу Петровну или Михаила.

— Слушаю.

Я подумала, что старичок плохо понял, и повторила, стараясь четко выговаривать слова:

— Будьте любезны, позовите Ольгу Петровну, а еще лучше — Михаила.

— Слушаю, — вновь ответил дедуля.

У меня открылся рот. Ничего себе! Да Михаилу-то сто лет! Ни Наташа, ни Алена ни разу не сказали ничего о его возрасте. Конечно, бывают такие браки, когда жена годится мужу во внучки. У Катюши случилась один раз очень неприятная ситуация, когда к ней на прием явилась девчушка лет шестнадцати вместе с лысым пузатым мужиком, давно отметившим шестидесятилетие. Подруга осмотрела девочку и радостно сообщила:

— Вы очень правильно поступили, что сразу пришли, пока болезнь не запущена, с ней легко справиться. Пусть ваша внучка начнет принимать вот это средство.

Мужик побагровел, но Катюша не обратила внимания на его кожную реакцию и на всех порах понеслась дальше:

— Можете купить это лекарство для вашей внучки в ближайшей аптеке, внучке тут же станет лучше, ваша внучка...

— Доктор, — процедил посетитель, — это моя жена...

С другой стороны, ничего удивительного в такой ситуации нет. В конце концов, Наташа имела полное право выйти замуж за человека старше себя в два раза, но странно другое. Почему этот старикашка заинтересовал такую девушку, как Соня Репнина? Ей-то Михаил вообще должен был показаться Мафусаилом! Но делать нечего, придется каким-то образом вызывать на откровенность этого современника Адама и Евы.

Навесив на лицо самую лучезарную улыбку, я прочирикала:

— Миша, очень приятно, извините за вторжение, но мне очень, просто очень нужно с вами побеседовать...

Мужчина, не мигая, окинул меня тяжелым взглядом, потом глубоко вздохнул и сказал:

— Проходите, коли пришли.

Длинным извилистым коридором, изгибавшимся под всевозможными углами, мы добрались до невероятной кухни, похожей на домик для хомячка. Крохотное, какое-то игрушечное помещение вмещало только двухконфорочную плиту, маленький столик, мойку и одну табуретку.

— Садитесь, — велел хозяин.

Я плюхнулась на жесткое сиденье и завела:

— Видите ли, Миша...

— Я не Миша, — буркнул дедок.

— Да? А кто?

— Ольга Петровна.

Чувствуя себя, как боксер в нокауте, я забормотала:

— Ну, это... э... конечно, извините, но вы так похожи...

Неожиданно Ольга Петровна хмыкнула:

— Хотите сказать, что дамы моего возраста больше похожи на мужиков?

Окончательно растерявшись, я ляпнула:

— Но на вас брюки!

Наташина свекровь парировала:

— Но и вы не в юбке!

Первый раз в жизни я не нашлась, что ответить, и пролепетала:

— Сделайте одолжение, позовите Мишу.

— Его нет.

— А когда будет?

— Никогда.

— Уехал, — расстроилась я, — какая жалость! За границу? На ПМЖ?

Мужеподобная старуха вытащила сигареты и спросила:

— Собственно говоря, кто вы такая и зачем вам понадобился мой несчастный сын?

И тут я совершила роковую ошибку. Лучезарно улыбаясь, я произнесла:

— Ваш адрес мне дала Наташа, Наталья Константиновна, бывшая жена Михаила.

— Пошла вон! — рявкнула Ольга Петровна.

— Вы мне?

— Тебе! Немедленно убирайся!

— Но...

— Вон!!! — заорала бабулька и схватила большую круглую чугунную сковородку.

Испугавшись, я понеслась по коридорному серпантину назад. Сзади, размахивая кухонной утварью, бежала Ольга Петровна. Не понимая, чем вызвала гнев, я вылетела на лестницу и поскакала вниз по горбатым ступенькам. Но не успели ноги донести до площадки шестого этажа, как сверху послышалась сочная брань, и мимо моего уха просвистела сковородка. Она врезалась в дверь семьдесят третьей квартиры и упала на пол, мигом расколовшись на две совершенно одинаковые половины. Я уставилась на то, что осталось от массивной сковороды. Это с какой же силой надо швырнуть чугунину, чтобы та пролетела такое количество метров? Да, в Ольге Петровне пропал метатель диска, олимпийский чемпион, краса и гордость российской национальной сборной. Мне ни за что не кинуть тяжеленный кусок металла дальше чем на двадцать сантиметров...

Дверь семьдесят третьей квартиры приоткрылась, и из нее высунулась женщина лет шестидесяти.

— Что случилось? — спросила она, разглядывая чугунные руины.

— Я пришла к Ольге Петровне, вашей соседке, а та сковородками швыряется!

Дама расхохоталась:

— Оля у нас человек суровый, неласковый. А что вы продаете? Электротехнику? Книги?

Сообразив, что тетка принимает меня за коробейницу, я обиженно покачала головой:

— Да нет, честно говоря, я хотела поговорить с ее сыном Мишей, только Ольга Петровна заявила, что его нет, а когда я упомянула про ее бывшую невестку, заорала и стала бросаться в меня кухонной утварью.

Соседка тяжело вздохнула:

— Меня Нина Михайловна зовут, ну-ка войдите.

Я послушно вдвинулась внутрь и увидела почти такой же длинный, узкий, кишкообразный коридор.

— Михаил умер, — без всякого предисловия сообщила Нина Михайловна.

— Как, — ахнула я, — его ударило током?

— Почему? — в свою очередь, изумилась Нина Михайловна. — Кто сказал? У него инсульт случился, да и неудивительно, он последнее время жутко пил, во всяком случае, я его ни разу трезвым не видела. Всегда был либо очень пьян, либо пьян в дымину... Оля считала, что в его алкоголизме виновата Наташа. Ну, вроде жена Мишу бросила, а он запил с горя.

— Это неправда, — пробормотала я, — Михаил сам от нее ушел к любовнице, разве вы не слышали?

Соседка развела руками:

— Нет, чужая жизнь — потемки. Знаю только, что Миша вернулся в квартиру к матери, ходил всегда пьяный. Ольга даже имени Наташи слышать не могла. А что на самом деле произошло, кто ж его знает!

— Когда он скончался?

— Ну, точно не скажу, но в районе майских праздников, не то второго числа, не то восьмого...

Я поблагодарила ее и пошла вниз. Конечно, Михаил мог убить Соню Репнину, может быть, он даже и хотел это сделать, девчонка обошлась с ним не лучшим образом, но... Но он этого не совершал, у Миши было замечательное, стопроцентное алиби. В тот день, когда неизвестный человек проткнул Софью Репнину кухонным ножом, Михаил уже давно лежал в могиле на кладбище, в таком месте, где не испытываешь никаких чувств — ни любви, ни боли, ни ревности.

ГЛАВА 17

На улице начал накрапывать дождик. Я купила на ближайшем лотке газету и побежала к «Павелецкой». Дождь припустил. Разбрызгивая лужи, я подлетела ко входу на станцию и увидела женщину, обвешанную детьми.

— Мама, — ныл один, — купи мороженое.

— Пить, — капризничал другой.

— Писать хочу, — зудел третий.

У тетки был слегка обалдевший вид, но она упорно шла вперед, не обращая внимания на нытье детей, небось привыкла к их капризам.

Внезапно мне вспомнилась Ксюша, и я разозлилась сама на себя. И как я могла забыть про девушку! Наверное, бедняжка проголодалась и хочет есть. Знаю, как кормят в больницах. Есть такое выражение: «Собака есть не станет». Я, в принципе, с ним не согласна, животные никогда не будут харчить плохие продукты. Наши мопсы дружно отворачивают носы от кефира, если у того истек срок годности. Каким-то образом они чувствуют, что «Биомакс» пора вылить в помойку. Рейчел брезгливо уходит от миски с колбасой, которую я, найдя в холодильнике, отварила. «Ешь сама, — говорит весь вид стаффордширихи, — лопай эту дрянь, если хочешь, а мне дай лучше кашки». Даже двортерьер Рамик, плод любви неизвестных родителей, обходит стороной миску с куриной печенкой, издали очень похожей на свежую... И только человек, не поморщившись, проглотит позавчерашний суп и сунет в тостер слегка заплесневелый хлеб.

Продолжая размышлять на эту тему, я добралась до метро «Белорусская» и быстрым шагом пошла по Лесной улице, забегая во все попадавшиеся на дороге магазины.

В родильный дом я вошла, обвешанная пакетами. И первое, что увидела, было объявление: «Передачи принимаются строго с десяти до двенадцати». Чуть пониже висел «Список разрешенных продуктов». Крайне заинтересованная, я прочла: «Минеральная вода без газа — 1 бутылка, кефир — 1 пакет, яблоки — 0,5 кг...»

Что-то мне напомнило это дацзыбао. Где-то я уже встречала подобное объявление... Окошко с надписью «Справочная» оказалось закрыто, в соседнем, украшенном табличкой «Сведения только о патологии беременных», восседала грузная тетка с неопрятной всклокоченной головой.

— Здравствуйте, — попыталась я подольститься к тетке, — дождь на улице, жуть, все промокло.

Баба брезгливо поморщилась и процедила:

— Ничего недозволенного не возьму...

В голове мигом вспыхнуло озарение. Бутырская тюрьма! Там на стене висело точь-в-точь такое объявление и так же категорично выглядел список продуктов. Правда, в СИЗО все проблемы решались при помощи зеленой купюры. Впрочем, может, и в родильном доме те же порядки?

Вытащив из бумажника пятьдесят рублей, я заскулила:

— Простите, что доставляю неудобство...

— Ерунда, — мигом заулыбалась только что неприступная тетка, пряча купюру, — чего хотите?

— Передачу отнесите...

— Конечно, давайте, кому?

— Ксении Шлягиной, только номер палаты я не знаю, она сегодня ночью родила.

— Сейчас посмотрю, — источала мед баба, честно отрабатывавшая полтинник, — ага, в пятой она. Ох и повезло вам!

— Чем?

— Первые сутки для новорожденного самые важные, — словоохотливо пояснила тетка, — а с девяти утра заступила Зинаида Самуиловна, она...

— Слышь, мамаша, — раздалось за моей спиной.

Я оглянулась. У окошка стоял парень из тех, кого называют «новыми русскими». Честно говоря, выглядел он карикатурно и смахивал на героя дурного анекдота. Крупная голова парня была почти обрита, крепкий, накачанный торс облегала черная майка, на шее болталась золотая цепь, на ногах красовались тяжелые, тупоносые, на толстой подошве, почти зимние ботинки.

Парень небрежным жестом бросил на прилавок перед окошком связку ключей, на которой покачивался брелок с надписью «Мерседес», сотовый телефон и пачку сигарет «Парламент».

— Слышь, мамаша, — повторил мальчишка, — глянь там, Мамаева родила?

Баба свела было брови к переносице, но юноша шлепнул перед ней двадцать долларов. Быстрее кошки тетя схватила толстый гроссбух и сообщила:

— Поздравляю, папаша, сын у вас!

— Ничего не перепутала? — недоверчиво переспросил «бизнесмен».

— Ну что вы! Вот гляньте, Альбина Мамаева, мальчик.

— Ох, е-мое, — взвизгнул посетитель, — ну ни фига себе, а на ультразвуке девочка была. Ну клево, супер, пацан! Ну, Альбинка! Ай, молодец! И сколько?

— Три пятьсот двадцать, — радостно возвестила дежурная.

— Не вопрос, — отчего-то сообщил парень, услыхав информацию о весе своего новорожденного ребенка, — но чего так мало?

— Ну что вы, — закивала головой тетка, — в самый раз, знаете, какие бывают? Два двести, два и даже меньше.

— Ладно тогда, — протянул новоявленный папаша, — а то ведь я не нищий!

Меня слегка удивила его последняя фраза. Ну, при чем тут материальное положение? Но дальше парень повел себя вообще загадочно, может, крыша поехала? Вытащив из кармана роскошное портмоне, он начал отсчитывать хрусткие зеленые купюры.

Мы с дежурной смотрели на него, разинув рты. Юноша вытащил последнюю стодолларовую банкноту и, пододвинув кучу денег к совершенно обалдевшей дежурной, спокойно сообщил:

— Тут три шестьсот, сдачи не надо.

Повисло молчание. Не знаю, что ощущала баба по ту сторону окошка, но у меня язык прилип к гортани.

— Ну? — резко спросил «новый русский». — Чего уставилась, маманя? Правильно понял, цены в у.е.?

— Какие цены? — отмерла тетка, глядя на доллары.

— Как это, на детей, конечно, сами же сказали, три пятьсот двадцать, — протянул папаша, — давай, бери, квитанции не надо, мне отчитываться не перед кем!

Бедная баба, впервые, очевидно, столкнувшаяся с такой ситуацией, только открывала и закрывала рот.

пытаясь что-то сказать, но звук не шел. Я решила прийти к ней на помощь:

— Простите, вы не поняли. Она назвала вес ребенка...

— А-а, — засмеялся мужчина, — то-то я гляжу, больно дешево... Ну, ясно теперь, и сколько?

— Нисколько, — наконец выдавила из себя баба, — тут бесплатный роддом, государственный...

— Нисколько, — протянул посетитель, — тьфу, черт возьми, не дай бог компаньоны узнают, что Альбинка как нищая рожала...

— Что же вы сюда приехали? — обозлилась я. — В Москве теперь полно разных мест, где с вас возьмут бешеные суммы только за то, что подадут одноразовые тапочки...

— Так ведь я договорился уже, — в сердцах воскликнул парень, — но нет, поволокло ее вчера шубу покупать для матери. Теща у меня на всю голову больная, ну за каким шутом манто в сентябре брать да еще с беременной дочкой вместе? Я запретил! Нет, они же самые умные! Взяли тачку и рванули в салон. И моя, как по заказу, естественно, рожать начала. Маманька ее, балбеска, «Скорую» вызвала, а те сюда приволокли, в больницу для нищих...

Проговорив последнюю фразу, он сгреб кучу денег, небрежно засунул купюры в карман и вышел. Мы с дежурной уставились друг на друга.

— Во, блин, — обмерла первой тетка, — видала такое? Бесплатная больница для нищих! Ну не урод ли! А? Нет, ты скажи, кретин? Деньги вытащил!

— Жуткий идиот, — согласилась я, надеясь, что дежурная успокоится и наконец отнесет Ксюше передачу.

Но тетка возмущалась все больше и больше.

— Да наш роддом по всей Москве известен, люди сюда в очередь рвутся! У врачей руки золотые, а уж Зинаида Самуиловна...

Услыхав еще раз это имя и отчество, я поинтересовалась:

— А кто она такая?

— Вы разве не знаете, — удивилась баба, — не из-за нее сюда пришли?

— Нет, у меня тут подруга работает. Настя Левитина.

— Тоже хороший врач, — одобрила тетка, — но она гинеколог, а Зинаида Самуиловна намного важнее.

— Разве в родильном доме не акушерка главная?

Дежурная хмыкнула:

— Нет, конечно! Самый нужный тут педиатр, причем особый, тот, который деток до месяца знает. А Зинаида Самуиловна просто гений. Кстати, она сейчас в кабинете, можете сходить и все про свою дочь узнать.

— Про какую дочь?

— Ну, про ту, что родила! Какой ребенок, что за проблемы. Или у вас невестка здесь?

Я тяжело вздохнула. Между прочим, я только что справила тридцатипятилетие, и принять меня за бабушку может лишь слепая старуха! Хотя у дежурной на столе лежит газета, а сверху покоятся очки, небось она ничего не видит на расстоянии пальца!

— Идите, идите, — подталкивала меня тетка, — редкий случай, у нее сейчас никого.

Я колебалась. В кошельке совсем не осталось денег, лишь десять рублей на обратную дорогу.

— Ну что же вы, давайте скорей.

— Лучше завтра, — промямлила я, — тортик куплю, цветочки...

Дежурная рассмеялась.

— Так ступайте.

— Неудобно.

— Зинаида Самуиловна терпеть не может подношений, — вздохнула баба, — ничего не принимает, старой закалки врач, не то что нынешняя молодежь, хапуги.

Я, тактично не напомнив тетке о полученных ею от

меня пятидесяти рублях, двинулась по резко пахнущему хлоркой коридору.

Высокая полная женщина со старомодным пучком на затылке стояла у шкафа с какими-то бумагами. Заслышав мое робкое: «Можно?» — она весьма резко бросила:

— Входите.

Не успела я разинуть рот, как Зинаида Самуиловна сердито поинтересовалась:

— Ну, надеюсь, передумали?

— Почему? — удивилась я, не понимая, что она имеет в виду.

Зинаида Самуиловна сильно покраснела и бросила:

— Садитесь.

Я покорно устроилась на обшарпанном стуле. Педиатр втиснулась за письменный стол, вытащила из ящика листок желтоватой писчей бумаги, дешевую «биковскую» ручку и приказала:

— Пишите.

— Что?

— Заявление на имя главврача. Я... как ваша фамилия?

— Романова.

— Значит, так. В верхнем правом углу Феоктистовой Е.К., заявление от Романовой, имя, отчество полностью, паспортные данные. А текст такой...

И она швырнула мне почти в лицо карточку. Глаза побежали по строчкам: «...отказываюсь от рожденного ребенка, пол...» Мне сразу стала понятна злоба педиатра.

Я отложила ручку:

— Простите, но я не собираюсь оставлять ребенка в родильном доме.

Зинаида Самуиловна прищурилась, потом вытащила из очечника «вторые глаза» и протянула:

— Так это не вы приходили с утра?

— Нет.

— Простите, — вздохнула врач, — теперь я вижу, что вы просто похожи.

Я улыбнулась:

— Ничего, даже приятно, что подумали, будто я молодая мама, минуту назад дежурная в окошке приняла меня за бабушку.

Зинаида Самуиловна нахмурилась:

— Сейчас запросто рожают в вашем возрасте и так же запросто бросают детей.

— Неужели много «кукушек»? — невольно поинтересовалась я.

Педиатр глянула на часы:

— Так это вы! Как вас зовут?

Обычно после того, как называю свое имя, следует немедленно фраза: «Чудесное, редкое имя» или «Вас правда так зовут?» Но Зинаида Самуиловна никак не отреагировала, услыхав:

— Евлампия.

— Так вот, уважаемая Евлампия, вы отдаете себе отчет, что опоздали на час? Между прочим, ради вашей газеты я отменила прием и, честно говоря, уже собиралась уходить из кабинета, крайне невоспитанно задерживаться на такое время!

Зинаида Самуиловна сегодня второй раз попала впросак — сначала приняла меня за мамашу-«кукушку», теперь решила, будто видит перед собой корреспондента.

— Но... — завела я.

— Ладно, — мигом прервала врач начатую мной фразу, — тема беседы, предложенная вами, очень актуальна. Матери, оставляющие детей! Хотя мне кажется, что тут уместно употребить иное слово. Роженицы, бросающие младенцев. Разве можно назвать матерью...

Изо рта Зинаиды Самуиловны быстро выкатывались круглые фразы, не было никакой возможности вставить даже междометие в этот поток. И как поступить? Сказать, что я не имею никакого отношения к прессе? Представляю, как обозлится милейшая дама, еще, не дай бог, откажется следить за Ксюшиным ребенком. Катюша рассказывала, что среди докторов встречаются мстительные, злобные особы. Отчего-то чаще всего они оказываются в стоматологических поликлиниках и гинекологических кабинетах. Правда, Зинаида Самуиловна — педиатр, но ведь она работает в родильном доме, так сказать, возле гинекологии... Нет, есть только один выход — прикинуться корреспонденткой. Настоящая небось не придет, опоздала на час, скорей всего другие дела отвлекли... Значит, я слушаю врача, задаю пару вопросов, а потом говорю, что вчера тут рожала моя родственница, и прошу посмотреть младенца. Даже хорошо получается! Небось к сестре журналистки педиатр отнесется более внимательно. Если уж не берет подарков, то, может, страдает чинопочитанием?

Зинаида Самуиловна говорила около двадцати минут. Наконец она схватилась за сигареты. Я мигом задала вопрос:

— Небось социальные условия виноваты, люди стали бедными, младенец дорогое удовольствие, отсюда и отказы. Раньше-то таких случаев практически не случалось, верно?

— И кто вам сказал такую глупость? — удивилась Зинаида Самуиловна. — Я работаю тут много лет, и, поверьте, в шестидесятые годы точно так же бросали детей, а насчет бедности... Разные случаи бывают. Знаете, был на моей памяти в 1960 году вопиющий случай. Я его запомнила потому, что, во-первых, событие случилось в мой первый рабочий день, во-вторых, история имела потом продолжение, а в-третьих, мой учитель, Самуил Михайлович Шнеерзон, он тогда заведовал детским отделением, неожиданно для всех выругался матом. Отлично помню фамилию и имя роженицы — Лидия Салтыкова, она была актрисой, замечательно пела, прямо заслушаешься! Голос — колокольчик, жаль только, что выступала она в ресторанах, ей следовало идти на большую сцену.

— Кто, — изумленно переспросила я, — кто?

— Лидия Салтыкова, — повторила Зинаида Самуиловна, — конечно, есть понятие врачебной тайны, но с тех пор прошло сорок лет, хотя все равно не указывайте в материале ее подлинную фамилию. А историю эту я вам специально хочу рассказать... Вот опишите ее в газете, может, кто из «кукушек» и призадумается... Только имя не упоминайте, ладно?

— Хорошо, — кивнула я и превратилась в слух.

ГЛАВА 18

Лидочка Салтыкова пришла в родильный дом одна. Именно пришла, а не приехала. И хотя отсутствие родственников или каких-нибудь провожатых удивляло, отказать в помощи беременной не могли. У девушки на руках были оформленная по всем правилам обменная карта с результатами анализов и направление, украшенное печатями. Потому Лиду препроводили сначала в предродовую палату, а затем отвели рожать. Рано утром, около восьми часов, 29 сентября на свет явился мальчик, отличный, здоровый, крупный, словом, не ребенок, а коробка конфет. Зинаида Самуиловна была просто счастлива, когда акушерка отдала ей мальчика на обработку. Мало того что он был патологически здоров, так к тому же еще и первый не «учебный» ребенок педиатра, ее настоящий младенец... Самуил Михайлович Шнеерзон, глядя, как новоиспеченная докторица старательно закапывает в глаза новорожденного специальную смесь, слегка улыбнулся и сказал:

— Отлично понимаю вас, коллега, здоровый ребенок всегда в радость.

Зинаида Самуиловна до сих пор краснеет от каждого пустяка, а в тот раз просто зарделась. Ее впервые назвали «коллегой», до сих пор она была студенткой.

— Сейчас мы его покажем мамочке, — прощебетала Зиночка, ожидая от лежащей на столе роженицы бурного восторга.

Но дама, вернее молоденькая девушка, нервно бросила:

— Нет, не надо, не хочу, и вообще, я отказываюсь от ребенка.

Зинуля чуть не уронила спеленутого по всей науке замечательного мальчика. Но Самуил Михайлович легонько похлопал молоденькую докторицу по плечу:

— Такое случается, просто шок от родов, нечто вроде реактивного психоза. Вот увидите, завтра она будет осыпать его поцелуями. Хотя, конечно, бывают женщины-отказницы, но эта не из таких. — Шнеерзон перелистал карточку и удовлетворенно повторил: — Нет, не из таких, она замужем, работает певицей... Вызовем к ней психиатра.

Но и на следующий день Салтыкова была неумолима.

— Ребенок мне не нужен, отдаю его государству.

Лидию упрашивали главврач, Шнеерзон, психиатр, Зиночка и старухи-акушерки. Салтыкова стояла на своем — нет, и точка!

Тогда расстроенный Самуил Михайлович вызвал ее мужа, Андрея Салтыкова.

— Вы знаете, что ваша жена хочет отказаться от ребенка?

— Да, — просто ответил мужчина, — мальчик нам не нужен!

Самуил Михайлович слегка растерялся:

— Но в чем причина? У вас семья, ребенок...

— Тут несколько соображений, — спокойно пояснил Андрей, — по Лидиной линии регулярно рождаются больные дети — гемофилики. Знаете про такую болезнь?

— Естественно, — кивнул Шнеерзон, — патология королевских особ, никогда не встречающаяся у женщин, матери лишь переносят дефектный ген, а болеют рожденные от них сыновья. Несвертываемость крови, мальчик может скончаться, разбив коленку...

— Именно, — кивнул Андрей, — а еще постоянная температура, боли в суставах, ломкость костей, словом, такой ребенок — тяжелый инвалид. У Лидии брат такой, полный кошмар, вся жизнь в доме подчинена только ему.

— Но отчего вы решили, что ваш сын гемофилик? — изумился Самуил Михайлович. — Пока это здоровый...

— Именно пока, — бурчал Андрей, — брат Лидиной матери заболел в четырнадцать лет.

— Пубертатный возраст способствует развитию заболеваний, — пробормотал Шнеерзон, — такое, конечно, случается, но редко, поверьте моему пятидесятилетнему опыту, ваш сын...

— Вот что, доктор, — перебил Андрей, — мальчик нам не нужен. Помогать нам некому, особых денег нет, Лидка поет в ресторанах, я гроши приношу. А с инвалидом придется жене дома сидеть, с голода подохнешь!

— Но он здоров!

— Пока! Дорастим до четырнадцати лет и — пожалуйте, инвалид на руках.

— Но...

— Разговор окончен.

— Но зачем она рожала, почему не сделала аборт?

Андрей хмыкнул:

— Я детей люблю и хочу их иметь, но только девочек.

— Женщина — носительница дефектного гена!

— Плевать, сама-то здорова! Инвалид мне не нужен!

Шнеерзон смотрел на Салтыкова во все глаза, Андрей спокойно пояснил:

— У Лидии в животе могла быть дочь? Ну зачем же аборт делать?!

В шестидесятом году на вооружении медиков еще не было аппарата для ультразвукового исследования, и пол ребенка акушер узнавал только после появления младенца на свет.

— Значит, всем все понятно? — спросил Салтыков и, не дожидаясь ответа, вышел.

— ... — рявкнул всегда корректный и подчеркнуто вежливый Шнеерзон. — Извините, Зиночка, по-другому не сказать.

— Разделяю ваше мнение, — прошептала педиатр, — ребенок ведь здоров.

— Ну, насчет подросткового возраста этот мерзавец прав, — вздохнул Самуил Михайлович, — хотя гемофилию, как правило, видно сразу, но описаны случаи, когда она поднимает голову в пубертат. Обязательно четко укажите в карточке мальчика причину отказа. Так и запишите: семейная гемофилия.

Зиночка выполнила указание начальника, но первого «своего» малыша никак не могла забыть, мальчик просто стоял перед глазами. Однажды Зиночка под каким-то предлогом напросилась в дом малютки номер 148, куда поступали отказные дети из их клиники. Очень уж ей хотелось узнать, что с мальчиком.

Директриса обрадовала доктора. Младенца взяла семейная пара. Приемных родителей предупредили об угрозе заболевания, но те отмахнулись:

— Чему быть, того не миновать, — и забрали мальчика. Будущая его мать очень плакала, у нее несколько месяцев назад умер малыш.

Зинаида Самуиловна успокоилась и начала уже забывать эту историю, но она неожиданно получила продолжение.

Заступая на очередное дежурство и просматривая карточки поступивших ночью будущих мамаш, педиатр похолодела. «Лидия Салтыкова» — стояло на одной.

Зина ринулась в родовую и успела как раз вовремя. Лида только что произвела на свет отличного, красивого, здорового младенца... девочку.

На следующий день Зинаида Самуиловна поднялась в палату и села на кровать к Салтыковой. Та умилялась, глядя, как новорожденная «обедает».

— Неужели не жаль сына? — тихо спросила педиатр. — Вдруг его бьют, морят голодом, а?

У Лидии в лице что-то дрогнуло, но она стойко выдержала удар.

— Надеюсь, ребенку хорошо, — спокойно отрезала она, — в нашем государстве сироту не обидят, а если вы будете продолжать нервировать меня, я напишу жалобу в Минздрав!

Зинаида ушла и с тех пор старательно гнала прочь любые мысли о мальчике. В отличие от Лидии педиатр хорошо знала, что в детских домах часто творится тихий ужас, а приемные родители тоже бывают разные.

Представьте теперь удивление Зинаиды Самуиловны, когда спустя несколько лет она, придя в гости к одной из своих знакомых, наткнулась на Лидию Салтыкову, явившуюся туда же. Возле Лидии было три девочки. Неожиданно доктора разобрала злость, дождавшись, пока гости, закусив, разбрелись по квартире, она подошла к Лиде, курившей на лестнице, и ехидно осведомилась:

— Не помните меня?

Лидия спокойно улыбнулась:

— Извините, но за день я столько людей встречаю.

— По-прежнему поешь в ресторане?

— Давно уже нет, — продолжала как ни в чем не бывало Лида, — теперь выступаю с концертами.

— Значит, пробилась?

— Можно сказать, что да, — ответила Салтыкова.

Она выглядела прекрасно, лет на двадцать пять, не больше... От нее чудесно пахло незнакомым, горьким ароматом, косметика была безупречна, одежда явно приобретена за границей, а над волосами поработала не тетя Нюра из ближайшей парикмахерской... Внезапно Зинаиде Самуиловне стало жарко, и она прошептала:

— Сколько же мальчиков ты сдала государству, пока родила троих девочек?

В глазах Лиды заплескалось нечто, похожее на страх.

— Это вы?

— Я, — кивнула Зинаида Самуиловна.

— Девочки не мои, — тихо ответила Лида.

Зинаида вздернула брови.

— Да ну?

— Вера моя, — поправилась Репнина, — вы тогда ко мне в больнице в палату приходили, когда она на свет появилась, а Галя и Тоня — неродные, но так получилось, что живут со мной.

— А-а, — протянула Зинаида Самуиловна, — ясненько теперь, значит, с тем мужиком, ну, которому больной ребенок не был нужен, ты развелась?

Лида молча кивнула.

— Правильно, — одобрила доктор, — неприятный тип!

Неожиданно Лидочка ухватила ледяными пальцами руку Зинаиды Самуиловны:

— Господи, это все он, Андрей, я не хотела оставлять мальчика, а он настаивал, требовал, говорил: «Брошу, если домой принесешь!»

— Нормальная женщина решит эту ситуацию в пользу ребенка, — жестоко заметила Зинаида.

— Боже, ну какая я тогда была женщина, — воскликнула Лида, — сама ребенок запуганный да еще любила Андрея до умопомрачения, вот и пошла у него на поводу... Да если хотите знать, все время сейчас мучаюсь, что с ним, как живет, ест ли досыта. — Она махнула рукой, потом то ли закашлялась, то ли заплакала.

Внутри Зинаиды Самуиловны шевельнулось что-то слегка похожее на жалость.

— Ну-ну, — проговорила она, — ладно, видишь, как глупость-то оборачивается.

Но Лида продолжала цепко держать Зинаиду Самуиловну за пальцы.

— Ничего-то ты не знаешь, — шептала она, — да у меня при виде любого мальчика сердце переворачивается. Иногда гляну на подростка и думаю: «А мой-то тоже уже в школу пошел». Да я этих девчонок, которых мне мужья подбросили, только из-за того младенца и взяла, грех искупила. Ой, горе, знала бы ты, как мне тошно!

Она замолчала. Зинаида тоже не решалась ничего сказать. Повисла тягостная тишина. Потом доктор собралась с мыслями и произнесла:

— Ну, если тебя это успокоит, то знай, мальчика взяла на воспитание хорошая семья, и его судьба сложилась счастливо.

— Дай, дай мне их адрес, — взмолилась Лида, — ничего плохого не сделаю, только одним глазком погляжу на сына, ну скажи, будь человеком! Видишь, извелась я совсем...

Зинаида покачала головой.

— Извини, я не знаю их координат, ни фамилии, ни адреса, ни телефона... Органы опеки тщательно сохраняют тайну усыновления, делается это в интересах ребенка...

Лида опустила голову и тихо сказала:

— Уйди, пожалуйста, уйди, уйди...

Педиатр, испугавшись, что сейчас начнется истерика, вернулась в квартиру. Впрочем, настроение у нее испортилось окончательно, и Зинаида Самуиловна собралась домой. Прощаясь с хозяйкой, она услышала веселый смех и, невольно глянув в сторону звука, увидела трех девочек Лидии Салтыковой и двух мальчиков, пришедших с кем-то из других гостей. Дети весело прыгали посередине комнаты. Зина невольно поискала глазами Лиду. Та стояла у окна, старательно улыбаясь, но в ее взоре читалась тоска.

...— Вот и напишите в своем журнале, — посоветовала мне педиатр, — ошибка, совершенная в молодости, может потом тяжелым бременем лежать на душе всю жизнь. Отказываясь от ребенка, нельзя выбросить его из своей жизни навсегда. Когда-нибудь, в самый неподходящий момент, придут воспоминания о крокотном человечке, оставленном на произвол судьбы!

— А в какой приют отправлялись дети? — осторожно спросила я.

— Дом малютки номер 148, — последовал ответ.

На улице я села на лавочку и начала ковырять асфальт носком туфли. Однако ситуация кардинально меняется. Отчего это я решила, что Соню Репнину убил кто-то из любовников? Конечно, девушка отличалась редкой распущенностью да еще жаловалась Ане Веревкиной на побои, которые якобы наносил ей Михаил. Но, с другой стороны, Вера, старшая сестра Сони, упоминала о том, что новый, никому не известный кавалер дико ревновал Софью. Наверное, она просто доводила своим поведением бедных мужиков до того, что те не выдерживали и распускали руки. Еще неизвестно, кто больше виновен в таком случае: нападающий или «невинная» жертва. Но теперь появляется новый подозреваемый, родной брат Сони... Но зачем ему уничтожать сестру?

Внезапно я почувствовала, что трясусь от холода. С неба давным-давно лил ледяной дождь, струи воды стекали по мне, кофточка и брюки промокли насквозь. В таком виде невозможно ехать в дом малютки, да и денег на дорогу нет, в кошельке осталась только одна десятка.

Отряхиваясь, как собака, я понеслась к метро и, вскочив в вагон, подумала: «Мотив понятен». Брошенный мальчик вырос, начал искать своих родственников, обнаружил первой Соню, пришел к ней, но та небось по своей привычке стала говорить гадости. Бедный парень обозлился и схватил нож!

Ну и дела! Осталась совсем ерунда, найти мужика, в этом году, вернее, через несколько дней ему исполнится сорок лет. Внезапно ледяная рука сжала сердце. Бедный, бедный Вовка, он так и не дожил до своего сорокалетия, мы бы справляли ему эту дату первого октября.

Домой я влетела, клацая зубами.

— Эй, Лампа! — закричал Кирюшка. — Ксюха звонила из роддома.

— И что? — спросила я, стаскивая противно-мокрую футболку.

— Удивилась, что ты передала продукты и не дождалась записки от нее. Тут целый гардероб.

— Для кого? — удивилась я, пытаясь вылезти из облепивших меня, как пластырь, джинсов.

— Для маленького, естественно, — ответила Лизавета, входя в спальню, — вот смотри!

И она сунула мне листок. «Две распашонки, памперсы, две пеленки, тонкая и фланелевая, одеяло байковое, плед шерстяной, две шапочки, уголок с кружевами, голубые капроновые ленты и платье с поясом».

— Платье ребенку зачем? — изумилась я. — Глупо как-то младенца обряжать таким образом. Хотя можно купить, раз надо, но ведь у нас мальчик! Совсем Ксюха того!

Лизавета тяжело вздохнула.

— Платье для Ксюты, она сказала, ей охота потуже подпоясаться, чтобы талию почувствовать.

— А ленты тоже ей?

— Лентами одеяло перевязывают, — заорал Кирюшка, влетая в комнату, — ну ты, Лампа, даешь, неужто не знаешь?!

— Нет, — растерянно ответила я, — откуда? Своих младенцев у меня никогда не было, и, конечно, кое-что непонятно... Какой-то угол с кружевами...

— Это пеленка с красивым, ажурным краем, — пояснила Лиза, — между прочим, у меня тоже детей нет... пока!

Тут до моего носа донесся дивный запах чего-то жареного.

— М-м, что так вкусно пахнет?

— Жареная картошка с ветчиной и луком, — сообщил Кирка.

— Кто ее приготовил?

— Я, — ответила Лиза, — Ксюша-то в больнице, а от тебя хрен дождешься жратвы!

— Лизавета, — сердито сказала я, — что за выражение? Приличные девочки никогда не позволяют себе так разговаривать с людьми старшего возраста...

— Ты бы слышала, что у нас в классе говорят!

— Ну и что? Они выражаются, а ты не должна!

— Люди старшего возраста, — фыркнула Лиза, — я имею в виду — приличные женщины тридцати с лишним лет, во-первых, готовят своим бедным, голодным деткам еду, я уже и не вспоминаю про стирку, глажку и проверку уроков, а во-вторых, люди старшего возраста не появляются дома в насквозь мокрых джинсах. Ты что, в речке плавала?

— Нет, под дождь попала, — пропыхтела я, пытаясь отодрать джинсы от коленей, — задумалась и просидела на скамейке под ливнем...

— Так ты их ни за что на снимешь, — сообщил Кирюшка, — а ну ложись на кровать и задери ноги вверх.

— Зачем?

— Давай, давай, — велел мальчик.

Я покорно улеглась на спину и подняла конечности. Лизавета ухватила за самый низ правую брючину, Кирюшка — левую.

— Эх, раз, два! — скомандовала девочка.

Последовал резкий рывок, я не удержалась на покрывале и мигом оказалась на полу, пребольно стукнувшись спиной о паркет.

— Ну и отлично, — потряс джинсами Кирюшка, — иди мойся и топай в кухню. Мы твою долю картошки оставили на столе.

Дети пошли к двери. На пороге Лизавета обернулась и ядовито сказала:

— Кстати, взрослые люди не сидят на полу в одних трусах, причем рваных!

— Глупости, — разозлилась я, — у меня все белье целое, только недавно купила.

— В зеркало глянь, — хихикнул Кирюшка.

И ребята умчались.

Я поднялась и подошла к трюмо. И правда, на левом боку зияла огромная дыра. Нет, какое безобразие! Только утром вытащила из хрустящего пакетика совершенно новые светло-бежевые трусики, и вот пожалуйста, во что они превратились через несколько часов носки.

Кипя от негодования, я сбегала в ванную, тщательно умылась и пошла в кухню. Рот наполнялся слюной, а желудок сжимался. Целый день я ничего не ела, зато сейчас оттянусь по полной программе. Жареная картошка с ветчиной и репчатым луком, да еще приготовленная не своими руками, ну что может быть вкусней?

ГЛАВА 19

Вбежав на кухню, я проглотила слюну, глянула на стол и замерла с раскрытым ртом.

Несколько лет назад, когда старший сын Кати, Сережка, женился на девочке Юле, живущей в соседней квартире, Катерина сделала гигантский ремонт, объединив две квартиры в одну. Как каждая бывшая советская женщина, она мечтала о большой кухне, поэтому стенку между пищеблоками разбили и получилось огромное, двадцатиметровое помещение. Сережка, Юля, Катюша и Кирюшка решили, что одного санузла хватит, поэтому из второго сделали кладовку, а из второй ванной гардеробную. Правда, по утрам в нашей квартире разыгрываются нешуточные баталии между детьми, стремящимися к унитазу, да еще кошки любят, как правило, надолго оккупировать «уголок задумчивости», но кухня у нас роскошная, я ни у кого не видела такой.

Посередине стоит огромный стол со стульями. Одновременно сесть могут десять человек, а если вытащить еще и табуретки, то спокойно помещаются и все четырнадцать. Но сегодня табуретки пустовали, как и стулья, и никого из домашних на кухне не было. Вернее, ни Кирюши, ни Лизы, потому что кое-кто нагло восседал прямо посередине стола...

— Муля, — прошипела я, — что ты здесь делаешь?!

Мопсиха, с трудом ворочая глазами, взглянула на меня. Ее короткая, тупоносая мордочка блестела от масла, а на одном из треугольных ушек покачивалось колечко лука с изумительно вкусной коричневой корочкой. Короткие лапки Мулечки были растопырены, и между ними виднелось розовое брюшко, вернее, туго набитое пузо. Перед мопсихой стояла абсолютно чистая, вылизанная сковородка. Великолепная жареная картошечка с ветчиной исчезла, от нее остался лишь дразнящий аромат.

Наши мопсихи, Муля и Ада, сестры, рожденные одной матерью от одного отца, но более непохожих друг на друга девиц я не встречала. Ада шумная, криклива, целый день носится по комнатам, приставая ко всем с желанием поиграть. Стоит только крикнуть «Ада!», как она мигом прибегает и начинает бешено вертеть толстым, скрученным хвостиком. Больше всего на свете она любит поесть и сметает из миски все, иногда мне кажется, что она проглотила бы и гвозди, окажись те у нее в тарелке. Но, несмотря на невероятный аппетит и постоянную готовность подкрепиться, Ада худенькая, даже тощенькая, и посторонние люди, приходящие в гости, глядя на толстую, бочонкообразную Мулю, восклицают:

— Ну, сразу понятно, кого в этой семье больше любят! Вы что, ту, мелкую, совсем не кормите?

При всей своей проказливости и непоседливости Ада великолепно воспитана и никогда не ворует со стола. Ее можно спокойно оставлять возле блюда со свежепожаренными котлетами, и мопсиха ни за что их не тронет. Другое дело, что она начнет тихо повизгивать, потом завывать и издавать такие звуки, что вы сами засунете ей в пасть вожделенное яство, но чтобы утащить с тарелки хоть крошку? Нет! Ада слишком интеллигентна и никогда не опускается до мародерства.

Муля совсем другая. Любимое занятие второй мопсихи — тихий, здоровый сон, желательно на подушке, под одеялом. Позавтракав, Мулечка, пошатываясь от усталости, добредает до ближайшего кресла, лапами приподнимает накидку и залезает в уютное, теплое местечко. Все, до вечера вы ее не увидите. Когда наша свора, во главе с Адой, заслышав звонок, несется к двери, Муля только вздыхает, недовольная тем, что противные люди прервали ее отдых. Но, несмотря на апатичность, Мулечка очень непослушна. Вы можете сорвать голос, издавая на разные лады: «Муля, Муленочек, Мусик», — но она даже и ухом не поведет.

Но стоит хозяевам зазеваться и оставить на столе еду, как аморфная мопсиха проявляет чудеса ловкости. Ей ничего не стоит запрыгнуть на столешницу и мигом схарчить все. Причем обертки шоколадных конфет она ловко разворачивает носом, от колбасы отдирает шкурку, а со сковородки мигом стаскивает крышку...

Вот и сегодня прожорливая Мулечка ухитрилась проглотить всю заботливо оставленную для меня картошку, ветчину и лук...

— Какая ты дрянь, Муля, — произнесла я, чувствуя, как голодный желудок медленно сжимается, — ничего не забыла! Ну скажи, разве собаки едят лук?

Мопсиха осоловело икнула.

— А ну пошла вон со стола, — рассердилась я, — еще и рыгает от обжорства, а бедная хозяйка сейчас от голода скончается. Быстро убирайся, глаза бы мои тебя не видели!

Муля попыталась встать, но тут набитый животик потянул собачку камнем вниз. Толстенькие лапки подогнулись, Мулечка шлепнулась на объемистый зад и совершенно по-человечески горестно вздохнула. Ее карие глазки умоляюще уставились на меня, весь вид объевшегося мопса говорил: «Пожалуйста, отцепись, можно я лягу прямо тут, на клеенке? Ты же видишь, мне и шагу не ступить!»

Наверное, надо было наподдавать воровке за недостойное поведение, но я просто не способна поднять руку на существо с огромными детскими глазами, потому, ухватив обжору за то место, где у нормальных псов имеется талия, я, ощущая под рукой туго набитый животик, стащила гадкую Мулю с обеденного стола и сунула на кошачью лежанку. Мопсиха благодарно зевнула, и по кухне разнесся легкий храп. Да уж, отчего казак гладок — поел и на бок!

Раскрыв холодильник, я в тоске уставилась на полки. Дети правы, давно пора сходить за продуктами. Наверху, под морозильником, валялся крохотный кусочек масла, внизу, в ящике, предназначенном для хранения овощей, тихо умирали пучок укропа и головка чеснока, да на двери, в специальном углублении, обнаружилось одно яйцо, правда, шоколадное, «Киндер-сюрприз».

Я горестно вздохнула, есть хотелось неимоверно, можно, конечно, пойти к метро, там имеется круглосуточный магазин... Но на улице хлещет дождь... Ладно, сейчас поставлю чайник. Интересно, как у нас с хлебом?

— Ну, понравилась картошечка? — спросил Кирюшка.

Решив его не разочаровывать, я кивнула:

— Замечательно вкусно, вмиг проглотила.

— Похоже, ты и сковородку вылизала, — пробормотал мальчик.

Я открыла хлебницу и уставилась на крохотную горбушечку, покрытую сине-зеленой плесенью. Так, бутерброд с маслицем отменяется. Тихо тренькнув, электрочайник отключился.

Я положила в чашку четыре куска сахара, надеюсь, сладкая жидкость обманет голод. Потом, поколебавшись, вытащила укроп, подержала под холодной водой и принялась жевать. Яство было отвратительным, терпеть не могу анис, а этот пучок на вкус смахивал на капли от кашля. «Капли датского короля» — так называлось это лекарство моего детства. Будучи крайне болезненным ребенком, я выпила ведра этой коричневой мерзости и сейчас не испытывала никакого удовольствия, грызя укроп, но есть-то хочется!

— Ой, Лампуша, — воскликнула Лиза, входя на кухню, — что это ты такое делаешь?

Я сделала глоток отвратительно сладкого чая и, почувствовав, как комок укропа спускается по пищеводу, буркнула:

— Травы захотелось, очень давно не ела укропчик!

На следующее утро, ровно в десять, я подходила к дому малютки номер 148. Заведение располагалось в трехэтажном здании красного кирпича, и, судя по состоянию фасада, ремонт тут не делали лет двадцать. Впрочем, внутри оказалось не лучше. Протертый до дыр линолеум, грязные стены, выкрашенные самым отвратительным образом: внизу темно-синие, а вверху лазурно-голубые, и двери, бывшие когда-то белыми, а сейчас похожие на леопарда-альбиноса, местами серые, местами белые... И никакой охраны. Ни бравого парня в черной форме, ни усатого милиционера, ни бабульки... Хотя, если подумать, красть тут нечего, разве только бесхозного младенца...

Табличка «Заведующая Колпакова Т.С.» висела в самом конце коридора, на огромной филенчатой двери. Я осторожно постучала и, услыхав звонкое: «Да», вошла в комнату.

Помещение оказалось на диво уютным, светлым и чистым. Вдоль одной стены тянулись белые шкафы, наверху которых стояли пластмассовые игрушки. Напротив высились стеллажи, забитые книгами, папками и какими-то бумагами. Спиной к большому окну за огромным письменным столом, заваленным всякой всячиной, восседала хрупкая девушка. В первый момент мне показалось, что ей не больше двадцати, но потом я разглядела тоненькие морщинки, бегущие от глаз к вискам, пару пигментных пятен на руках и слегка увядшую шею. Стало ясно, что она старше меня, ненамного, лет на пять, а обманчивое впечатление молодости создает субтильная фигурка. «Маленькая собачка до старости щенок», в данном случае народная мудрость срабатывала на все сто.

— Добрый день, — улыбнулась заведующая, — вы из санэпидемстанции, вместо Ольги Всеволодовны?

— Нет, — как можно более ласково ответила я, — я из Института гематологии, старший научный сотрудник Романова Евлампия Андреевна, а, простите, как вас зовут?

— Татьяна Сергеевна, — ответила она и тут же добавила: — Если думаете найти здесь добровольных доноров, то зря. В нашем заведении содержатся дети до трех лет, закон не разрешает брать у них кровь, а у сотрудников такая маленькая зарплата, что им впору самим переливание делать от богатых, хорошо питающихся людей.

Я заискивающе засмеялась:

— Ну, кровь сдавать обеспеченные люди не пойдут, к нам приходят только бедные, те, кого привлекает небольшая сумма, выдаваемая за отданную дозу, да бесплатный обед! Но я беспокою вас совсем по другому поводу.

— По какому?

— Я пишу диссертацию о гемофилии, слышали о таком заболевании?

Татьяна Сергеевна кивнула:

— У меня за плечами медицинское училище.

— Значит, вы понимаете важность моего исследования?!

Директриса настороженно глянула на меня:

— При чем тут наш детский дом?

Я глубоко вздохнула и начала излагать легенду, придуманную вчера поздним вечером.

— Гемофилия в чистом виде встречается редко, она плохо изучена и практически не поддается лечению. Особый интерес для исследователя представляют случаи, когда в семье, где на протяжении нескольких поколений наблюдалась данная болезнь, вдруг появляется абсолютно здоровый мальчик. Я знаю несколько таких случаев, и, собственно говоря, на их описании и строится работа. Но, честно признаться, материала маловато, понимаете?

— В целом да, — осторожно ответила директриса, — только к нам вы зачем пришли?

— В шестидесятом году в этот дом поступил мальчик, рожденный женщиной, в семье которой наблюдалась гемофилия. Мать отказалась от него, боясь получить в подростковом возрасте инвалида. Ребенка усыновили...

— В шестидесятом меня еще на свете не было, — вздохнула Татьяна Сергеевна, — а как звали ребенка?

Я развела руками.

— Мать — Лидия Салтыкова, а какое имя дали мальчику... понятия не имею, родился 29 сентября, небось через неделю к вам и попал.

Татьяна Сергеевна пододвинула к себе беленькую пластиковую коробочку и ткнула в торчащую на крышке черную кнопку.

— Да, — раздалось сквозь треск.

— Анна Михайловна, зайдите ко мне...

Через пару минут на пороге возникла старушка в аккуратном светло-зеленом халатике.

— Это наш старейший работник, медсестра Анна Михайловна Кислова, весной пятидесятилетие ее рабочего стажа отмечали, всю жизнь на одном месте, с 1958-го по 1988-й была тут директором, затем на пенсию ушла, но мы ее домой не отпустили. Ну как без нее? Наша живая летопись.

Анна Михайловна замахала руками.

— Ну скажешь тоже, Танюша, на память, правда, не жалуюсь, а что случилось?

Я вновь соврала о диссертации. Анна Михайловна вздохнула:

— Ох, грехи мои тяжкие, а что, очень надо мальчонку разыскать?

— Конечно, — с жаром воскликнула я, — всенепременно, для его же пользы. Представляете, что выйдет, если приемные родители ему ничего про биологическую мать не рассказали?!

— Что? — хором спросили женщины.

— Гемофилия-то в любой момент может открыться, а простому врачу откуда про нее знать? Так и погибнет мужчина...

Наверное, окажись слушательницы выпускницами медицинского института, они бы живо поймали меня, честно говоря, я несла жуткую чушь. В справочнике «Патология», который стоял на полке в Катюшкиной комнате, о гемофилии нашлась только пара строк. Всю остальную информацию я выдумала. Но у Татьяны Сергеевны и Анны Михайловны за плечами не было высшего образования.

Женщины переглянулись, и старуха сказала:

— Сорок лет прошло, может, уж и умер давно, Жанночка и Игорь еще когда съехали...

— Кто? — насторожилась я.

Анна Михайловна вытащила из кармана халата носовой платок и трубно высморкалась.

— Жанна и Игорь, мои соседи по коммуналке, мы в шестидесятом в одной квартире жили. Как-то раз прихожу домой, а Жанночка слезами заливается, прямо черная вся.

Жили соседи дружно, никаких склок не затевали, и Анна искренне испугалась:

— Что случилось?

— Костик умер, утром!

Соседка чуть не упала. Примерно две недели тому назад у Жанночки родился сынок, названный Константином. В понедельник ее с мальчиком привезли домой...

— Как же, — забормотала Анна Михайловна, — как вышло?

— Инсульт случился, — рыдала Жанна.

— У такого крошки? — не поверила Аня.

— Сказали, дефект развился, — всхлипывала Жанна, — кавернома сосуда, в таком возрасте у одного на миллион встречается. Ну почему, почему именно со мной это случилось, за что? Скажи, Анюта!

Не найдя слов, директриса ушла к себе. Ей было до боли жаль Жанну. А та, потеряв всякий интерес к жизни, перестала умываться, причесываться, есть и целый день молча лежала в кровати, отвернувшись к стене.

Перепуганный Игорь вызвал участкового терапевта, тот прислал районного психиатра. Румяный толстяк лет двадцати пяти оглядел Жанну и сообщил:

— Налицо явное деструктивное поведение.

— Что? — не понял муж.

— Ваша жена находится на грани помешательства, — отрезал «крупный специалист», — перенесенный стресс оказался ей явно не по силам.

— И что будет? — промямлил Игорь.

— Ну, — почесал в затылке психиатр, — таблетки выпишу.

Но от голубеньких пилюль Жанне не стало легче.

Очередь на усыновление и удочерение детей существовала всегда. Бесплодные пары, естественно, хотели взять ребенка до года, чтобы дитя никогда не вспоминало ни родную семью, ни приют. Но нормальные люди никогда не оставляют своих детей в роддомах. Отказники — отпрыски алкоголиков, наркоманов, проституток, малолетних девочек или девушек-лимитчиц, упустивших время сделать аборт. Во время беременности этот контингент пьет, курит, ведет беспорядочную половую жизнь или, впрочем, неизвестно, что хуже, утягивает живот до безобразия, боясь гнева родителей и начальства. Естественно, на свет появляются больные дети. Каких только патологий не насмотрелась Анна Михайловна, поэтому, когда привезли совершенно здорового, веселого, крикливого мальчика Салтыкова, директриса была искренне удивлена. Такой замечательный ребенок!

Тут же в ее голове родился план. Вообще-то следовало показать мальчугана людям, стоявшим в очереди на усыновление, но Анна Михайловна, наплевав на все правила и инструкции, завернула младенца в одеяло и унесла с собой, надо было спасать соседку, которая и впрямь помешалась от горя.

ГЛАВА 20

Дома она быстро прошла в комнату к Жанне и положила мальчика в пустую кроватку. Младенец заорал, он был жутко голоден. Лежащая неделю женщина села и резко спросила:

— Что это?

— Как — что? — делано удивилась Анна Михайловна. — Сын твой раскричался, есть желает.

Несмотря на стресс, молоко у Жанны не перегорело. Она прижала ребенка к груди и воскликнула:

— Но Костя умер?!

— Ничего не знаю, — вздохнула Анна, — прихожу с работы, а из твоей комнаты детский крик.

Перенесшая сильный стресс, Жанна плохо соображала и, когда Игорь вернулся домой, кинулась к нему на шею. Муж в отличие от жены сразу понял, в чем дело, и постучался к соседке.

— Зря ты это, — буркнул он, — моя дурища бог знает что подумала! Не можем мы себе мальчика оставить!

— А почему нет, — удивилась Анна, — оформите усыновление...

— Небось кучу бумаг собрать надо, — протянул Игорь.

— Я помогу, — тихо сказала директриса, — если мальчонка тебе по сердцу, то все мигом сделаю.

— Шебутной пацанчик, — вздохнул Игорь, — и на

Костика здорово похож, а главное, Жанка ожила, бегает, поет...

Анна Михайловна не подвела и меньше чем за две недели оформила усыновление самым законным образом.

Правда, ей пришлось обмануть кое-кого в отделе опеки роно, сообщить, будто Жанна и Игорь первые в очереди на усыновление, но в конце концов никто особо за строгим соблюдением очередности не следил. А другую супружескую пару, попробовавшую возмутиться, Анна Михайловна до дрожи напугала возможной гемофилией.

Недели через две после того, как мальчик стал законно носить фамилию Семенов, Жанна пришла к Анне и сказала:

— Мы никогда не забудем того, что ты для нас сделала, вот, возьми...

— Что это? — удивилась директриса, разглядывая бумажку.

— Наш новый адрес. Нашли обмен с доплатой, у ребенка должны быть условия, страшно повезло, двухкомнатная, отдельная квартира на улице Академика Ильюшина, подобная раз в жизни подворачивается.

Анна Михайловна только вздохнула. Ей было ясно, что соседи просто хотят уехать от нее подальше. Скорей всего не хотят, чтобы рядом находился человек, который знает правду о рождении мальчика.

Не прошло и десяти дней, как Жанна, Игорь и младенец переехали. В их комнату вселилась тихая, бесцветная женщина с такой же бессловесной дочерью... Новые соседи оказались людьми приятными, водку не пили, шумных застолий не устраивали, и через несколько месяцев Анна Михайловна подружилась с ними.

Семеновых она больше не встречала, впрочем, ни Жанна, ни Игорь, ни тем более мальчик не звонили ей.

— А как они назвали сына? — тихо спросила я.

Анна Михайловна покачала головой.

— Не знаю.

— Почему? — удивилась я.

— Ну, они уехали, когда мальчонке едва месяц стукнул, все спорили. Игорь хотел назвать Виктором, а Жанна настаивала на Константине. Вот фамилию отлично помню, Семеновы они были.

Я горестно вздохнула. Интересно, сколько мужчин, носящих эту простую русскую фамилию, родилось в 1960 году? Да, у меня нет шансов найти парня!

— Адрес их новый не помните?

— Да откуда бы, — отмахнулась Анна Михайловна, — бумажку куда-то задевала, в гостях я у них никогда не была, хотя дом знаю и квартиру...

— Правда?

— Леночка, ну та, что с ними обменялась, моя новая соседка, покойная, к сожалению, часто рассказывала, какая неудобная была ее прежняя квартира, — продолжала Анна Михайловна, — хоть и отдельная, но жить в ней было невозможно. Дом, кирпичная пятиэтажка, стоял углом то ли в конце, то ли в начале улицы, квартира тоже угловая. Одна комната выходила окнами на Ильюшина, другая — на довольно шумную магистраль, по которой ездил трамвай.

Словом, покоя там не было никогда. Расположена квартира была на первом этаже. Трамвай именно в этом месте делал круг, чуть поодаль располагалась конечная остановка, и под окном вечно толкалась толпа. Так что в комнате, смотревшей на рельсы, спать было невозможно. Не лучше обстояло дело и в десятиметровке. Правда, по улице Ильюшина общественный транспорт не ходил, зато прямо у окна раскинулась автозаправка. Зимой еще ничего, а летом дышать невозможно...

— Мы на обмен пять лет тому назад подали, — бесхитростно радовалась Леночка, — только дураков все не находилось на нашу халабуду. Ну посуди сама, Аня, разве это жизнь? Ни минуты покоя! И вдруг такое невероятное счастье. Боже, как нам с дочкой повезло!

Центр, тихо, пятый этаж, лифт, магазины, а то, что коммунальная, так даже лучше, у меня отродясь такой отличной подруги, как ты, не было!

На улицу Академика Ильюшина я приехала около трех часов. Добираться было страшно неудобно. Сначала по Ленинградскому проспекту до стадиона «Динамо», потом по Планетной улице почти до конца, затем налево...

Оказавшись на узенькой улочке, застроенной с одной стороны отвратительными панельными пятиэтажками, я высунулась из окна машины и спросила у мальчишек, куривших возле старого дуба:

— Где тут бензоколонка?

Честно говоря, лучше было бы поинтересоваться трамвайной остановкой, за сорок лет, прошедших с 1960 года, АЗС давным-давно могла сломаться... Но один из подростков вежливо ответил:

— А прямо в самом конце улицы увидите. Слева трамвай пойдет, а заправка справа.

Обрадовавшись, что в этом краю Москвы не произошло кардинальных перемен, я дорулила до нужного места и притормозила у пятиэтажного дома из светлого кирпича. Смотрелось здание лучше, чем его блочные соседи, но расположено было отвратительно. Наверное, Семеновы очень хотели сохранить тайну усыновления, раз поехали в такое место.

Заперев «Жигули», я вошла в подъезд и позвонила в первую квартиру, честно говоря, ни на что не надеясь. Слишком много лет отделяет нас от шестидесятого года. Небось здесь много раз сменились хозяева. И вообще, сегодня четверг, пятнадцать часов, люди в основном на работе...

Но дверь распахнулась сразу. На меня пахнуло смесью запахов чужой жизни. Здесь варили мясо, стирали белье и держали кошку. Впрочем, у нас дома живет сразу три особи из семейства кошачьих, вернее, две кошки и один кот, но такого вонизма нет. На пороге стояла молодая, очень полная женщина, лет ей было на вид чуть больше тридцати, а вес приближался к центнеру.

— Вам кого? — спросила она, вытирая о фартук красные мокрые руки.

— Семеновы тут проживают?

— Ну, слушаю, я Семенова.

— Простите, позовите, пожалуйста, Жанну.

— Кого?

— Жанну.

— Не знаю такую, — растерянно ответила девушка.

— Игоря Семенова тоже тут нет? — безнадежно вздохнула я.

— Папа, — неожиданно закричала толстуха, — поди сюда, тетка к тебе пришла.

В коридор выглянул полный лысоватый мужик в красных то ли трусах, то ли шортах.

— Ну, чего надо?

— Вы Игорь Семенов? — еле сдерживая радость, поинтересовалась я.

— Ну...

— Муж Жанны...

— Чего?

— Вашу супругу зовут Жанна?

— Не, — пробасил мужик, — Алевтина Петровна.

Я совсем растерялась.

— И вы никогда не жили в одной квартире с Анной Михайловной? Директрисой детского дома? И мальчик Константин...

— А, — протянул дядька, — вон оно что! Так то когда было! Жанка, стерва, от меня еще в шестьдесят первом сбежала! С полковником! Подцепила любовничка! Вы-то кто будете?

— Понимаете, — лихорадочно забормотала я, — мне срочно нужно найти мальчика, вернее, теперь уже мужчину, но в шестьдесят первом он был годовалым ребенком, ну, того, кого Анна Михайловна принесла вам вместо Костика.

— Андрюху, что ли? — поскреб под мышкой Семенов.

— Вы его Андрюшей назвали? — обрадовалась я.
Игорь кивнул.

— Бога ради, подскажите их адрес!

Семенов вновь начал чесаться, сначала поковырял макушку, где намечалась лысина, потом затылок, затем шею... Когда его рука с широкой ладонью и короткими пальцами сползла на грудь, мне захотелось пнуть мужика. Может, посоветовать ему шампунь «Дружок»? Отличная штука, стоит совсем недорого и всем нашим животным мигом помог избавиться от блох!

Наконец Игорь перестал скрестись.

— А нету!

— Чего нету?

— Адреса. Хрен ее знает, куда они съехали. Мне не сказали.

— Но как же...

— Так же, — разозлился Семенов, очевидно, воспоминания о той давней истории были ему до сих пор неприятны, — пришел домой, на столе записка валяется. Прости, дорогой, другого полюбила, прощай навек, на развод подам сама. И все. Вот ведь дрянь! Телевизор увезла, холодильник, мебель, даже занавески поснимала, все потом заново наживал...

— Алименты на ребенка куда посылали, вспомните, пожалуйста!

— Ничего я не посылал.

— Но...

— Мальчишка не мой, из приюта взятый!

— Усыновленные имеют равные права с родными детьми, вы обязаны были по закону его содержать!

Игорь снова зачесался.

— Жанка на алименты не подавала, а я и не настаивал. Новый хахаль у ней из обеспеченных был, полковник. Мы на суде встретились, так я ее прямо не узнал! Шубка каракулевая, сумка кожаная, перманент на голове, фу-ты ну-ты, ножки гнуты. А уж набрехала на меня судье! И пил я, и бил ее, и ребенка голодом морил! Ну не сука, а? Может, и двинул ее пару раз когда, так за дело ведь! Хозяйка она хреновая была, дашь зарплату, мигом на дрянь потратит. Платье купит, туфли, бусы, а жрать дома нечего. Я только потом свое счастье понял, когда на Алевтине женился, очень хорошо, что Жанка сбежала, все равно бы ее выгнал.

Тут он перестал раздирать ногтями грудь и поинтересовался:

— А вам-то она зачем?

— Я сестра того мальчика, ну, Андрея! Очень хотела найти его, все-таки родная кровь!

В глазах Семенова мелькнул интерес:

— И матерь его жива?

— Да, — кивнула я, — страшно переживает, что ничего о сыне не знает, хочет перед смертью свидеться.

На лице Игоря заиграла радостная улыбка, очевидно, он мигом понял, какие неприятности доставит бывшей жене визит настоящей матери Андрея, и теперь решил во что бы то ни стало помочь мне.

— Ладушки, ступай на четвертый этаж, квартира над моей, — проинструктировал меня Семенов, — там Карина живет, отчества не помню, вот она адресок Жанны точно знает.

— Почему?

— Потому что дрянь! — неожиданно зло буркнул Семенов. — Иди, иди, не сомневайся, ежели у кого есть какая информация, так это у ней, лучшая подруга Жанны была, она ей с этим полковником площадь для свиданий предоставляла, сволочь! — И он опять стал яростно начесывать шею.

Похоже, что сегодня у меня был день удач. Карина, обаятельная дама лет шестидесяти пяти, мирно смотрела сериал. Наверное, у нее были проблемы со слухом, потому что даже на лестничной клетке, перед закрытой дверью, был слышен страстный диалог мексиканских актеров.

Я нажала на звонок и не сразу отдернула палец —

пусть потрезвонит подольше. Но дверь распахнулась моментально. Со словами: «Опять с продленки убежал» — на пороге возникла Карина, полноватая, седая, одетая в уютный махровый халат.

Увидав меня, она приветливо улыбнулась:

— Ой, простите, я думала, внук опять удрал из школы. Оставляют его на продленке, чтобы уроки делал, а он дождется, когда учительница зазевается, и все, домой несется, к бабушке под крылышко. Вы ко мне?

— Карина...

— Евгеньевна, — добавила дама, — слушаю.

— Вам, наверное, мой визит покажется не слишком приятным...

Хозяйка наморщила лоб:

— Что-то случилось с Левой? Автомобильная авария? Говорите скорей.

Я увидела, как на ее милое, какое-то уютное лицо наползает синеватая бледность, и быстро сказала:

— Нет, нет, речь идет о Жанне Семеновой, вашей подруге, помните такую?

— Естественно, — ответила собеседница, розовея на глазах, — мы были очень близки до определенного момента. А вы кто?

— Жанна усыновила мальчика...

— Что вы говорите? — изумилась Карина Евгеньевна. — И когда же такое случилось? У нее ведь был уже один ребенок, Андрюшенька.

— Это он и есть. Андрея взяли из приюта.

— Ну и ну, — покачала головой Карина, — вы ничего не путаете? Мы в те годы были очень близки, прямо сестры, но она никогда и словом не обмолвилась, что Андрей неродной. Впрочем, снимайте ботинки и идите сюда.

Под бдительным оком хозяйки я сняла кроссовки, получила безукоризненно чистые пластиковые тапки примерно сорок третьего размера и, громко стуча ими об пол, пошла вслед за Кариной. Она привела меня на вымытую до блеска кухню и предложила:

— Кофе?

— Лучше чай.

Откуда ни возьмись появился тучный рыжий кот и, легко вспрыгнув на стол, стал тереться огромной ушастой мордой о мой подбородок.

— Гоните его, такой нахал, — велела Карина, — сейчас всю кофточку вам обволосит, лезет ужасно. Уходи, Маркиз!

— Ничего, у меня дома три кошки...

— А, так вы из кошатников, — обрадовалась хозяйка и поставила передо мной синюю кружку с жидким чаем, — ну, тогда пусть сидит, ласковый очень. А зачем вам Жанна понадобилась?

— Я сестра этого Андрея. Семеновы не захотели брать из детского дома двух детей, и нас с братом разлучили в младенчестве, мы двойняшки, — смело врала я, — жизнь моя сложилась вполне удачно, но очень хочется встретиться с братом...

— Понимаю, — кивнула Карина.

Обрадованная ее приветливостью, я понеслась дальше:

— Я приехала к Игорю Семенову, он тут на первом этаже живет, такой грубый мужчина, он меня к вам отправил.

— Да, Игорь Степанович человек дурного воспитания, — поджала губы Карина. — Когда Жанна от него ушла, не поверите, что он сделал! Дверь мне сломал! Пришел и давай ногами в филенку бить. Негодяй! Между прочим, я очень рада, что помогала Жанне, мы были такие молодые... Мне только-только двадцать пять исполнилось, когда Семеновы сюда въехали. Я оказалась первой из соседей, кто их увидел.

Карина тогда не работала, сидела с крохотной дочкой, которой еще и года не исполнилось. Жизнь ее строго подчинялась расписанию: кормление, гуляние, кормление, гуляние... Вот с очередной прогулки она и возвращалась, толкая перед собой клетчатую коляску производства ГДР, когда увидела, что перед родным подъездом притормозил грузовик, откуда споро начали вытаскивать вещи.

Карина сразу поняла, что приехали новые соседи, и притормозила. Ей было страшно интересно, что за лопухи польстились на первую квартиру. Жившая там раньше Лена Ефимова несколько раз обращалась в санэпидемстанцию, требуя признать площадь непригодной для жилья, а когда поняла, что новой квартиры ей не получить, стала подыскивать обмен.

Остановившись в двух шагах от грузовика, Карина увидела немудреную мебель, узлы и точь-в-точь такую же, как у нее, коляску. Впрочем, тогда все у всех было одинаковое.

Молодая женщина бегала из квартиры к машине, перетаскивая цветочные горшки. Внезапно ее коляска ожила, из нее понесся сердитый крик. Карина машинально схватилась за ручки и принялась качать чужого ребенка. В этот момент из подъезда выскочила встрепанная новоселка и крикнула:

— Огромное спасибо!

Карина улыбнулась:

— Не за что.

Так началась их дружба. Молодые матери, не имеющие дома бабушек или нянек, знают, как трудно одной управляться с ребенком, когда никто не приходит к тебе на помощь. Даже в магазин приходится тащить с собой младенца, нельзя же оставить его одного! Жанна жила на первом этаже, зато Карина на четвертом. Лифта в их доме не было, и бедной матери приходилось таскать на горбу тяжеленную «машину» вверх и вниз, причем когда Карина уходила из дома, то сначала она выносила коляску, оставляла ее у подъезда, потом как угорелая неслась наверх, хватала укутанную в одеяла, гневно орущую Светлану и летела с ней вниз, каждый раз боясь, что вспотевший ребенок простудится или коляску сопрут. При возвращении с прогулки производились те же действия, только в обратном порядке. И вообще, пока муж был на работе, у Карины не находилось ни минуты отдыха. Света плакала все время, не желая, как другие дети, спокойно спать после еды.

С появлением Жанны многие трудности отпали. В магазин они теперь ходили по очереди. Одна носилась за продуктами, другая занималась с детьми. Да и днем они давали друг другу отдохнуть. Отнеся Светку к Жанне, Карина могла поспать часок-другой и не была теперь вечером измучена до предела.

Вскоре между молодыми женщинами не осталось секретов, по крайней мере, так считала Карина. Жанна частенько жаловалась ей на Игоря. Во-первых, он любил приложиться к бутылке, а напившись, распускал руки. Один раз Жанна прибежала к подруге ночью в одной сорочке, рыдая от ужаса. И Валера, муж Карины, отправился утихомиривать буяна. Во-вторых, Семенов мало зарабатывал. Сидел бухгалтером на каком-то заводе, получал восемьдесят рублей, ровно в семь вваливался домой и падал на диван у телевизора. Ему и в голову не приходило помочь шатающейся от усталости Жанне. Более того, не найдя на столе горячий ужин, Игорь начинал орать:

— Сидишь целый день дома, ни хрена не делаешь, а я на работе гроблюсь.

На робкие оправдания жены типа: «Но у нас кончились деньги!» — он вопил:

— Другие женщины в меньшую сумму укладываются, ты просто нерадивая хозяйка, нечего мои кровью заработанные рубли на ерунду тратить! За каким чертом чулки купила!

— Так старые порвались!

— Зашей, — рявкал Игорь, — не барыня!

И еще он не любил Андрюшу, никогда не оказывал тому никакого внимания. Младенец мог изойти криком, но Игорь даже и не думал пошевелиться, чтобы дать ребенку потерянную соску.

Словом, чем ближе Карина знакомилась с муженьком подруги, тем больше ценила своего работающего в трех местах, абсолютно непьющего, домовитого Валеру.

Однажды она не выдержала и, когда Жанна в очередной раз, заливаясь слезами, поднялась к ней домой, ляпнула:

— Да разведись ты с ним, разменяй квартиру и живи спокойно.

— Не поднять мне одной ребенка, — горестно вздохнула Жанна,— никакой профессией я не владею, полы, что ли, мыть идти?

Карине казалось, что на самом деле лучше работать с ведром и тряпкой, чем жить с таким мужем, как Игорь, но она ничего не сказала.

А потом у Жанки появился ухажер. Где подруга познакомилась с ним, Карина не знала. Просто один раз Жанна попросила:

— Карина, можно я тебе Андрейку часа на два подкину?

— В магазин собралась? — спросила соседка.

— Нет, — пояснила Жанна, — в кино, с мужчиной, только не спрашивай ни о чем, ладно?

Примерно полгода Карина покрывала влюбленных, забирая в нужный момент мальчика. Потом, в мае 61-го, Жанночка влетела к ней и затарахтела:

— Все, ухожу от Игоря, чтоб ему пусто было, идиоту!

— Куда? — оторопела Карина.

И тут подругу как прорвало. Из нее фонтаном забили интересные сведения. Новый мужчина Жанны — удивительный человек, ласковый, нежный и щедрый, полковник. Правда, старше ее на 15 лет, но это даже лучше, потому что страстность любовника сочетается у него с отцовской заботливостью. Женат он никогда не был и своего гнезда не свил. Зато имеет комнату, правда, в коммунальной квартире, в центре, на Малой Бронной, отличный оклад, паек... Но главное, обожает Жанну, предлагает ей руку и сердце, а к Андрюше относится лучше родного отца.

— Прямо сегодня и уеду, — трещала Жанна, — сейчас машина придет. Пусть этот идиот Семенов один остается со своими восьмьюдесятью рублями зарплаты!

Карина не успела даже ничего ответить, как подруга бросила на стол бумажку с новым адресом и, крикнув: «Позвоню обязательно!» — исчезла.

Через месяц она и впрямь объявилась, позвала в гости, но у Карины как раз заболела Света... Потом, когда Карина связалась с Жанной, у той начался ремонт. Ясно, что на самом деле никакой дружбы и не было, просто хорошие соседские отношения, прервавшиеся после того, как Жанна перебралась в другое место. Правда, какое-то время они перезванивались, рассказывали друг другу немудреные новости. Карина знала, что новый муж Жанны усыновил Андрея.

— Они дали ему другое имя и фамилию! — сказала дама.

— Вы имеете в виду, что он получил фамилию нового отца? — уточнила я.

— Не только, мальчику дали и другое имя.

— Почему? — изумилась я. — И потом, разве можно вот так взять и поменять имя?

— Жанна говорила, что да, — пояснила Карина, — ее муж хотел, чтобы ребенка звали, как его отца, только, извините, запамятовала: ни фамилии, ни имени не упомню. Кажется, Виктор, нет, Василий!

Я растерянно вертела в руках чашку. Час от часу не легче!

— Адрес их не помните?

— Жизнь приучила меня ничего не выбрасывать, — улыбнулась Карина Евгеньевна, вооружившись очками и вытащив из ящика штук пять растрепанных телефонных книжек.

Минут десять она перебирала листочки, потом вздохнула.

— Малая Бронная, дом 19а, квартира шесть, а вот

телефон неизвестно куда подевался. Тут все зачеркну-
то-перечеркнуто.

В этот момент раздался звонок. Карина Евгеньевна пошла в прихожую, я за ней. В квартиру влетел рыжий мальчишка и закричал:

— Бабуся, кушать давай!

— Сейчас, детка, — засуетилась она, выпроважи-
вая меня на лестницу.

ГЛАВА 21

На улице сияло солнце. Я влезла в машину и поехала в сторону центра. Часы показывали семь. Малая
Бронная, дом 19а, квартира шесть... Что-то странно
знакомое было в этом адресе. Когда-то я была в этом
доме или нет?

Но уже подъезжая к серому огромному зданию и
паркуясь у небольшой булочной, я мигом вспомнила.
Конечно, именно в этом доме, в коммунальной квартире, и жил Володя Костин до того момента, как шикарные, многокомнатные апартаменты приглянулись
какому-то богатому дяде. «Новый русский» живо рас-
селил жильцов по отдельным конурам, а мы тогда с
Катей подбили нашу соседку из однокомнатной на обмен... Таким образом, на окраину, в хорошую двухком-
натную квартиру, отправилась она, а Володька оказался с нами на одной площадке...

Подивившись совпадению, я вошла в подъезд, за-
бралась на третий этаж, увидела роскошную дверь,
обитую белой кожей...

Черт возьми, кажется, и Володька обитал на треть-
ем... Честно говоря, я была у него дома всего два раза и
не слишком хорошо помню... Как правило, он приходил к нам... Нет, я явно ошибаюсь, Вовка жил на самом
верху, да, конечно, то ли пятый, то ли шестой этаж.

Я ткнула в звонок. За дверью заиграла бравурная
мелодия, потом раздался злобный лай. Дверь распах-

нулась. На лестницу вылетел молодой стаффордшир-
ский терьер, очень похожий на нашу Рейчел.

Уставившись на меня, он грозно зарычал. Я машинально опустила ладонь на его крупную, благородную
голову, красиво сидевшую на мускулистой шее, и пробормотала:

— Ну-ну, не сердись, дружок, лучше скажи, хозяева дома? Или, может, ты сам умеешь замок отпирать?

Стафф замер, потом замахал хвостом и начал тыкаться в мою ладонь мокрым коричневым носом. Пес
хотел, чтобы его приласкали.

— Просто невероятно! — воскликнул высокий нерв-
ный голос.

Я оторвала глаза от собаки и увидела красивую
стройную девушку в обтягивающих джинсах и коро-
тенькой водолазке.

— Вы не боитесь Лорда?

— Нет, — улыбнулась я, — хотя, наверное, зря.
Просто у меня дома точь-в-точь такая собака, правда,
девочка, Рейчел.

— Вы первая, кто не удрал с визгом на другой этаж
при виде Лорда, — веселилась хозяйка, — кого-то ищете? Или чем-то торгуете? Давайте я сделаю покупку,
раз Лорд вас признал!

Я вздохнула. Наверное, придется слегка изменить
внешний вид, что-то слишком часто меня стали принимать за коробейницу.

— Спасибо, конечно, за желание помочь, но на самом деле я разыскиваю женщину по имени Жанна, это
случайно не ваша мама?

— Нет, — продолжала веселиться хозяйка Лорда, — мою маму зовут Екатерина Павловна, и она живет в Санкт-Петербурге.

— Простите, — я предприняла новую попытку
что-либо разузнать, — в этой квартире когда-то обита-
ла женщина, Жанна, у нее был ребенок, мальчик, и
муж, полковник...

— Извините, — прервала меня девушка, — но мы с

супругом переехали сюда совсем недавно, и я никого из прежних жильцов не видела.

— Вот жалость, — вздохнула я, — а ваш муж, может, он помнит, куда переселял людей?

— Ой, что вы, — отмахнулась собеседница, — это агентство делало, мы только площадь осматривали, и то после того, как ее освободили.

— Тогда прошу прощения за беспокойство, — пробормотала я и двинулась к лифту.

— Эй, подождите! — окликнула меня женщина.

— Да?

— Вам очень нужна эта Жанна?

— Невероятно, но, видно, теперь ничего не узнать! Мне даже фамилия ее неизвестна, только этот адрес. Честно говоря, я надеялась застать ее здесь, но не судьба!

— Не надо так расстраиваться, — попыталась успокоить меня хозяйка шестой квартиры.

Я тяжело вздохнула:

— Вы даже не представляете, как мне нужна Жанна!

— Никогда не надо сдаваться, — бодро, словно радио в семь утра, сообщила девочка, — тупиковых ситуаций не бывает! Ступайте в домоуправление. Правда, сегодня там нет никого, но завтра они работают вечером, с трех до восьми.

— Зачем мне домоуправление? Они же выписаны!

Девушка внимательно посмотрела на меня.

— Правильно, но в домовой книге, во-первых, указан адрес, по-которому они выбыли, а во-вторых, есть фамилия этой Жанны. Купите коробочку шоколадных конфет грамм на триста и попросите паспортистку посмотреть. Ну, соврите ей, к примеру, что приехали из провинции, к родственникам, а те внезапно переехали и адреса не оставили... Да пожалостливей пойте и коробочку подсовывайте. У меня такие трюки всегда проходят.

— Спасибо, — весело сказала я, — очень приятно с вами познакомиться.

— Мне тоже, — улыбнулась девушка, — люблю людей, которых любит Лорд. Кстати, если ваша собачка захочет щенков, имейте в виду — Лорд большой мастер в деле производства потомства. Собственно говоря, это единственное, что он умеет делать. Погодите, сейчас визитку дам.

И она скрылась. Я прислонилась к стене, поглаживая Лорда. Иногда между людьми спонтанно возникает симпатия.

— Держите, — сказала девушка, появляясь на лестнице, — звоните, коли чего. Кстати, как вас зовут?

— Евлампия, — ответила я.

— Ну, такое имя запомнишь навсегда, — улыбнулась она, — а мои данные на визитке.

Она захлопнула дверь, я пошла вниз. Уже сев в машину, я вытащила карточку и с удивлением прочла набранный золотыми буквами короткий текст: «Коростылева Федора Панкратовна, директор детективного агентства «Шерлок».

Ну ничего себе! Кто бы мог подумать, что такая молоденькая, хрупкая девушка на самом деле детектив да еще владелица собственной конторы?! Интересно, может, ей нужны сотрудники? Я бы с удовольствием пошла к ней на работу, она мне очень понравилась. К тому же у нас обеих редкие, практически не употребляемые сейчас имена.

Утром я решила немного поспать. Торопиться было некуда, домоуправление работало только с трех, к тому же погода располагала к времяпрепровождению в кровати. Из серых, низко висящих над Москвой туч сыпался мелкий, противный дождь, резко похолодало. «Лето закончилось, так и не начавшись, тепла уже не будет, пора доставать с антресолей зимнюю обувь», — вяло подумала я, уютно сворачиваясь калачиком под теплым одеялом из овечьей шерсти. Толстая Мулечка заползла в кровать и прижалась теплой, нежной шерсткой к моему животу. Рейчел шумно вздыхала в углу, Рамик сопел в кресле, кошки, сбившись вместе, лежали в пледе, и только неугомонная Ада носилась по коридорам взад-вперед, изредка принимаясь лаять. Слушая, как ее лапки стучат когтями по полу — цок, цок, цок, — я мирно задремала.

— Эй, Лампа, — раздалось над ухом, — дай денег.

От неожиданности я села, и Муля свалилась на пол, сопя от справедливого возмущения. У кровати стояла Лиза.

— Лизавета, — строго спросила я, глядя, как мопсиха карабкается на кровать, — ты почему не в школе? Заболела? И зачем тебе деньги? Между прочим, за завтраки давно заплачено, а на метро куплен проездной. И вообще, детям твоего возраста деньги не нужны!

Лиза хмыкнула.

— Лампуша, ты просто мастодонт. Это в твои времена детишкам не давали больше пяти копеек, а сейчас кое у кого кредитные карточки есть. И вообще, ты хоть помнишь, что завтра надо Ксюшу из больницы забрать?

— Нет, — потрясенно ответила я, — почему завтра? Она же только что родила!

— Теперь быстро выписывают, — сообщила Лиза, — ты купила одежду для новорожденного?

— Нет, — пробормотала я, — забыла.

— Так я и знала, — вздохнула Лизавета, — ну не понесет же Ксюня бедного ребенка завернутым в полотенце? И вообще, нам еще понадобятся кроватка, коляска, бутылочки, соски, словом, чертова уйма вещей. Между прочим, где она будет жить? Если сразу устраивать ее в Володиной квартире, то там нужно убрать, майор вечно бардак устраивает и никогда пепельницы за собой не вытряхивает. Кстати, когда он возвращается из командировки?

— Не скоро, — буркнула я, влезая в халат.

— Давай деньги, в «Детский мир» поеду, — не успокаивалась Лизавета.

— Погоди, — вздохнула я, — отправимся вместе, только сначала заглянем к Володе.

Мы взяли ключи и открыли квартиру майора.

В прихожей, на зеркале, стояла полная окурков пепельница, вторая нашлась в комнате, а третья на бачке унитаза. Вытряхнув бычки и тщательно вымыв керамические пепельницы, я с тоской осмотрела жилище. Майор редко бывал дома и совершенно не придавал значения уюту. Занавески так и не повесил, а от всех наших с Катей попыток сделать это самим отмахивался, приговаривая:

— Когда в комнате темнота, будильник не слышу.

От ковра он тоже отказался, мотивируя свое нежелание покрывать пол просто:

— Ну его, палас этот, его же пылесосить придется.

Квартира Костина и раньше выглядела не слишком уютно, но сейчас показалась мне совершенно брошенной и несчастной, как собака, потерявшая в толпе хозяина. Очевидно, Лизавета испытала те же чувства, потому что она прошептала:

— Пусть лучше Ксюня у нас первое время поживет, а сюда переберется, когда Володя приедет.

Я кивнула, и мы быстренько вернулись назад. Прежде чем идти в «Детский мир», следовало пересчитать наличность. Деньги я храню в оранжевом пластмассовом чемоданчике размером с коробку из-под печенья. Когда-то он служил упаковкой для новогоднего подарка, на крышке изображены цифры 1997 и надпись: «Поздравляем!» Обнаружив в загашнике шесть тысяч, я отсчитала четыре бумажки по пятьсот рублей. Двух тысяч должно хватить с лихвой на обновки для младенца. Правда, я еще ни разу не приобретала одежонку для младенца и не знаю цен, но не может же пеленка с одеяльцем стоить дорого!

Не успели мы войти в «Детский мир», как Лиза кинулась к прилавку:

— Ой, какие зайчики!

Я вздохнула. За последние три месяца Лизок сильно выросла и превратилась в симпатичную девушку. Я едва достаю ей до плеча, а джинсы девочки велики мне почти на два размера, да и кроссовки она носит сорокового номера. Молодые люди теперь поглядывают на Лизавету с большим интересом, но она не замечает их. В ней все еще живет крохотная семилетняя девчушка, радующаяся игрушкам.

— А мишка, вон тот, розовый, — причитала Лиза, — давай купим для маленького?

— Сначала вещи, — остудила я ее пыл, — а потом посмотрим.

Поднявшись на второй этаж, мы подошли к длинному прилавку. В глазах зарябило от голубых, желтых, зеленых крохотных вещичек. Да, похоже, проблем с приобретением «прикида» не будет.

— Что вам показать? — вежливо поинтересовалась продавщица.

— Сейчас, — ответила я, вытаскивая список, — значит, так! Одеяло шерстяное.

— Для мальчика, — перебила Лиза, — самое лучшее, самое качественное! Это новорожденному в подарок!

Продавщица кивнула и выложила на прилавок сразу несколько мохнатых пледов. Два мы с Лизой отвергли сразу. Стопроцентная синтетика, правда, весьма удачно косящая под шерсть, еще один, на этот раз натуральный, был слишком тонким, зато последнее одеяло было то, что надо, — толстое, уютное, мохнатое, нежно-голубого цвета, по краям шла кайма: беленькие мишки и зайчики.

— Это, конечно, — заявила Лиза.

— Правильный выбор, — одобрила продавщица.

Потом мы с упоением принялись рыться в горе пеленок, распашонок и шапочек. Никогда бы не подумала, что можно получить такое огромное удовольствие, перебирая крохотные одежки. Наконец устав, мы подвинули к терпеливо стоящей девушке гору одежды:

— Вот, берем.

Появился калькулятор, и, пока девчонка подсчитывала итог, я сказала:

— Сейчас возьмем это и пойдем смотреть кроватку с коляской.

— И розового мишку, — добавила Лизавета.

— Ладно, — кивнула я, — так и быть, купим мишку.

— Семь тысяч четыреста двадцать два рубля восемь копеек, — мило улыбаясь, прощебетала продавщица, протягивая выписанный чек, — касса в центре зала.

— Сколько? — ошарашенно спросила я. — Семьсот сорок два рубля? Так много?

Лизавета дернула меня за рукав:

— Пошли.

Мы добрались до кассы. Я в ужасе уставилась на цифры. Семь тысяч! Четыреста! Двадцать два рубля!!! Восемь копеек!!! В особенности умиляли копейки.

— Делать-то что? — растерянно спросила я у Лизы.

— Пошли в другой отдел, — предложила та.

— А чек?

— Выброси!

Сунув чек на страшную сумму в карман, я пошла за Лизаветой. Через полтора часа хождения по этажам стало ясно — мы не можем купить ничего. Самая дешевая кроватка тянула на две тысячи, а коляска стоила около восьми.

— Вот это да, — бормотала Лизавета, шарахаясь от полки с розовыми мишками, — прикинь, они по полторы штуки! Это что же такое получается?

Мы вышли на улицу и увидели в узеньком проходе, ведущем к метро «Кузнецкий мост», плотную толпу.

— А ну, давай глянем, — предложила я и оказалась права.

У горластых женщин нашлось все, причем по весьма умеренной цене. Правда, одеяло было не итальянским, а украинским, противного кирпичного цвета и без рисунка, пеленки и распашонки — белорусскими, самыми простыми, полностью отсутствовали кружева и оборочки, зато все сделано исключительно из натурального сырья и стоило буквально копейки. Вернее, мы уложились в пятьсот рублей, что тоже, согласитесь, не так уж и мало, но по сравнению с семью тысячами эта сумма показалась просто ерундовой. Но самая главная удача поджидала нас впереди. Возле киоска «Союзпечать» стояла милая женщина с примерно трехлетним щекастым бутузом. В руках она держала табличку: «Продаю кроватку б.у. в отличном состоянии и коляску либо меняю на диван «Малютка».

— А зачем продаете? — спросила я.

Женщина вздохнула и ткнула в мальчишку рукой:

— Вот вырос, диванчик ему нужен, а денег нет, одна его поднимаю.

— Кроватка очень старая?

— Как новая.

— И где она?

— Пошли, — велела тетка.

Мы добрались до старой, ржавой насквозь «Нивы» и увидели вполне приличную кроватку с чистым матрацем и коляску.

— Вот, — сказала женщина, — глядите. Кстати, меня Валя зовут, а это Павлик. У меня от него куча вещей осталась — шубка, комбинезончик, обувь... Правда, все бэу, но в отличном состоянии, отдам недорого или поменяю.

Я пробормотала:

— Наш диванчик тоже неновый, на нем мальчик спал, Кирюша, когда подрос, мы ему большую софу приобрели, а «Малютку» пожалели выбросить, стоит без дела в коридоре.

— Отлично, — обрадовалась Валя, — поехали к вам и махнемся!

Я посмотрела на Лизу:

— Вообще говоря, мне...

— Ладно, — разрешила та, — сама справлюсь.

Она влезла в «Ниву», Валя завела мотор. Дребезжа всеми частями, машина осторожно тронулась с места.

— Пашка, — донеслось из глубины отъезжающего

автомобиля, — держи кровать, ща рухнет, мужик ты или нет!

Трехлетний Павлик, засунув поглубже в рот отвратительную конфету чупа-чупс, уцепился крохотными ручонками за лакированную деревянную спинку. Последнее, что я увидела, направляясь к своим «Жигулям», его бледное, серьезное личико и торчащая изо рта палочка от леденца.

ГЛАВА 22

Девушка с изысканным именем Федора не обманула. Домоуправление было открыто. Помещалось оно в подвальном помещении. Дневной свет проникал в комнату через окошко, расположенное под самым потолком, а по стенам змеились разнообразные трубы. Обставлено оно было незатейливо: старый, ободранный письменный стол, покрытый бумагой, несколько разномастных стульев, колченогих и кособоких, допотопный телефонный аппарат с наборным диском. Завершал картину сейф, выкрашенный темно-коричневой краской.

Под стать обстановке была и женщина, восседавшая за столом. Возраст ее с трудом поддавался определению. Судя по обрюзгшей, бесформенной фигуре, сальным волосам, небрежно закрученным в пучок, и темно-серой кофте, щедро украшенной «жемчугами», домоуправу перевалило за шестьдесят. Но лицо было молодое, гладкое, без морщин... Перед ней красовалась табличка: «Прием ведет Федяева Марина Ивановна».

Дама открыла рот и заявила:

— Ежели на перерасчет книжку принесли, то бухгалтерша придет к семи. Хотите — оставляйте бумаги, не желаете, тогда...

— Извините, — робко сказала я, выкладывая на край стола коробочку шоколадных конфет «Третьяковская галерея», — простите, что отвлекаю вас, занятого человека, от работы, но у меня дело такое, деликатное...

Домоуправ вздохнула:

— Квартплату давно не вносили и хотите, чтобы оформила вам все как доплату. Пени жаль платить. О господи, с одним и тем же все идут! Давайте книжечку!

— Нет, нет, — пробормотала я, пододвигая к ней коробочку, — у меня совсем другое, да и не живу у вас здесь, я вообще не москвичка, из Норильска я.

— Квартиру снять хотите? — снова попала пальцем в небо Марина Ивановна. — Так этого добра навалом. Вам сколько комнат?

— Нет, нет.

— Так чего надо?

— Понимаете, в шестой квартире жила сестра моей матери Жанна, вот я приехала в гости, а там другие люди поселились.

— Ну и что?

— Посмотрите по домовой книге, куда родственники съехали, сделайте милость!

Марина Ивановна посмотрела на меня, потом на коробку конфет, затем с тяжелым вздохом открыла сейф и вытащила оттуда толстенную амбарную книгу.

— Вообще-то, — заявила она, — сейчас уже почти у всех прописные карточки, только мы никак не заведем, по старинке работаем. А по мне, суть одна, что книга, что карточка, придумывают в милиции невесть чего, лишь бы люди без работы не остались. Вот и переписывай всю книгу на карточки — бред! Делать больше нечего! Главное ведь, чтобы информация сохранилась. Так какая квартира?..

— Шестая!

Толстый палец Марины Ивановны, украшенный квадратным ногтем со слегка облупившимся лаком, медленно пополз по строчкам.

— Дом наш лакомый кусочек, — приговаривала

домоуправ, — центр, квартиры огромные, только сплошь коммуналки. Вот богатенькие Буратино и расселяют народ, а люди рады. От государства разве дождешься квартирки? А тут отдельную жилплощадь предлагают, ну и съезжают куда-нибудь в Бутово или Митино. Не Тверская, конечно, но многие счастливы. Свежий воздух, тихо, а с продуктами сейчас везде хорошо. Шестую квартиру Коростылев расселял. Значитца, так, Забавин Сергей Алексеевич и Тугрикова Ольга Тимофеевна отправились на Вологодскую улицу, Костин Владимир Иванович на проезд Соколова, Минаевы, Константин Федорович, Анна Николаевна и Евгения, трех лет, убыли в Новокосино...

— А Жанна, — нетерпеливо перебила я ее, — Жанна где?

— Костина Жанна Николаевна скончалась в 1982 году, — спокойно ответила Марина Ивановна и вздохнула. — Давненько с теткой не общались! Та уж восемнадцать лет как покойница, а вы к ней в гости только сейчас собрались!

Чувствуя, что земля уходит из-под ног, я уцепилась за край письменного стола и пробормотала:

— Кто с ней жил, какие родственники?

— Так, — спокойно забубнила Марина Ивановна, — ща разберемся. Интересно, однако!

— Что?

— А вот такая штука. Комнату общей площадью 20 квадратных метров получил в 1954 году Костин Иван Владимирович, в 1961-м он прописал к себе жену — Семенову Жанну Николаевну и ребенка, Семенова Андрея Игоревича, 1960 года рождения. Не от него мальчонка-то был. Но уже в декабре шестьдесят первого Иван Владимирович усыновил ребятенка, причем не только фамилию ему поменял, но и имя. И превратился Семенов Андрей Игоревич в Костина Владимира Ивановича, небось и не знает мужик о таких приключениях.

— Но день рождения, — в полной растерянности

пробормотала я, — у Костина первого октября, а у младенца Семенова 29 сентября...

— Правильно, — не удивилась домоуправ моей странной осведомленности, — совершенно верно.

— И зачем они такое сделали? — продолжала я пребывать в состоянии обалдения. — Ну фамилия, ну имя хоть как-то понять можно, но дату, дату-то зачем меняли?

Марина Ивановна задумчиво посмотрела в домовую книгу, потом улыбнулась.

— Ага, понятно. Костин Иван, муж Жанны, тоже родился 29 сентября, как и мальчик, небось не захотели в один день с отцом и ребенку день рождения справлять, вот и передвинули его на первое октября.

С гудящей от невероятной информации головой я выползла из подвала на улицу и, плохо понимая, что вижу вокруг, добрела до «Макдоналдса».

Вообще я очень редко пользуюсь системой общепита. Во-первых, мне элементарно жалко денег, а во-вторых, моя мамочка твердо вбила дочери в голову: все, что приготовлено не дома, делается грязными руками из несвежих продуктов. Впрочем, мамуля скончалась в 90-м году, она просто не дожила до ларьков «Тили-тесто», «Русские блины» и «Сосиски Стеф». А десять лет тому назад покупать на улице выпечку было и впрямь небезопасно. Меня всегда смущало отсутствие в те годы на улицах столицы бродячих животных... Ну скажите, куда девались бездомные собаки и кошки и почему повсюду продавались подозрительно дешевые пирожки с мясом, жаренные на машинном масле?!

Я села у окна и уставилась на завернутый в белую бумагу чизбургер. Интересно, что подумала бы моя мама, увидав подобное кушанье...

«Вот что, Евлампия, — сказала я себе, — ты просто хочешь отвлечься от ужасных мыслей!»

Значит, Володя Костин был сыном Лидии Салтыковой. Я попыталась припомнить, что майор рассказывал о своем детстве. Вообще-то он не слишком часто вспоминал те годы. Но мы с Катюшей знали, что его отец был военным и умер, когда сыну исполнилось семь лет, а мать скончалась в тот год, когда Володя закончил юридический факультет и только-только попал на работу в органы милиции. Никаких других родственников, дядей или теток, у Костина не было. Но, говоря о родителях, он всегда называл их «отец» и «мать», наверное, ему неизвестна была правда об усыновлении.

Внезапно мою голову стянул тугой, железный обруч. Это что же получается? Соня Репнина, кокетка и вертихвостка, Сонечка, чьим любовником какое-то время был Володя, на самом деле его родная сестра?

Посидев минут пятнадцать возле полного подноса, я ушла из «Макдоналдса», так и не попробовав ни чизбургер, ни жареную картошку, ни шоколадный коктейль.

Уже в «Жигулях» я вяло подумала: «Господи, как хорошо, что оба мертвы и никогда не узнают об инцесте».

Ноги машинально нажимали на педали, руки хватались за рычаги переключения скоростей, но голова была занята не дорогой.

Так вот почему Володя и Соня так любили красную икру и употребляли ее со сладким чаем! Мне бы сразу удивиться, отчего столь странная привычка была у двух совершенно разных людей! А они, оказывается, брат и сестра. Значит, у Володи есть еще одна сестрица, Вера, и настоящая мать его жива, и отец, так боявшийся иметь на руках инвалида-гемофилика.

Только майор был патологически здоров, дожил до сорока лет и не заимел ни одной хронической болячки... Может, мне поехать к Лидии Салтыковой и рассказать ей о Володе?

Стукнувшись бампером о низенький железный заборчик, отделяющий крошечный палисадник от тротуара, я припарковала машину и поднялась наверх, где незамедлительно попала в когти к Лизавете и Кирюшке. Дети пели каждый о своем.

— Кроватка замечательная, — восторгалась Лиза, — только в одном месте лак облез, но можно подкрасить, коляска — супер, в ней даже сиденье для автомобиля имеется.

— Учительница по музыке вопрос задала, — ныл Кирюшка, подсовывая мне под локоть тетрадку, — велела ответить, а то два влепит!

— Коляску я закатила пока к Володе, — с энтузиазмом вещала Лизавета, — пойдем покажу!

— Совершенно непонятный вопрос, — убивался Кирка, — невероятной сложности...

— Пошли, — толкала меня в спину Лиза.

— На, погляди, — тянул в свою сторону Кирюшка.

С трудом выкинув из головы тяжелые мысли, я рявкнула:

— С собаками гуляли?

— Нет, — ответили хором дети.

— Ну так займитесь животными!

— Но коляска...

— Сейчас выпью кофе и пойду гляну!

— А музыка?

— Отдохну и отвечу. И вообще отстаньте, — выпалила я, чувствуя, как к глазам подбираются слезы, — вы мне надоели.

— Ты нам еще больше, — взвился Кирюшка, — мать, вернее ее заместительница, должна помогать уроки делать!

Уж не знаю, что подействовало на меня больше — информация о родственных связях между Володей и Соней, полное ощущение собственной беспомощности и невозможности разобраться в ситуации, вынужденная покупка подержанных вещей для Ксюшиного младенца, который никогда не увидит отца, или гадкое слово «заместительница», брошенное обозленным Кириллом... Все это сплелось в тугой узел, я почувствовала в горле горький комок, вздохнула, уронила голову на сложенные руки и зарыдала во весь голос.

Перепуганные дети кинулись ко мне.

— Лампуша! — вопил Кирюшка. — Не надо, сейчас я выйду с собаками.

— А я помойку вынесу, — вторила Лиза.

— Хочешь — картошечки пожарю?! — орал Кирюшка.

— Чаек заварю, — подхватила девочка, — ща, в пять минут.

Они загремели посудой. Через пару секунд у меня под носом возникли дымящаяся чашка и кусок хлеба с вареньем.

— Ешь, ешь, — суетилась Лиза, — хочешь — я сбегаю на проспект и куплю тебе пакет замороженных креветок и новый детектив Марининой?

— Я мигом сношусь, — влез Кирюшка, — как насчет баночки варенья «Швартау» и шоколадного мороженого?

Я перестала лить сопли, утерлась кухонным полотенцем и глянула в их милые, встревоженные лица. Нет, какие они хорошие дети, разом вспомнили про все мои любимые лакомства.

— Не надо креветок с вареньем, — сказала я, — все уже, сама не понимаю, отчего заревела.

— Это у тебя климакс, — с умным видом заявила Лиза, — в период гормонального затухания у женщины часто случаются перепады настроения...

— Откуда у тебя такая информация? — удивилась я. — Потом, климакс бывает после пятидесяти...

— Не скажи, — продолжала умничать Лизавета, — он может приключиться в любое время и тогда называется ранним.

— Откуда ты все это знаешь? — изумилась я.

— В школе рассказывали, на уроке по этике семейной жизни, — пояснила девочка.

— Да ну? Чего же еще там объясняли?

— Многое, про СПИД, презервативы, наркотики и супружеский секс.

Я только хлопала глазами. Интересно, как бы поступила моя мамочка, явись ее доченька из школы с рассказами про климакс, презервативы и заболевания, передающиеся половым путем?.

— Так что будет с моим вопросом по музыке? — ожил Кирюшка.

— Давай, говори, — велела я.

— У гитары их шесть, у домры всего пять, а у арфы только четыре, — выпалил мальчишка, — всю голову сломал.

— Чего «их»?

— Так это и есть вопрос, — разозлился Кирюшка, — не поняла, что ли? Чего у гитары шесть, у домры пять, а у арфы четыре?

Я призадумалась. Единственно, что объединяет вышеперечисленные инструменты, так это то, что они струнные... И как раз струн у гитары может быть шесть, впрочем, иногда семь... Но у домры-то их всего три. Погодите, в свое время была создана четырехструнная домра, так называемой квинтовой настройки. У этого народного инструмента есть металлические лады, головка с колками и... все! Что же касается арфы, которую я, естественно, знаю назубок, то у нее от 44 до 47 жил. Нет, струны тут явно ни при чем, тогда что?

Окончательно сломав голову, я полезла за музыкальной энциклопедией и принялась в деталях изучать строение гитары, домры и арфы. Но нет! Ответа на вопрос я так и не получила! Кирюшка приуныл окончательно.

— Если не отвечу, кол влепит! Зверь-баба!

Не секрет, что музыка в наших школах преподается отвратительно. В лучших случаях дети хором поют песенку про елочку и зайчика и потом слушают рассказы о Петре Ильиче Чайковском. В качестве апофеоза педагог упомянет Моцарта... В худших же получается как у Кирюшки. Его «музычка», старенькая, полуслепая Наталия Михайловна, тихим, умирающим голосом долдонит что-то о нотной грамоте. Расслышать ее шепот невозможно даже на первой парте. Но Наталия Михайловна не вредная, единственно, о чем она просит учеников, — это сидеть тихо, а чем они в тишине занимаются, ее совершенно не волнует, лишь бы не шумели. Пока училка тянет у доски нудянку про до-ре-ми-фа-соль, школьники делают уроки, читают посторонние книги или режутся в «морской бой». Как только звенит звонок, Наталия Михайловна на полуслове закрывает рот и выползает из класса. Она никогда не задает домашних заданий, не спрашивает у доски и не устраивает контрольных. Но в журнале напротив фамилий детей таинственным образом возникают сплошные пятерки, и в четверти у всех выходит «отлично». Зато о музыке из Кирюшкиных одноклассников никто ничего не знает!

— Что это случилось с Наталией Михайловной? — спросила я, ища телефонную книжку.

Кирюшка заломил руки и закатил глаза:

— Так Наташка на пенсию ушла, и прислали вместо нее ненормальную энтузиастку. Гармония, какофония, опера... Жуть прямо! Сегодня на уроке слушали какого-то Верду!

— Верди, — поправила я, пряча улыбку.

— Один хрен, — злился Кирюшка, — ужас, ни почитать, ни математику сделать. Прямо над ухом — бум, бум, бум... Запустила на полную мощь идиотского Вердя... А потом этот вопрос задала да еще так противно фыркнула: «Дети, это задание на сообразительность». Чтоб ей упасть и ногу сломать!

— Не расстраивайся, — сказала я, — сейчас узнаем ответ.

— Где? — тяжело вздохнул Кирюшка.

Но я уже услышала в трубке бодрое «алло» и сказала:

— Здравствуйте, Ипполит Семенович, вас беспокоит Романова, арфистка.

— Добрый день, деточка, — обрадовался старик, — сколько лет, сколько зим! Как матушка?

Решив его не расстраивать, я сделала вид, что не слышу вопрос, и задала свой:

— Ипполит Семенович, вы наш старейший лучший мастер по струнным, золотые руки, ответьте мне на такой вопрос...

Старик молчал, внимательно слушая всю информацию, потом осторожно переспросил:

— В школе задали? Твоему сыну?

— Да.

— Сильно подозреваю, что речь идет просто о количестве букв в словах. Посуди сама: у гитары их шесть, у домры, если, конечно, не путать ее с домброй, пять, а у арфы всего лишь четыре!

Пораженная столь простым решением проблемы, казавшейся неразрешимой, я потрясенно спросила:

— Вы полагаете, что учительница могла задать такой вопрос?

Ипполит Семенович вздохнул:

— Сейчас, душенька, преподаватели любят задания, как они выражаются, на сообразительность. Вот моя внучка учится на театроведа, так она получила... неуд, не сумела ответить на вопрос профессора...

— Какой?

Мастер рассмеялся:

— Ну-ка, послушай. Значит, так. В 1544 году в Италии, в городе Падуя, открылся этот театр, получивший потом всеевропейскую славу. Он был возведен в форме овального помещения с ярусами для посетителей. И хотя зрители ломились в него толпой, ни один из корифеев не стремился на его подмостки, скорей наоборот — всеми силами оттягивали момент знакомства с великой сценой. Почему?

Я задумчиво пробормотала:

— Ну, просчет архитектора, «яма» в зале. Звук не «летит» со сцены, а «гаснет». Такое иногда случается.

Если не ошибаюсь, из-за этого закрыли оперный театр в Милане, пришлось итальянцам строить новый.

— Ну, — захихикал Ипполит Семенович, — не угадала. Хотя «яма» действительно встречается. Лично я не советую сидеть в Большом в десятом ряду, а Дворец съездов вообще одна сплошная беда... Давай, пробуй еще раз!

— Театр был открытым, и его заливало дождем и засыпало снегом, — выдала я.

Ипполит Семенович совсем развеселился.

— Снег! В Италии! Изумительное воображение! Еще версии есть?

— Нет.

— Вот и у моей внучки не было.

— И почему же актеры не хотели выступать на подмостках?

— Душечка, это был анатомический театр!

Секунду я переваривала услышанное, потом переспросила:

— Вы имеете в виду...

— Именно так, детка. В Падуе в 1544 году открылся первый в Европе анатомический театр, где проводили при большом скоплении народа вскрытие трупов.

Да уж, можно понять великих актеров! Я бы тоже не захотела исполнять главную роль в подобном действе.

ГЛАВА 23

Провертевшись всю ночь без сна, я приняла решение и засобиралась к милой девушке Федоре, владелице детективного агентства «Шерлок». Телефон у нее был наглухо занят, и я подумала, что быстрее будет добраться до конторы, чем дозвониться. Но сначала нужно было зайти к Володе в квартиру и притащить оттуда кварцевую лампу. Невесть как сей предмет оказался у майора. Предстояло забрать из роддома Ксюшу, и мне захотелось истребить в кварцевом свете все микробы.

Погремев ключами, я вошла в прихожую и чихнула. Явственно пахло сигаретами, вернее, окурками. Я сама курю нерегулярно и мало, но, как многие курильщики, терпеть не могу пепельницы, забитые бычками, кажется, в прошлый раз я выбросила все... Но нет, в комнате, на столе, стояла керамическая плошка с трупами сигарет. Я посмотрела на скомканные, желтые фильтры. Что-то в них было странное, но что?

Высыпав окурки в унитаз, я спустила воду, тщательно вымыла пепельницу, водрузила ее на стол, прихватила кварцевую лампу и ушла.

К агентству «Шерлок» я подкатила около одиннадцати утра. Размещалась контора не в фешенебельном месте. На огромном шестиэтажном здании по улице Подлипова висело штук сорок табличек: «Окна на заказ», «Фирма «Реал», «Двери из дуба», «Клуб «Тото», «Ассоциация любителей кошек» и «Общество братьев по разуму». Агентство «Шерлок» оказалось под самой крышей, и, судя по тому, какой обшарпанной выглядела дверь, дела у Федоры шли не лучшим образом.

Я постучала и, услышав веселое: «Входите!» — рванула дверь.

Перед моим взором возникло крохотное помещение с кукольным столиком и двумя малюсенькими стульями. Федора, сидевшая боком к огромному окну, подняла голову и радостно произнесла:

— О, ты надумала рожать щенков!

Вообще я не слишком общительный человек и при внешней приветливости и говорливости с трудом завожу новых друзей. То есть у меня нет никаких проблем с общением и я преспокойно начинаю разговор с незнакомым человеком, но сразу почувствовать его своим приятелем не могу. Должно пройти довольно длительное время, прежде чем я стану ощущать себя в присутствии кого-либо комфортно и прекращу без конца по-идиотски улыбаться. Но иногда случаются исключения, и симпатия вспыхивает стихийно, настигает, как первая любовь. Так и случилось с Федорой.

— И как, по-твоему, я могу родить щенков? — хмыкнула я. — В лучшем случае получится девочка, а в худшем — мальчик, только твой Лорд тут не помощник!

Федора расхохоталась и, вытащив из шкафа пачку чая, поинтересовалась:

— Любишь цейлонский? Извини, я не пью растворимый кофе, по мне — так жуткая дрянь. Я хотела поставить машинку для варки эспрессо, но, сама видишь, размеры кабинета таковы, что либо тут буду сидеть я, либо стоять кофеварка...

— Да уж, помещение маловато... Что же ты такое сняла?

— Так арендная плата соответствующая. «Шерлок» — новое агентство, пока широкой публике неизвестное, вот раскручусь сейчас и перейду на Тверскую, возле «Мариотт-отеля» есть очень симпатичный домик, правда, только трехэтажный, но пока мне хватит.

Я хмыкнула, но Федора казалась совершенно спокойной.

— А где сидят твои сотрудники?

Федора опять рассмеялась:

— У меня их нет.

— Как?

— Просто, пока работаю одна.

— Но у тебя на карточке написано, что ты являешься директором агентства!

— Правильно, «Шерлок» принадлежит мне, но ведь на визитке не указано, сколько в нем штатных единиц. Честно говоря, я не рассказываю об этом никому, но тебе признаюсь — пока тружусь одна, но скоро все изменится.

Я только хлопала глазами. Федора налила чай и, пододвинув ко мне чашку, сообщила:

— Я очень талантлива, умна и находчива. Вот сейчас веду сразу два дела и должна получить через пару деньков крупную сумму. То-то Плюшик обозлится!

— Кто это, Плюшик?

— А супружник мой. Между прочим, владелец агентства «Поиск». Вот уж у кого и здание есть, и сотрудников бешеное количество... Я к нему в свое время пришла наниматься, но видишь, что вышло... Замужем за предполагаемым хозяином оказалась. И ведь какой гад, только в загс сходили, мигом меня из конторы выпер. «Сиди, дорогая, дома, пеки блинчики». Видала идиота? Да у меня тесто никогда не поднимается, каша пригорает, молоко убегает... Ну, я и стала настаивать на работе. Не поверишь, как муженек поступил.

— Как?

— Велел охране не пускать меня в «Поиск»! А я знаешь что сделала?

— Что?

— Продала серьги бриллиантовые, все равно их носить нельзя, с ушами оторвут, и открыла «Шерлок»! Правда, заказов сначала не было, зато сейчас целых два! Да у Плюшика родимчик откроется, когда я возле «Мариотт-отеля» свою контору открою! Я ему нос утру! А у тебя что случилось? Если за мужем проследить, то извини, это неинтересно, я беру только заковыристые дела!

Я допила чай и сказала:

— Мне нужен твой совет, сколько я должна за консультацию?

Федора хихикнула:

— Советы я раздаю бесплатно, вот если нанимать меня решишь, тогда другое дело. Ну, в чем проблема?

Я глубоко вздохнула и, старательно воссоздавая детали, рассказала все.

— Да, — пробормотала Федора, — интересное кино. В общем, действовала ты правильно, я бы, наверное, тоже пошла тем же путем, но только есть одна деталь...

— Какая?

— Найти любовника этой Репниной трудно будет, сама говорила, что их немереное количество... А что, если взглянуть на ситуацию с другой стороны?

— Не понимаю...

— Господи, — выскочила из-за стола Федора, — ну это же очевидно! Ты решила, что неизвестный убийца, любовник Репниной, задумал избежать ответственности, подставив Костина. Но для этого он должен был знать Володю, понимаешь? Каким-то образом заполучить его кровь, разлить ее в квартире, испачкать полотенце...

— Но у нее под ногтями нашли кожные частицы Костина, а на лице Вовки красовалась царапина...

— Что еще раз говорит о причастности к делу очень, очень близкого знакомого...

— Но...

— Я никак не врублюсь, — вздохнула Федора, — ты считаешь его убийцей?

— Нет, конечно!

— Тогда прими версию о хорошем знакомом. И ищи убийцу не в окружении Репниной, а среди приятелей Костина. Знаешь его контакты?

Я пожала плечами:

— Кое-кого с Петровки, но, естественно, не всех. И потом, мы с Катюшей пару раз посмеялись над его бабами, и он начал скрывать любовниц.

— Ох, сдается мне, — протянула Федора, — что несчастную Репнину пристукнули только для того, чтобы засунуть за решетку Володю.

— А может, это связано с теми делами, которые он вел?

— Ну, и такое исключить нельзя, только кто же тебе позволит на них взглянуть?

— Если Славка вернулся из деревни, он поможет...

— Ну на это не рассчитывай!

— Нет, — с жаром произнесла я, — Рожков настоящий друг, он мне в Бутырке свидание с Вовкой устроил...

— Ну-ну, — пробормотала Федора и вытащила пачку «Собрания», — хочешь?

Я кивнула и выбрала зеленую сигарету. Легкий дым, кружась, потянулся к форточке. Внезапно хозяйка «Шерлока» стукнула себе ладонью по лбу:

— Боже, какие мы дуры!

От неожиданности я чуть не проглотила тлеющую сигарету.

— Почему?

— По твоим словам, «Московский комсомолец» дал статью о Костине?

— Да, отвратительный, подлый материал под названием «Мент позорный».

— И ты говоришь, начальник отдела, где прошла статья, не знал о смерти Володи?

— Нет, кстати, такой омерзительный тип, живо обрадовался, когда услышал о его кончине, небось быстро просчитал, что подавать в суд теперь некому!

— Понимаешь теперь, какие перспективы открываются? — радовалась Федора.

— Честно говоря, не очень.

Девушка взлохматила короткие волосы:

— Плохо мышей ловишь. Заведующий сообщил, что заметку написал внештатный автор?

— Да!

— Так вот нужно найти этого писаку и вытрясти из него информацию о том, кто заказал материал и предоставил нужные сведения. Сто против одного, что это и будет убийца! Или очень близкий к нему человек. Чего молчишь?

Я только моргала глазами. Ай да Федора, и как только я сама не додумалась до такого простого решения!

— Но как узнать все про журналюгу?

— Очень просто: устроишься на работу в редакцию.

— И кто меня туда возьмет?

— Ну уж не главным редактором же! — захихикала Федора и, мигом вытащив пухлый справочник, набрала номер. Я терпеливо ждала.

— Алло, — защебетала хозяйка «Шерлока», — здравствуйте. Скажите, вам нужна уборщица? А без трудовой книжки, по договору? Ну спасибо, сейчас прибегу!

Она швырнула трубку на подоконник и велела:

— Дуй на улицу 1905 года, там такое огромное, нелепое серое здание стоит, если к набережной ехать. Им поломойка нужна.

Я глянула на часы — пол-одиннадцатого. Успею оформиться на работу и потом съезжу за Ксюшей в роддом.

— Эй, погоди! — крикнула Федора.

Я притормозила.

— Что?

— Скоро я расширяться буду, мне понадобятся сотрудники... Хочешь работать у меня начальником отдела?

— Спасибо, подумаю.

— Вот, вот, подумай, — сказала Федора.

Я улыбнулась и ушла.

Езжу я очень аккуратно, правила не нарушаю, скоростной режим не превышаю, пьяная за руль не сажусь, поэтому я была крайне удивлена, когда на выезде из тоннеля, возле ипподрома, толстый красномордый страж дорог повелительно махнул черно-белой палкой и, коротко свистнув, велел мне остановиться. Недоумевая, что могла нарушить, я аккуратно запарковалась и посмотрела в боковое стекло. Опять полил дождь, у меня же, как у всех автомобилистов, нет ни зонтика, ни плаща, а на голове тщательно уложенная прическа, только высунусь на улицу — мигом превращусь в растрепанную курицу. Причем у птицы на теле, как правило, полно перьев, и даже вымокнув, она имеет приличный вид. У меня же с волосами беда. Вроде их и много, но они тонкие, абсолютно прямые и жутко непослушные. Если не уложить феном, вылив предварительно на шевелюру полфлакона геля, то я выгляжу ужасно... Нет, подожду тут, пусть постовой сам подойдет!

Раздался свист. Я приоткрыла дверь.

— Чего сидите, — крикнул мужик, — предъявите документы!

— Так дождь льет!

— Не сахарная, — буркнул мент.

— У меня зонта нет, а у вас плащ такой удобный, с капюшоном, может, сами подойдете?

— Я при исполнении, — не дрогнул мужик.

— Вот и исполняйте, идите сюда, кстати, я женщина, а вы представитель сильного пола, к тому же в сапогах, а я — в босоножках.

— На дороге все равны, — рявкнул славный представитель ГИБДД, — а ну, немедленно сюда с документами!

Пришлось выползать из теплой машины и по щиколотку в воде брести к наглецу. На дороге-то он хозяин!

Мент, укутанный с головы до пят, начал изучать документы. Ему, облаченному в плащ, сильно смахивающий на профессиональный костюм куклукскла-новца, дождик был нипочем. Я же мигом превратилась в драную кошку и залязгала зубами от холода.

— Откройте багажник!

— Зачем?

— Открывай давай!

Я выполнила требование.

— Где знак аварийной остановки?

— Вот.

— А огнетушитель?

— Под передним сиденьем.

— Аптечка?

— На заднем стекле.

— Хорошо, — процедил мужик, явно разочарованный тем, что не нашел нарушений.

Потом он тяжело вздохнул и осведомился:

— Ну так как? Решим дело миром или штраф отправишься оплачивать?

— Да что я сделала плохого?

— Перестроилась из ряда в ряд и не включила моргалку!

От негодования у меня пропал голос.

— Ну, — повторил постовой, — решай быстрей, некогда мне!

— Я на месте заплачу, сколько?

— Пятьдесят рублей.

— Много как! Столько у меня нет!

— А сколько есть?

— Сорок.

— Ладно, давай.

Я протянула служителю закона четыре десятки. Тот молча сунул их в крагу и двинулся на дорогу.

— Эй, — возмутилась я, — а квитанцию?

— Чего? — обернулся милиционер.

— Выпишите квитанцию, я же заплатила штраф!

Мент уставился на меня маленькими заплывшими глазками, торчащими на его красной роже, словно жареные тараканы, случайно попавшие в булку.

— Квитанцию? Так я не сберкасса! Это там тебе ее выдадут.

О, какой хитрый! Получается, я просто отдаю этому негодяю, продержавшему меня под проливным дождем, деньги, которые он, естественно, заберет себе! Купит после работы бутылку, а собаке колбасы! Нет, собаку он не держит, такие люди заводят скунсов или рептилий. Впрочем, опять неправильно. ТАКИЕ люди ненавидят животных!

— А ну отдавай мои деньги или выписывай штраф!!!

Ментяра выругался, швырнул мне скомканные бумажки и принялся корябать ручкой по бумаге. Я терпеливо ждала, пока он закончит процесс сложного взаимодействия с пишущим предметом.

— Еще пожалеешь, — пообещал постовой.

Я плюхнулась на сиденье и тут же почувствовала, как насквозь промокшая футболка прилипла к спине, а зеркало отразило дивную прическу. Честно говоря, наша кошка Пингва после банных процедур выглядит куда более привлекательно!

Задыхаясь от негодования, я покатила вперед и буквально через сто метров увидела вожделенную вывеску «Сбербанк».

Я патологически законопослушна, перехожу улицу только на зеленый свет, тщательно соблюдаю правила, вовремя плачу за квартиру и сразу же бегу в сберкассу, получив счет за телефонный разговор. Бумажка со словами «Просьба оплатить до...» нервирует меня ужасно, и беспечность Катерины, преспокойненько складывающей подобные «листовки» в ящик, меня даже раздражает.

Поэтому, схватив извещение о штрафе, я мигом кинулась его оплачивать.

В такую ситуацию я попала первый раз, и пришлось спросить у пожилой женщины в окошке:

— Штраф как платить?

— На столе образец, вот квитанция, — буркнула дама, не поднимая головы, — заполняйте — и в окно «Коммунальные услуги».

Я поискала глазами стол и увидела его у окна. На одном из стульев сидел мужик, возле которого валялась горка скомканных листочков. Я подошла к нему и попросила:

— Подвиньтесь, пожалуйста, мне тоже надо штраф заплатить.

— Не пошла бы ты на... — рявкнул мужик и смял еще один бланк.

Я тяжело вздохнула. Воспитание соотечественников оставляет желать лучшего. И вообще, если он такой идиот, что не может заполнить квитанцию, то при чем тут интеллигентная женщина, вежливо попросившая подвинуться?

Кое-как, одним глазом заглядывая в образец, я принялась оформлять банковский документ. Так, наименование получателя платежа, это просто, департамент финансов, дальше, ИНН получателя платежа...

Я уставилась на невероятное число 402800001765, но делать нечего. Прикусив от напряжения кончик языка, я переписала цифры и посмотрела на следующую строчку. Номер счета получателя платежа. Ох, и ни фига себе! 77101810000891700006! Кое-как я справилась и с этой задачей. Дальше пошло чуть легче: наименование банка и банковские реквизиты — МБАК СБРФ. Буквы всегда нравились мне больше цифр, поэтому я легко перенесла их на свой бланк. Но дальше начался кошмар. К/с 420008100819999433333, Бк 777778889000999... Пересчитывая цифры, я почувствовала, что медленно начинаю закипать. Они что, специально подобные числа выдумали? Но дело медленно двигалось к концу. Так, доп. код 248050009 и БИК... Бик? При чем тут шариковая ручка? Ура, мучения кончились, далее следовала дата и сумма платежа — девять рублей восемь копеек...

Утерев пот, я подскочила к окошку и сунула туда с трудом заполненный бланк вкупе с десяткой. Меланхоличная девушка взяла квитанцию и сказала:

— Я не могу принять этот платеж!

— Почему, — прошипела я, словно разбуженная зимой змея, — это по какому поводу отказ?

— Нужно заполнять обе части — извещение и квитанцию.

— Но ведь вторая часть останется у меня!

— Правильно, потом бог знает что накорябаете...

— Но...

— Таковы правила!

Последняя фраза заставила меня послушаться. Потратив двадцать минут, я завершила операцию, но служащая вновь отказалась принять бланк.

— Не могу принять такой платеж.

— Отчего на этот раз? — начала я новый раунд переговоров.

— Неверно указан номер счета получателя платежа!

— Я списывала с образца!

— Там не девять нулей, а десять, и последняя цифра 6.

— И ты заставила меня заполнять вторую часть, не сказав про счет?

— Я сразу не заметила, — пожала плечами девчонка, — переписывайте!

— А нельзя сверху пририсовать лишний нолик и переправить восемь на шесть?

— Вы что, дама? — Девушка чуть не выронила жвачку на стол. — Это финансовый документ, а не записка на холодильнике, серьезная вещь, доход государственной казны, переписывайте!

Скрежеща зубами, я вновь начала выводить бесконечные семерки и девятки. Но раздражение — плохой помощник, и когда я приволокла квитанцию к окну, выяснилось, что неверно указала таинственный БИК. Затем напортачила с неким ИНН получателя платежа, потом перепутала буквы Ф и Х... Одним словом, примерно через час-полтора, сидя над грудой разорванной бумаги, я горько пожалела о своей жадности. Уж лучше бы отдала мерзкому менту сорок рублей!

— Простите, — тронул меня за плечо мужик, тот самый, которого я просила подвинуться, — простите...

Меня воспитывали очень интеллигентные люди, папа — академик, мама — певица. Наверное, они знали бранные слова, но в нашем доме их никогда не употребляли. Самое большое, на что был способен отец, впадая в гнев, это, сильно покраснев, выкрикнуть:

— Ну какой гад!

Оказавшись в школе, я была предельно изумлена, узнав, что слово «гад», употребляемое папой в качестве страшного ругательства, на самом деле литературное, в зоологии даже существует целый раздел — гады.

Поэтому, став взрослой, я никогда не употребляю бранных слов, но, с другой стороны, и не осуждаю тех, кто это делает. И это опять же результат папиного влияния. Однажды отец, который хоть и был очень крупным ученым-ракетчиком, носил на плечах генеральские погоны, взял меня 7 ноября на Красную площадь, на парад. Когда мимо трибуны стройными рядами поехали специальные тягачи, на которых покоились страшные, толстые ракеты, стоявший рядом с папой красноносый военный, регулярно прихлебывавший коньяк из фляжки, толкнул отца локтем и прогремел:

— Ну, Андрюха... здорово наши... идут!

— Красиво смотрятся, — как ни в чем не бывало ответил папа.

Мне было 14 лет, и я возмутилась, правда, шепотом, вплотную придвинув губы к папиному уху:

— Зачем он так ругается!

Так же тихо папуля ответил:

— Он не ругается, Рыжик, он так разговаривает и не умеет иначе. Ну, беседуют же одни люди на французском, другие на немецком, а Иван Михайлович изъясняется матом! Считай, что он иностранец. — Все сразу стало на свои места, и с тех пор я никогда не сержусь на людей, употребляющих русский подзаборный, просто считаю их иностранцами. Но сама практически никогда не ругаюсь!

— Простите, — повторил мужчина.

Я вздрогнула и написала вместо семи девять. Дикая злоба ударила в голову.

— Не пошел бы ты на... — вылетело из моего рта, — опять переписывать, твою!..

Мужик горестно вздохнул:

— Простите, я вас тоже недавно послал! Понимаете, второй час сижу, давайте поможем друг другу.

Я осмотрела кучу скомканных бумажек.

— Ну и как это возможно сделать?

— Сначала я продиктую вам реквизиты, а потом вы мне!

Мысль показалась мне дельной, и мы приступили к художественному чтению. Дело и впрямь пошло быстро. Обрадованные, мы подскочили к окошку и сунули туда квитки.

Кассирша глянула на них и отшвырнула назад.

— Теперь что? — хором спросили мы с мужиком.

— Сумму штрафа надо указывать прописью!

Я оторопела, а парень примолк. Потом он очень медленно изорвал извещение, швырнул клочки на пол и сообщил:

— Государство, чиновники которого таскают доллары в коробке из-под ксерокса, не обеднеет, если не получит мою десятку.

— Ты прав, — радостно крикнула я, — ведь штраф можно просто не платить! И что с нами за это сделают?

— Ничего, — возвестил мужик.

— Тогда побежали.

Мы вышли на улицу. Дождь прекратился, и вовсю сияло солнце. Мужик влез в «Волгу» и крикнул:

— Уж извини, коли нагрубил!

— Ничего, — ответила я, открывая «Жигули», — сама хороша.

ГЛАВА 24

Как ни странно, дальше день покатился без приключений. В «Московском комсомольце» мне велели явиться завтра к десяти, и в родильном доме мы с ребятами без всяких проблем получили Ксюшу, судорожно сжимавшую в руках сверток, завернутый в коричневое одеяло. Кирюшка взял младенца.

— Давай сюда, понесу.

Я откинула угол кружевной пеленки и вздрогнула. На меня в упор смотрели Володины глаза. Стараясь не разрыдаться, я села за руль, и мы вмиг добрались домой.

Вечер прошел в семейных хлопотах. Несмотря на наши дружные протесты, Ксюша решила вертеть котлеты.

— Да здорова я, как корова, — отмахивалась девушка от наших предложений пойти полежать, —

раньше бабы в поле рожали, и ничего! Вы что, котлет не хотите?

— Очень, просто очень хотим, — заорал Кирюшка, — милая Ксюшенька, спасибо, Лампа тут совсем распоясалась, даже яичницу не делает!

Ксюша рассмеялась и стала бросать на сковородку аккуратные котлетки. Я сердито пожала плечами и ушла в Катину комнату. Там, вокруг слегка ободранной кроватки, сидела вся наша собачье-кошачья стая. Рейчел, заслышав скрип двери, издала тихий рык, но, увидав меня, тут же виновато замела хвостом.

— Правильно, — одобрила я, — охраняйте мальчика, сейчас коляску привезу.

Прихватив ключи от Володиной квартиры, я вышла на лестницу, открыла дверь и почувствовала запах табака. Надо же, никак не выветрится... Ухватив коляску, я толкнула ее к выходу и тут увидела на столе пепельницу с двумя окурками. Как странно! Я отлично помню, что вымыла плошку и уничтожила все бычки. Эти-то откуда взялись?

Недоумевая, я схватила вонючую пепельницу и уставилась на нее во все глаза, потом осторожно взяла желтый фильтр... Возле золотого ободка виднелась надпись: «Легкие» и цифры 21. Какие-то неизвестные сигареты, и это было уж совсем непонятно. Володя курил только «Парламент», честно говоря, немного дороговатый сорт для милиционера-бюджетника, но Костин, вытаскивая пачку, улыбался:

— Не пью, а обедаю раз в три дня, могу себя хоть любимыми сигаретами побаловать...

Я в задумчивости смотрела на воняющие окурки. У «Парламента» белый фильтр, а вчера в пепельнице тоже лежали желтые... Может, Володька перешел на другой сорт? Хорошо, предположим, это так, но майор мертв, сутки назад я лично опустошила пепельницы, и откуда взялись два окурка?

— Ламповецкий, — заорал Кирюшка, — беги скорей, а то все котлеты съем!

Я вытолкала коляску на лестницу и заперла дверь. Утро вечера мудренее, завтра подумаю над загадками.

Перед самым сном мы затеяли великое переселение народов.

— Лучше всего Ксюше пока пожить в твоей комнате, — глянула на меня Лиза, — там есть балкон.

— Правильно, — согласилась я, — очень удобно будет мальчика гулять выставлять, сейчас переберусь в Катюшину спальню.

— Бога ради, не надо из-за меня ничего затевать, — испугалась Ксюня, — балкон есть и на кухне!

— Но там северная сторона, — отмахнулась я, — а у меня восточная, солнечная, не спорь!

Дети кинулись передвигать кроватку, собаки, считавшие своим долгом караулить младенца, плотной стаей переместились на новое место. Успокоились мы только после полуночи, понаблюдав за последним кормлением новорожденного. К слову сказать, вел он себя очень тихо, скандалов не закатывал и все время спал, изредка издавая странное кряхтение.

Где-то в полпервого я погасила свет и уставилась на потолок. Сон не шел. Катюшина кровать жестче моей, и мне было непривычно лежать не на своем месте. К тому же Муля, всегда спящая у меня под одеялом и служащая хозяйке лучше любой грелки, сегодня решила заступить на ночное дежурство под кроваткой нового члена семьи и не пришла.

Я лежала, слушая мирные, ночные звуки. Вот закашлялся Кирюшка, протопала босыми ногами в туалет Лиза... Потом воцарилась сонная тишина, лишь изредка прерываемая глубокими, шумными вздохами. Это Рейчел поворачивалась с боку на бок; охраняя младенца. И раздавалось звонкое кап-кап-кап... В кухне подтекал кран, а мне все недосуг поменять прокладку.

Внезапно откуда-то долетел резкий звук, словно отодвинули стул. Я насторожилась. Наши спят без задних ног. Потом послышались тяжелые шаги. Я села.

Катюшина комната граничит с Володиной квартирой, звукоизоляция в нашем доме не из лучших, а в тишине звуки раздаются особенно отчетливо. Я вскочила и подошла к стене. В квартире майора кто-то был, ходил по комнате... Вор! Хотя что можно украсть у Костина? Только пепельницу! Окурки!

Я схватила ключи, выскочила на лестницу и осторожно вошла в Вовкины апартаменты. Увидев у окна черную фигуру, стоявшую спиной к двери, я мигом зажгла свет и крикнула:

— Стой, подними руки, стрелять буду!

Мужчина немедленно повиновался и обернулся. Я ахнула. На меня смотрел бутырский тюремщик Алексей Федорович, тот самый, к которому меня отправил Слава Рожков, когда устраивал незаконное свидание с Вовкой.

— Что вы здесь делаете? — выпалила я.

Алексей Федорович слегка растерянно ответил:

— Ничего.

Но я уже увидела на полу открытую спортивную сумку, а в руках Алексея Вовкину теплую куртку.

— Вы забираете вещи Костина?

— Ну, в общем, да, — замямлил парень.

— Как попали в квартиру?

Тюремщик показал ключи, которые болтались на белом пластиковом брелке в виде «Мерседеса».

— Но ведь это Володина связка, — воскликнула я, — мы подарили ему на 23 февраля брелочек, еще шутили, что преподносим «шестисотый». Отвечайте немедленно, где вы его взяли, а?

Алексей молчал.

— Ладно, — пригрозила я, — сейчас милицию вызову, между прочим, у меня есть тревожная кнопка, мигом патруль примчится.

— Не надо, — сказал мужик, — ключи мне дал Володя.

— Костин мертв.

— До смерти вручил.

— Зачем?

— Ну...

— Зачем?

— Он знал, что скоро скончается, — пробубнил Алексей, — чувствовал, наверное, вот и сунул ключи. «Спасибо, — сказал, — тебе, Лешка, за все, не жилец я, возьми на память обо мне куртку, брюки, пиджак, ну, вещи, в общем, а то их после моих похорон выкинут». Вот я и пришел за завещанным. Я человек бедный, зарплата копеечная, буду шмотки майора донашивать и вспоминать Костина.

Мне стало противно, и я невольно отступила назад.

— Но почему ночью?

— Так днем я на работе, пока туда-сюда, доехал из своего Бирюлева на трех автобусах, уже ночь нагрянула...

— Забирай все и уходи, — наконец пришла в себя я, — чтобы ноги твоей тут не было.

Алексей начал утрамбовывать шмотки.

— Ты и вчера приходил?

Тюремщик кивнул.

— Зачем?

— А ты откуда узнала о моем визите? — вопросом на вопрос ответил мужик, старательно застегивая «молнию».

И тут в квартиру вошел заспанный Кирюшка.

— Чего случилось-то? Встал воды попить, гляжу, двери все открыты... Пожар опять?

— Ну, я побег, — быстро сказал Алексей и ужом выскользнул к лифту.

Меня чуть не стошнило, когда до носа дошел запах его отвратительного одеколона.

— Чего случилось? — допытывался Кирюшка, отчаянно зевая. — Кто это был, а?

— Никто.

— А зачем он приходил?

— Холодно на улице, осень пришла, вот Володя и попросил, чтобы ему в Норильск теплые вещи прислали, — нашлась я.

— А-а-а, — протянул мальчик, — только вроде ты раньше говорила, что Костя в Воркуте...

— Какая разница! — обозлилась я. — Иди спать, утром в школу не встанешь.

— Как же этот человек ночью в аэропорт поедет? — любопытствовал Кирюшка, пока я запирала дверь.

— Никуда он не поедет, — рявкнула было я и призадумалась. И впрямь странно. Алексей только что говорил, как ему неудобно и далеко трястись из Бирюлева на трех автобусах, а потом убежал... Впрочем, ерунда, на такси небось сел. Хотя, если у него нет денег настолько, что он польстился на вещи покойного... И еще... У Володи все ключи висели вместе, на одном колечке: от дома, работы и... машины. Алексей показал связку, и я ясно заметила ключик от зажигания... Интересно, а где Вовкина машина? Правда, она не представляет никакой ценности, битая-перебитая, давно потерявшая всякий товарный вид... И все же? Быстрее молнии я мотнулась на балкон, успела как раз вовремя. Со двора, включив фары, выкатывался какой-то автомобиль. Было темно, и, естественно, я не могла распознать ни марку, ни цвет машины, увидела только два мощных пучка света, очень скоро пропавших вдали, но какое-то чувство мне подсказывало, что Вовка «завещал» Алексею не только одежду, но и «Жигули». Надо же, какие мерзавцы работают в органах! А квартира?!

Я побежала в гостиную, открыла секретер и нашла на полке документы на Вовкино жилье и завещание, по которому хоромы отходят мне. Слава богу, необходимые бумаги на месте, и никто не сумеет отобрать квартиру, которая должна принадлежать Костину-младшему. Кстати, а как мы его назовем?

С этой мыслью я рухнула в кровать, но не успела смежить веки, как раздался неприятный звон. Это ожил будильник. Лизе и Кирюшке пора было собираться в школу.

Вытолкав отчаянно зевающих и недовольных детей за порог, я схватила телефон и набрала домашний телефон Рожкова.

— Да, — послышался голос сонной Лариски, — кто это?

— Я, Лампа.

— Какая лампа? — пробурчала Лариска, очевидно, разбуженная моим звонком. — Тут не магазин электробытовых приборов, набирайте правильно номер!

— Я, Евлампия Романова, извини, что так рано, но мне очень нужен Славка.

— Зачем, — поинтересовалась, зевая, Лара, — зачем тебе понадобился мой муженек? Сделай милость, ответь!

Честно говоря, я терпеть не могу Лариску. Мне не нравится в ней все: старательно поддерживаемый хозяйкой образ куклы Барби, слишком короткие юбки, чересчур яркий макияж, ее нежелание читать что-то, кроме газеты «Экспресс», отвратительная манера жеманно присюсюкивать и широко распахнутые голубые глаза, на дне которых плещется плохо скрываемая злоба ко всему человечеству.

Еще меня очень удивляют их отношения со Славкой. Конечно, Рожков не лучший из мужей, и многие дамы, имевшие несчастье заполучить в мужья сотрудника МВД, скажут вам, что они бывают дома крайне редко. Праздники, дни рождения, всяческие семейные торжества, как правило, происходят без участия отца и мужа. Тот борется с преступностью за крохотную зарплату. И настает момент, когда обозленная женщина задает себе вопрос: а зачем мне это надо? И уходит. В среде работников правоохранительных структур чрезвычайно велик процент разводов. Как сказала бывшая жена Мишки Козлова, выставляя того за порог: «Мне надоело быть матерью-одиночкой, содержащей семейный пансион».

Поэтому у сотрудников Володиного отдела у кого один, а у кого и два развода за плечами. Но Славка Рожков живет с Ларкой пятнадцать лет. Правда, на мой взгляд, это нельзя назвать жизнью. Лариска жутко ревнива, а Славочка весьма охоч до женского пола. Раз по шесть в год они с визгом разъезжаются. Вернее, Ларка, сложив чемодан, отбывает к матери. Славка делает вид, что жутко переживает, но я-то знаю, что он потирает в восторге руки и приводит домой девочек. Но стоит Ларисе сообразить, что у муженька появилась новая пассия, как она мигом возвращается, и Славкина вольница заканчивается.

Я никак не могу понять, отчего они не разведутся. Ну неужели им нравится мучить друг друга бесконечными скандалами и придирками?! Ларка зовет Славку за глаза «долдон», а он величает ее «бензопилой». Если разобраться в возникшей ситуации, виноваты оба, но Славку я люблю, а Лариску просто не выношу, кстати говоря, она платит мне тем же...

— Так зачем тебе Славка понадобился? — зудела Лара.

— Очень нужен.

— В деревне он, картошку копает, отпуск у него!

— До сих пор?

— Твое какое дело? — тявкнула Лариса. — Не звони мне больше в такую рань!

Она шлепнула трубку. В то же мгновение в мембране раздался легкий шорох, щелчок, и раздались гудки. Кто-то слушал наш разговор по второму телефону и не успел отсоединиться одновременно с обозленной Лариской.

Я в задумчивости посмотрела на аппарат. Неужели Славка дома?

ГЛАВА 25

В «Московский комсомолец» я прибыла точно к назначенному часу и, получив ведро, швабру, пару тряпок и резиновые перчатки, отправилась на «помывочный фронт».

Если хотите что-либо тайно узнать об организации, лучше всего устройтесь туда поломойкой. Когда два начальника обсуждают деликатную проблему, не предназначенную для чужих ушей, они мигом замолчат, если в кабинет войдет сотрудник, и будут терпеливо ждать, пока он уберется вон. Но если в помещение, гремя ведром, вдвинется тетка в синем халате, никто и глазом не моргнет. Словно туда явилась живая швабра, к тому же слепоглухонемая. И это основная их ошибка. Потому что, как правило, уборщицы великолепно слышат и весьма болтливы. Но уж так устроен человек, он стесняется и опасается только тех, кого считает равным себе.

Я медленно бродила по помещениям, опустошая корзины с бумагой и протирая столы. Люди не обращали на меня никакого внимания, вокруг творился сумасшедший дом, все носились с выпученными глазами, разговаривали в основном криком и в таких выражениях, что мои уши просто отказывались верить.

— Знаешь, ты кто? — орал импозантный седовласый мужчина в дорогом пиджаке и золотых очках, — знаешь кто? Дура и... твою налево, кретинка... где материал про этого недоноска?.. Почему не сделала, твою...

Объект вопля — маленькая, тощенькая девчонка в драных джинсах — тряслась у письменного стола.

— Прости, Коля, забыла!

— Я тебе, шмакодявка... оторву и в... засуну, если через десять минут все не будет лежать в дежурной комнате!

— Уже бегу, — пролепетала девица, становясь еще меньше ростом.

Мне стало жаль девчонку. Почему она позволяет так с собой разговаривать?

Мужик, резко повернувшись, выматерился в последний раз и убежал. Девушка прекратила дрожать, преспокойненько причесалась и коротко бросила, глядя на закрытую дверь:

— Ты, Колька... И в гробу я тебя с... видела!

Я поволокла ведро дальше и, оказавшись в небольшой комнатенке, налетела на очередной скандал. На этот раз молоденькая дама, по виду чуть старше Лизаветы, наскакивала на благообразного дедульку, судорожно листавшего подшивку газет.

— А-а-а, — вопила девчонка, — ты, Ленька, сука!

— Не нервничай, лапушка, — отбивался дедок.

— Сколько ты мне за материал выписал, а? Глянь разметку! Три копейки? Я что тебе, бесплатно работать должна?

— Ну, кисик, — блеял старичок, — глянь сама, тут двадцать строк, о чем шум? Кто же больше за такой объем заплатит? Во всем мире два десятка строк ничего не стоят.

— Между прочим, — заявила девица, — Амалии Мелтер заплатили бешеные тысячи за семь слов! Озолотилась баба!

— Ты в своем уме, котеночек? — хмыкнул старик. — За какие слова! «Сегодня в автомобильной катастрофе погибла принцесса Диана!» Да Мелтер первая передала такую новость! А у тебя ерунда про выставку собак!

Дедок раздраженно стукнул кулаком по столу, поднял голову... и я поняла, что ему от силы тридцать лет, просто он выкрашен под седину и одет по-идиотски — в какую-то серую жилетку и грязную рубашку.

— Между прочим, — перла напролом корреспондентка, — в материале было триста строк, а осталось двадцать! Это как понимать, а? Вы обещали заплатить, а в результате?

— Отвали, — взвизгнул парень, — отцепись!

— Нет уж.

Юноша вскочил и вылетел в коридор, издавая вопль:

— Чтоб тебе пусто стало, кретинка!

Девчонка со всего размаха треснула ведро с водой ногой, обутой в ботинок на громадной платформе.

Красное пластмассовое ведро опрокинулось, и по полу побежали потоки грязной воды.

— Эй, — возмутилась я, — поосторожней!

Девица сфокусировала на мне злобный взгляд и неожиданно ласково ответила:

— Простите, бога ради, все Ленька, блин, он и святого Фому из себя выведет!

— Чем это ты так недовольна? — поинтересовалась я, бросая тряпку в лужу.

— Гонораром, — охотно пояснила девушка и вытащила «Вог». — Куришь?

— Давай.

Мы задымили, и девочка со вздохом пояснила:

— Целый день на выставке протолклась, просто конфетку сделала, и что? Сначала завотделом сократил, потом зам ответственного секретаря кусок вычеркнул, следом сам главный поглумился, ну а затем дежурная бригада взяла и смотри что оставила!

Она ткнула мне под нос газету, отчего-то всю исписанную черным фломастером.

— Вот, полюбуйся!

Я проследила за ее пальцем и уперлась взглядом в строчки: «В Москве открылась выставка пуделей...» Подпись под крохотной заметкой гласила: А.Котеночкина, но поверх материала чья-то твердая рука намазала черным цветом: «А.Терещенко. 20 рублей».

— Видала?

— Что это такое?

Девчонка отшвырнула сигарету.

— Разметка называется. Каждый материал, вышедший в газете, подлежит оплате. Ответственный секретарь пишет сверху сумму гонорара и кому его следует выписать, для бухгалтерии, понимаешь?

— Так ты А.Котеночкина? Тогда почему тут стоит еще и другая фамилия?

— Я Алена Терещенко, — вздохнула девица, — просто мне показалось стебно под собачьей выставкой как «Котеночкина» подписаться. Деньги-то не могут на Котеночкину выписать, такого человека не существует. У нас многие берут псевдонимы, а в разметке обязательно укажут подлинные данные...

— Значит, как бы ни был подписан репортаж, в бухгалтерии есть подлинные данные автора?

— Естественно, — фыркнула Алена, — это же деньги!

— А если, предположим, человек у вас не в штате?

— Ну и что? — удивилась журналистка. — Тоже получит заработанное.

— Как?

— В кассе.

— Но к вам пройти без пропуска нельзя!

— Тоже проблема, — засмеялась Алена, — вот ты, например, каким образом первый раз вошла?

— Ну, подошла к охраннику, а тот велел позвонить по внутреннему телефону, вышла девушка и провела меня.

— И в бухгалтерии так же делают: либо посылают кого-нибудь, либо пропуск выписывают или деньги по почте высылают.

Я подхватила ведро, сунула швабру под мышку, прошла в самый дальний угол коридора, влезла в большую комнату, где клубились люди, и тихо спросила у встрепанного парня:

— Можно по-местному позвонить?

— Вон, возьми красный, — ответил тот, — только недолго.

— А номер бухгалтерии не подскажете?

— 46-81, — буркнул мальчишка.

Я набрала цифры и услышала тихое:

— Слушаю.

— Девушка, вас беспокоит жена Константина Реброва.

— Слушаю.

— Он опубликовал в «МК» статью, а денег ему не заплатили...

— Какого числа был материал?

— В самом начале сентября.

— По какому отделу?

— Информации.

— Погодите секундочку.

Послышался шорох, потом тот же голос произнес:

— Гонорар отправлен по почте.

— Куда?

— Как — куда? Вам домой.

— Ой, девушка, а на какой адрес? Мы недавно переехали на улицу Павленко. У вас там что указано? Павленко, дом девять, квартира шесть?

— Нет, — ответила бухгалтерша, — Киселевский проезд, двенадцать, квартира девяносто пять.

— Вот незадача, — изобразила я крайнее расстройство, — и что теперь будет?

— Ничего особенного, деньги вернутся назад, отправим их еще раз, повторите адрес, я запишу.

Я быстренько отсоединилась и, бросив в коридоре у окна «инструменты» поломойки, понеслась к машине. Не зря говорят, что все тайное становится явным.

Киселевский проезд находился в Ясеневе. Поплутав между одинаковыми блочными домами, я вырулила прямо к нужному зданию и, поднявшись на двенадцатый этаж, позвонила в девяносто пятую квартиру. Высунулась девочка лет четырнадцати:

— Вам кого?

— Константина Реброва.

— А папа на работе.

— Подскажи, пожалуйста, адрес.

Девочка вздохнула:

— Не знаю.

— А телефон?

— Сейчас.

Она исчезла в квартире, не забыв бдительно закрыть дверь.

Через полчаса, изъездив почти весь район в поисках работающего автомата, я наконец-то обнаружила целую будку.

— Риелторская контора «Золотой ключ», — сказал женский голос, — все операции с недвижимостью, что хотите?

— Константина Реброва можно?

— Сейчас переключу, — сказала тетка, и я услышала противно повторяющуюся мелодию.

Наконец «концерт» замолк.

— Ребров у аппарата, — прогремел густой бас.

Я вздрогнула.

— Вы занимаетесь продажей жилья?

— Естественно.

— Мне порекомендовали к вам обратиться Ивановы, в этом году вы очень удачно избавили их от комнаты в коммуналке!

— Ивановы, Ивановы, — забормотал Константин, — что-то не помню, ну да это и неважно, что у вас за площадь? Кстати, продать или купить желаете?

— Продать, однокомнатную...

— Метраж?

— Может, подъедете посмотреть?

— Завтра в девять утра устраивает?

— Отлично.

— Давайте адрес.

Я объяснила ему, как добраться до квартиры Костина, и, ликуя, помчалась домой. В душе все пело от радости. Завтра этот негодяй, балующийся написанием клеветнических статей, явится ко мне сам. Такую удачу следовало отметить, поэтому я притормозила возле оптушки. Куплю чего-нибудь вкусненького, такого, что не приобретаю каждый день, шоколадные конфеты, например. Насколько помню, недалеко от входа есть ларек, в котором торгуют продукцией фабрики «Красный Октябрь», а Кирюшка и Лизавета обожают грильяж.

Сунув кошелек в карман куртки, я прижала его локтем к себе и вошла в толпу. Очень хорошо знаю, что не все люди явились сюда с желанием купить дешевые и качественные продукты. Кое-кто толкается тут в надежде заполучить чужой кошелек. Но я тоже хитрая и изо всех сил придерживала свои денежки.

Грильяж оказался свежим, цена, правда, не радовала, но триста грамм конфет я все же купила и медленно пошла назад, разглядывая дивные вывески, которыми были украшены ларьки. «Самая лучшая рыба у нас», «Вкуснее мяса нет нигде», «Наши калачи прямо из печи»... А вот эта еще смешней: «Свежее молоко от производителя». Насколько понимаю, «производит» молоко корова, и каким образом оно может быть у нее несвежим? Но больше всего мне понравился плакат, гордо реющий над грузовиком, кузов которого был забит картонными коробками: «Ваши яйца здесь».

Развеселившись, я посмотрела вокруг. Народ хватал продукты, не обращая внимания на «наружную рекламу». На лице покупателей не было видно улыбок. Никто не смеялся, прочитав «Мясо России» или «Курица — друг желудка». У людей начисто отсутствует чувство юмора.

Тихонько хихикая, я вышла на проспект и у центрального входа на рынок увидела маленькую, остромордую, рыжую собачку, похожую на карликовую лисичку. Она не выглядела бездомной. Шерстка казалась чисто вымытой, а пушистый хвостик кто-то явно не так давно расчесывал. Небось потерялась, бедолага.

Я присела возле нее на корточки и посмотрела на шею собаки. Так и есть, ее украшал красивый светлый ошейник, очень похожий на кожаный. Я протянула руку, чтобы посмотреть, не написан ли на нем где-нибудь адрес.

Собачка затрясла хвостиком и заскулила.

— Не плачь, миленькая, хозяин сейчас спохватится и придет за тобой, — попыталась я утешить «лисичку».

Та неожиданно упала на животик и стала тыкаться мокрым носиком в мои ладони. Я погладила шелковистую шерсть. Ласковая, явно домашняя, собака тихонько стонала. Потом вдруг засунула остренькую мордочку сначала в один карман моей куртки, потом в другой.

— Есть хочешь? Извини, в карманах нет ничего, только кошелек, а он тебе без надобности, — произнесла я.

Наверное, надо вернуться на оптушку и купить несчастному одинокому песику еды. Или, может, взять ее с собой? Такая милая, просто лапочка, совсем крохотная...

В этот момент собачка вытащила морду из моего кармана, краем глаза я отметила, что у нее в зубах мой кошелек, и улыбнулась.

— Давай сюда, не пойдешь же сама за мясом!

Но собачка резво вскочила на лапы и понеслась вперед, унося мои деньги. Пушистый хвост развевался по ветру. Я в шоке смотрела ей вслед. Рыжая шерстка мелькнула в толпе и исчезла. Из хлебного ларька высунулась баба.

— Она у вас кошелек скоммуниздила?

Я в обалдении кивнула головой.

— Вот дрянь, — с чувством произнесла торговка, — кто-то ведь ее выдрессировал! Не первый раз это проделывает! Я раньше в мясе торговала и там ее приметила, а теперь здесь, значит, промышляет. А хитрая какая! К мужикам не подходит, только к женщинам! Ластится, повизгивает, ну ее и начинают гладить... Поймать бы и придушить!

— За что же собаку-то убивать? — вздохнула я. — Она не виновата, ее научил человек.

— Ну и сиди без денег, коли такая умная, — обозлилась баба и исчезла в ларьке.

Дома я не стала рассказывать детям и Ксюше, что меня обворовала маленькая, размером с ладонь, собачка. Представляю, как бы они начали издеваться. Впрочем, ребятам было не до меня. К Лизавете пришли подруги, а Кирюшка с воплем: «Бывают же такие сволочи, что задают бедным школьникам доклады на дом!» — засел в своей комнате, обложившись словарями и справочниками.

Ксюша, успевшая испечь большой пирог, тихо напевала в своей комнате какую-то мелодию. Младенец молчал, все собаки, кроме Мули, сидели возле крохотного мальчика. Их страстная любовь к новому члену семьи стала превращаться в проблему. Сегодня днем, по словам Ксюши, когда из поликлиники явилась районный педиатр, Рейчел и Рамик подняли такой лай, что пришлось запирать их в туалете. Ада, правда, не рычала на доктора, зато она непонятно как ухитряется залезать в кроватку к новорожденному и, очевидно, принимая младенца за щенка, укладывается рядом с твердым намерением если не покормить, то хоть согреть малютку. И только у Мули аппетит взял верх над любовью, в это время мопсиха сидит на кухне и с вожделением смотрит на невероятно вкусно пахнущий пирог, который Ксюша предусмотрительно поставила остывать не на стол, а на подоконник.

Я ушла к себе в спальню и набрала домашний телефон Славы Рожкова.

— Да, — рявкнула Лариска, — говорите, чего надо!

Надо же быть такой противной! Даже если очень нужно, не станешь разговаривать с ней! Быстро отсоединившись, я позвонила на работу Рожкову.

— Козлов, — прогремело в голове.

Меньше всего мне хотелось общаться с мерзким Михаилом, поэтому, зажав пальцами нос, я прогнусавила:

— Позовите майора Рожкова.

Я уже собралась, услыхав ответ: «Он отсутствует», спросить: «Когда вернется?», но в ту же секунду до слуха донесся бодрый баритон:

— Рожков слушает.

От неожиданности я чуть не уронила трубку.

— Славка! Ты на месте!

— Кто говорит? — сурово поинтересовался приятель.

Тут до меня дошло, что я до сих пор сжимаю нос пальцами. Отпустив ноздри, я ответила:

— Не узнал? Лампуша.

— Ты? Что случилось?

— Ничего, поговорить надо.

— О чем?

— Давай приеду прямо сейчас!

— Куда?

— Ну, к тебе на работу, — терпеливо объяснила я.

— Поздно уже, — попытался ответеться Славка, — может, по телефону скажешь? Извини, я домой собираюсь, Лариска небось злится...

— Между прочим, она утром сказала, что ты в деревне картошку копаешь, врунья!

— Да нет, — стал оправдывать жену майор, — я и правда только в десять явился, уже после твоего звонка прямо на работу отправился.

— В грязных джинсах, кроссовках и куртке? — не утерпела я. — А откуда ты узнал, что я звонила до десяти?

Славка запнулся и быстро выдал:

— Ну, Лампа, ты чисто КГБ, свет в лицо, говори только правду! И вовсе не в грязной одежде. Между прочим, до бабушкиной деревни полтора часа на электричке! Что мне, как бомжу, в поезде ехать? Взял с собой чистый костюмчик, а насчет звонка... С Лариской поболтал, она и сообщила, что ты ее разбудила! Между прочим, жутко злилась!

Эка новость, да Лариса злобится по любому поводу. Она на редкость не владеет собой и никогда не бывает приветливой с теми, кто ей не нужен. Ну представьте такую ситуацию. Вы пришли с работы, заварили чаек и решили поваляться у телика в не слишком глаженном халате. И тут бац — звонок! Пришли гости с малолетним ребенком! Как вы поступите? Наденете на лицо улыбочку, посадите нежданных визитеров за стол и станете потчевать их чаем, усиленно изображая радость от встречи!

Так поведут себя девяносто девять людей из ста, но только не Лариска. Распахнув дверь, она окинет вас недовольным взглядом и гаркнет:

— Ну и что надо? Между прочим, я никого не звала!

Хотя подобная ситуация вряд ли приключится с Ларой, потому что у нее нет приятелей, способных вот так просто, на огонек, заявиться к ней в свободный вечер. Честно говоря, у нее вообще нет друзей.

— И я совершенно не понимаю, — докончил Славка, — ты о чем говорить собралась? О картошке?

— Нет. Можешь узнать, какие дела вел Володя перед смертью?

— Зачем?

— Надо.

— Это не ответ.

— Я точно знаю теперь, что Вовка не убивал Репнину, его подставили, и думаю...

— Сейчас приеду, жди, — коротко бросил Славка и отсоединился.

ГЛАВА 26

Я вылезла из халата и натянула джинсы. Рожков — наш хороший приятель, но все же мы не настолько близки, чтобы предстать перед ним в неглиже.

Славка на этот раз не соврал, он, наверное, и в самом деле собирался уходить, потому что не прошло и получаса, как раздалось треньканье дверного звонка. Собаки вылетели в прихожую, Рожков быстро погладил их по головам. В отличие от Лариски Слава старается быть милым и придерживается принципа: «Любишь человека, люби и его игрушки». Я точно знаю, что он не слишком хорошо относится к животным, но, появляясь у нас, Славик всегда изображает полный восторг при виде псов. Правда, наша стая к нему равнодушна и особой преданности не выказывает. Говоря языком дипломатии, между Рожковым и собаками вежливый нейтралитет. На кухне я налила ему чай и спросила:

— Ну, узнал про дела?

Славка медленно вытащил сигареты.

— Расскажи сначала о своих соображениях.

Я вздохнула и выложила почти все, что узнала. Рожков спокойно докурил, раздавил окурок в пепельнице и сказал:

— Лампуша, я великолепно понимаю, как тебе тяжело, более того, мне бы тоже хотелось, чтобы Вовка оказался невиновен, но, увы, факты говорят обратное.

— Ты не понял, — с жаром кинулась я в атаку, — Антон Селиванов, ну тот, что «утопил» Володьку своими показаниями, наврал. Он не сказал ни слова правды, а потом погиб, выключая духовку! Оцени странность! Парень, который питался в ресторанах, решил испечь курицу!

— Ну и ничего особенного! Небось баба в гостях была, попросила вытащить сковородку. Меня Ларка всегда заставляет все из духовки вынимать, обжечься боится! — спокойно пояснил Слава.

— А потом убежала, увидав, что любовник упал? Да я бы...

— Ты бы вызвала «Скорую», — подхватил Рожков, — а эта удрала. Люди разные.

— А зачем он врал про Вовку? И потом, баба, которая могла подтвердить его алиби, Надежда Колесникова, ну, та самая, с которой он вроде провел последние дни, она тоже врала и тоже погибла от удара током, правда, не из-за духовки, а в результате поломки посудомоечной машины... А статья в «МК»?

Рожков тяжело вздохнул.

— Лампуша, извини, но ты многого не знала...

— Чего?

Славка опять вздохнул:

— Поверь, Вовка отнюдь не был ангелом, просто вы видели его с одной стороны, дома...

— Что-то я тебя не понимаю...

Славка потер затылок.

— Ну просто прими за аксиому, что Володька на самом деле не безгрешен. Хотя о мертвых плохо не говорят!

— Быстро договаривай!

Рожков побарабанил пальцами по столу.

— Ладно, сама захотела. Только извини, если услышишь не слишком приятные сведения.

— Валяй!

— Помнишь, откуда у Володьки автомобиль взялся?

— Нет. Купил, наверное.

— А деньги где взял?

— Ну, на такой кабриолет и насобирать мог, — рассмеялась я, — невелик расход. Сам знаешь, что за тачка! Сплошные вмятины, просто труп, даже непонятно, как она ездит!

— Вот тут ты не права, — покачал головой Славка, — при том, что внешний вид у «Жигулей» еще тот, движок там стоит отличный. На трассе эта машина запросто идет под двести километров, птица! Такими тачками частенько криминальные структуры пользуются, чтобы подозрение не вызывать. Роскошный «мерс», шикарный «БМВ» слишком привлекают внимание, а раздолбанные «Жигули» — да кому они нужны! Но такая хитрая машинка любую иномарку уделает. Стоит «загримированный «жигуль» хороших денег, и у Вовки как раз и была такая. Самый что ни на есть бандитский вариант! К тому же еще и с шинами «Пирелли».

Я потрясенно молчала. Действительно, в ноябре прошлого года Володькина доходяга «обулась» в роскошную резину. Майор пояснил мне:

— Покрышки — вещь необходимая. Да я лучше месяц жрать не стану, но «лысые» протекторы поменяю.

А теперь выясняется, что у него стояли «Пирелли», насколько я знаю, почти сто долларов стоит одно колесо!

— И где же он взял деньги? — вырвалось у меня.

— Ну, насчет резины не знаю, а машину ему Колька Гнус преподнес.

— Кто?

— Колька Гнус, бандит. Попался на нехорошем деле, уж извини, в подробности вдаваться не стану, только светило парнишке пятнадцать лет с конфискацией. Все улики против него, Вовка дело вел. А потом — бац, все и развалилось, да и другой подозреваемый появился, некий Федорчук. Он и сел потом, а Гнуса с извинениями из СИЗО выпустили... Ну и через неделю Вовка «жигулевич» получил. Так-то вот!

— Ты хочешь сказать...

Славка развел руками:

— Се ля ви, или такова жизнь, как говорят французы. Все мы не безгрешны. И потом, подумай, Костин, с одной стороны, всегда подчеркивал, что взяток не берет, закон соблюдает твердо. А с другой... У него всегда водились денежки.

Я молчала, в голову лезли непрошеные воспоминания. Вот майор вваливается в квартиру, обвешанный пакетами. Конфеты детям, мясо собакам, детективы мне, банка дорогого чая для всех... А вот привозит мешок корма для псов, да не какой-нибудь, а самый первоклассный — «Роял Канин». На мой день рождения он принес нехилый подарок. Супермодные духи «Огненный шар» от Мияки. Я чуть не скончалась, увидев потом случайно в парфюмерии цену — три тысячи. Неужели Славка прав?

— Естественно, я всего не знаю, — спокойно сообщил Рожков, — но кое о чем догадываюсь. А журналист этот, как его там зовут...

— Константин Ребров, только он отчего-то работает в риелторской конторе.

— Не в этом суть, небось на жизнь зарабатывает, а в газетках для души пописывает, так вот сей Ребров просто раскопал факты!

— Но там есть про четырехкомнатные хоромы!

— Ты уверена, что их нет? А ведь Володька частенько не ночевал тут, рядышком, за стенкой!

— Он оставался у своих баб или сидел в засаде!

Славка ухмыльнулся:

— Ну, засады случаются не так уж часто, а насчет баб... Извини, Лампа, но твоя наивность поражает!

Я потрясенно спросила:

— Что же теперь делать?

— Немедленно перестать активничать, — пояснил Славка, — а то, желая восстановить доброе имя Костина, ты такое откопаешь, что и сама рада не будешь!

— Нет!

— Как хочешь, — вздохнул Рожков, — только я бы не стал. Впрочем, поступай как знаешь. Володька мертв, знаешь, отчего у него сердечный приступ в Бутырке приключился?

— Нет!

— Следователь сказал, что он затребовал из архива дело Гнуса, ну, по которому Федорчука посадили... Вовка и съехал с катушек. И бабу эту, Соньку Репнину, он убил! У трупа под ногтями нашли кожные частички, а у Вовки царапина на морде. Между прочим, эксперт ногти Репниной при мне состригал.

— Ты там как оказался?

Славка хмыкнул:

— На труп приехал, а когда правда вырисовываться начала, от дела отказался, не имел права его вести, раз главный подозреваемый — лучший друг. Понятно?

Я обалдело кивнула. Вот это ясно, а все остальное выглядит, как дурной сон.

Думаю, не стоит упоминать о том, что ночь я провела без сна, ворочаясь в раскаленной кровати. В голове роились невероятные мысли.

Мы познакомились с Володей, когда майор вел дело моего бывшего мужа. Не знаю почему, но симпатия возникла сразу, потом она переросла в дружбу, но что я на самом деле знаю о Костине?

Так, он не любит сосиски и геркулесовую кашу, равнодушен к выпивке, зато обожает дорогие сигареты, пользуется успехом у женщин... Еще не берет взяток и увлечен работой! Но! Но об этом он сам говорил!

Вдруг Славка прав? Володя не очень-то любил распространяться на тему о своих служебных делах...

Дела! Кстати, Рожков уехал, так и не ответив на мой вопрос о том, чем занимался Вовка в дни перед арестом.

Мне стало жарко, и я встала, чтобы распахнуть окно. Господи, вдруг Славка прав?! Что же мне делать тогда? И вообще, если признаться честно, давным-давно я запуталась и тычусь носом в разные стороны, как слепой котенок. Сначала разрабатывала версию об убийце-любовнике Сони, начала копать и бросила. Например, совершенно забыла побеседовать с генералом Пантелеевым Петром Валерьевичем, чья жена, заявившись в цветочный магазин «Лилия», извозила соперницу, красавицу Сонечку, в навозе. Ну выпал у меня из памяти этот случай! Забыла я о нем начисто! Может, господин Пантелеев, разозлившись на Соню, и прирезал ее, может... Я села у окна. Нет, Лампа, милейший Петр Валерьевич, беспрекословно заплативший гигантскую сумму, затребованную директрисой Натальей Константиновной, бравый генерал, отсчитавший сверх потребованных денег еще пятьсот баксов для возмещения морального ущерба Репниной, явно хотел решить неприятное дело миром. Есть такие мужчины, которым легче всего раскрыть кошелек и выстелить дорогу из зеленых купюр. Они полагают, что большинство проблем легко можно устранить ковром из долларов... Впрочем, частенько подобная тактика приводит к успеху. С тех далеких пор, когда пронырливые финикийцы додумались ввести всемирный эквивалент, деньги стали желанным объектом для многих и многих людей. Тысячи человек сделают ради хрустящих бумажек все! Тысячи, может быть, сотни тысяч, но отнюдь не все население земного шара! К счастью, есть еще среди нас такие мужчины и женщины, для которых слова «любовь», «честь», «долг», «верность», «порядочность» не просто сочетание звуков и букв... Этих людей много, и они часто приходят нам на помощь.

Вот вчера, совершенно случайно включив телевизор, я зацепилась взглядом за передачу «Дорожный патруль» и в изумлении просмотрела репортаж. Две машины ехали навстречу друг другу. Одна, которой управлял не совсем трезвый человек, вылетела на полосу встречного движения и со всей силы врезалась лоб в лоб в другую. У иномарки, нарушившей правила, начал вытекать из бака бензин, полупьяный виновник происшествия, зажатый в салоне, не мог самостоятельно выбраться. Господь явно замыслил сжечь его живьем. И тогда водитель пострадавших «Жигулей» кинулся вытаскивать того, кто изуродовал его тачку. Кое-как он выволок алкоголика наружу и оттащил к обочине. Кстати, очень вовремя, разлитое топливо вспыхнуло, и огонь мигом охватил машины. Маленькая деталь: у того, кто поспешил на помощь, была... сломана нога. Уж как он ухитрился с перебитой ногой носиться по шоссе, спасая того, кто причинил ему физический и моральный ущерб, я не понимаю, но твердо знаю: такой человек не предаст друга ради зеленой ассигнации!

И Володя Костин не мог брать взятки и покупать тайком от всех квартиры и машины, ну нехарактерны такие поступки для его личности. Славка ошибается!

Я захлопнула окно и глянула на часы: семь сорок, пора вытаскивать Кирюшку с Лизаветой из уютной постели. Я распахнула дверь комнаты Лизаветы и крикнула:

— Эй, пора вставать! — и неожиданно приняла решение.

Так, скоро явится Константин Ребров. Допрошу мужика с пристрастием. Пусть расскажет, кто дал ему информацию о Вовке, я поеду к этой личности и потребую показать мне четырехкомнатные хоромы и джип, принадлежащий Костину. Я поверю в этот бред только тогда, когда увижу все это собственными глазами.

ГЛАВА 27

Ребров оказался точен, как Восточный экспресс. Ровно в девять ноль-ноль раздался звонок в дверь Вовкиной квартиры. Я открыла. На пороге стоял маленький, щуплый человечек, по виду смахивающий на тринадцатилетнего мальчишку.

Константин, очевидно, знал о производимом впечатлении, потому что изо всех сил старался быть солидным. Щеки и подбородок мужика украшала черная растительность. На носу сидели дорогие очки в модной оправе, а тело было задрапировано в длинный, почти до пят, темно-синий кожаный плащ. Но все старания пропали втуне. Выглядел он как подросток, загримированный под взрослого дядьку, — смешно и нелепо. Единственно, что в нем было приятным, так это голос — густой, сочный бас. Хотя, согласитесь, подобный экземпляр должен был изъясняться дискантом.

— Вы Евлампия Романова? — прогремел Ребров.

Я кивнула и пригласила его войти. Константин начал бродить по квартире.

— Ремонт делали не так давно, — завела я, — сантехнику меняли...

— Это без разницы, — ответил агент.

— Ну как же...

— Да просто, тот, кто купит, под себя переделывать начнет, важно другое!

— Что?

— Месторасположение дома, этажность, метраж, наличие мусоропровода и телефона, высота потолка, санузел какой, раздельный или совмещенка, — методично перечислял Ребров и вынес вердикт: — Тысяч за двадцать пять можно попробовать поставить, если желающих не найдется, станем снижать цену. Вы как хотите, через агентство или мне доверите?

— Разве вы не в риелторской конторе служите?

— В «Золотом ключе», — улыбнулся Константин, — только иногда беру «левых» клиентов. Да и вам выгодней получится. В агентстве тысячу долларов заплатите, мне же только пятьсот, можете не волноваться, все сам сделаю, документы соберу, вам лишь останется денежки получить, даже выписываться не придется, только паспорт дайте.

— Я здесь не прописана, квартира досталась мне по наследству.

— Давно?

— В начале сентября брат умер.

— Ну, — поскучнел Ребров, — в течение полугода вы с этой жилплощадью ничего сделать не сможете. Очень жаль. У меня клиент сейчас есть, такую однушку хочет, в этом районе, но, видно, не судьба.

— Кофе желаете? — вежливо предложила я.

Константин глянул на часы.

— Давайте глотну. Холод какой на улице, словно не сентябрь, а конец ноября.

Мы уселись на кухне. Ребров оглядел голое окно, разномастные кружки, стол, не покрытый ни клеенкой, ни скатертью, и заявил:

— Холостой небось брат-то ваш был. Неуютно жил.

— Угадали, — ответила я, — женой Вова не успел обзавестись.

— Молодым, что ли, помер?

— Первого октября бы сорок исполнилось.

— Да ну? Чего же приключилось? Рак? Или в аварию попал?

— Он покончил с собой, в тюрьме.

— Извините, — тихо сказал Ребров.

Я отставила чашку и накрыла своей ладошкой его противно потную ручонку.

— А вы знали моего брата!

— Быть того не может, — дернулся Ребров.

— Может, — ответила я, — смотри сюда, Константин.

Агент как завороженный уставился на меня. Я покачала перед его носом ключом, висевшем на простом колечке.

— Что это? — тихо спросил Ребров.

— Ключи от квартиры, где мы сейчас сидим, — мило улыбнулась я, — дверь заперта, а теперь гляди. — Со всего размаха я зашвырнула ключики в открытую форточку.

— Это чего, зачем? — начал заикаться Константин.

— А затем, мой ангел, что ты не уйдешь отсюда, пока не расскажешь, кто велел тебе оболгать майора Костина и написать пасквиль под названием «Мент позорный».

Агент сравнялся цветом с холодильником.

— Вы... вы...

— Я сестра Володи Костина, родная. Майор попал по ложному обвинению в Бутырскую тюрьму. В камеру принесли помойную газетенку с твоим опусом. И брат покончил с собой. Между прочим, оставив записку: «Прошу винить в моей смерти Константина Реброва, извалявшего в грязи честное имя майора Костина». Кстати, имей в виду, что только от меня зависит, давать или не давать ход делу о доведении до самоубийства.

Трясущимися руками Ребров достал сигареты и зажигалку.

— Впрочем, — решила я слегка успокоить его, — если расскажешь всю правду про того, кто заставил тебя написать вранье, то я привлеку к ответственности не тебя, а его! Ну, колись, откуда получили «жареные факты»?

Ребров не только внешне был похож на мышь. Душа у него тоже оказалась мышиной.

— Что такое? — забормотал мужик, нервно раскуривая «Золотую Яву». — Все правда, ни слова лжи.

— Да ну, — хмыкнула я, — ой ли?! Сам только что по квартире бродил да удивлялся, что неуютно тут. Где же здесь четыре комнаты с евроремонтом, а? Где мебелишка дорогая? Ну, предположим, кожаный диванчик, хрусталь, картины и ковры я вывезла, но комнаты-то, комнаты где? Чего молчишь?

Константин подскочил на стуле.

— Так не об этой квартире речь шла!

— А о какой?

Ребров молчал, судорожно разминая в пепельнице окурок.

— Давай, говори, — злилась я, — если где еще апартаменты у брата были, то мне только лучше. Четыре комнаты дорого стоят, разом все свои проблемы решу! Что воды в рот набрал? Сказать-то нечего, ну и паскуда ты, дрянь просто. Из-за тебя человек погиб, хоть это понимаешь? Нет и не было у Вовки шикарных теремов!

— А вот и были, — взвился Ребров, — нечего меня оскорблять, я лично внутрь заходил, все как есть описал! Кухня итальянская, в ванной джакузи, на окнах бархат, шкафы-купе с зеркалами, диваны с креслами из лайки, на полу туркменские ковры ручной работы, а в баре сплошь французский коньяк да шотландское виски...

Я разинула рот. Чего-чего, а такого поворота событий не ожидала.

— В подземном гараже у него джип стоит «Линкольн Навигатор», — пошел в наступление мозгляк, — не копеечная машинка, мне на такую всю жизнь работать надо.

Я растерянно выдавила из себя:

— Но Володя ничего не рассказывал!

Заморыш хмыкнул:

— Ну, нашла аргумент. Небось боялся, что узнаешь про деньжата и сядешь на шею. Родственнички все такие подлые. Мои, к примеру, как почуют, что у сына и внука в кармане монеты звякают, живо клянчить принимаются. Лекарства им купи, еды, сладкого да кислого. Так что я хорошо этого майора понимаю, для себя пожить хотел, опять же афишировать доходы не собирался, отпускник!

— Кто, — не поняла я, — почему отпускник?

Константин мерзко захихикал:

— Анекдот не знаешь? Ну слушай тогда. Стоят рядом два шикарных каменных дома с садом и бассейнами. Хозяева на скамеечке сидят. Один говорит:

«Ну, у меня понятно, откуда деньги, я владею нефтяной скважиной, но ты где средства на сладкую жизнь берешь? Ведь работаешь прокурором, так откуда доходы? Зарплата небось копеечная!»

Прокурор отвечает:

«Жалованье и впрямь копеечное, а вот отпускные хорошие, на них живу».

«Да ну? — удивился нефтяной магнат. — Неужели при ерундовом окладе такие отпускные бывают?»

Прокурор только ухмыльнулся:

«А это смотря кого отпускать!»

Ребров тихонечко засмеялся:

— Поняла? Видать, у твоего брательника отличные отпускные имелись.

Подавив припадок злобы, я спросила:

— И кто же тебе про Костина рассказал? И вообще, как ты оказался журналистом, если работаешь агентом?

Ребров молчал.

— Чего язык проглотил?

— Некогда лясы точить, в три часа люди придут договор подписывать, мне пятьсот баксов принесут, между прочим, я живу на комиссионные.

— Очень жаль, — вздохнула я, — но я уже сказала, что ты не выйдешь отсюда, пока все не расскажешь. Плакали твои денежки, другому достанутся, тому, кто сегодня подсуетится.

— Да говорить нечего, — возмутился Константин, — я подрабатываю в риелторской конторе, на гонорары не прожить...

— Давай-ка, дружочек, по порядку, — велела я, — кстати, только от тебя зависит, когда отсюда вырвешься.

— И как ты дверь без ключа откроешь? — неожиданно оживился карлик.

— Не твое дело, говори быстро.

Ребров тяжко вздохнул и решился:

— Тут никакого секрета и нет, ничего противозаконного я не делал.

Наверное, он очень хотел получить свои комиссионные, потому что быстро-быстро рассказал всю свою биографию.

Тягу к печатному слову Костик испытывал всегда, ну, нравился ему до дрожи процесс вождения ручкой по бумаге. Именно ручкой, потому что на компьютер денег у него нет. Ребров рано женился, обзавелся двумя спиногрызами и лишней копейки никогда не имел. Однако и образования у него тоже не было. Правда, после школы пытался поступить на факультет журналистики МГУ, но разве туда без блата пролезешь? Впрочем, в более демократичный полиграфический он тоже не попал, и пришлось Костику идти в армию. И вот тут ему несказанно повезло. Судьба занесла юношу в самую обычную воинскую часть, расположенную в городе Волоколамске. Отчего-то там и слыхом не слыхивали о дедовщине, офицеры были приветливы, а сержанты строги, но справедливы, и кормили хорошо, сытно и даже вкусно. И еще там имелась крохотная типография, где выпускали газету части под немудреным названием «На страже Родины». Стоит ли говорить, что Костя стал сначала самым активным корреспондентом, а потом и главным редактором листка.

Дело он поставил так хорошо, что полковник Михалев, начальник воинского соединения, предложил Реброву после окончания службы работу в Москве. Брат Михалева выпускал многотиражную газету в одном из московских НИИ, работающих на оборону. Костик с радостью согласился — так начался его путь к высотам журналистики. Но, честно говоря, далеко Ребров не ушел, трудился в основном в крохотных изданиях, выходивших на плохой бумаге маленьким тиражом. Но в Союз журналистов вступил и заказал себе визитные карточки, на которых стояло: «Константин Ребров, литературный сотрудник, член Союза журналистов СССР».

Потом страна развалилась. Вместе с тысячами людей Костя остался без работы. Многотиражные издания тихо отдали богу душу. А в те газеты и журналы, что выросли словно грибы после дождя, его никто брать не хотел. На смену «старым» журналистам приходила новая поросль, и главные редактора интересовались:

— Компьютером владеете? На каких иностранных языках разговариваете? Где ваш диплом о высшем образовании?

Побарахтавшись в море неприятностей, Ребров пристроился агентом в контору, но занятия «писательством» не бросил. Теперь он был внештатным корреспондентом, приносил статьи и очерки в разные издания. Его печатали, правда, не слишком часто. Прожить на гонорары было невозможно, и основной «кормилицей» стала контора по продаже недвижимости. Но там Константином гордились, считали чуть ли не Львом Толстым, каждую публикацию торжественно вывешивали на специальной доске у входа, и секретарь словно невзначай показывала клиентам газетные вырезки, приговаривая:

— Это наш агент пишет, между прочим, член Союза журналистов!

Люди удивлялись и проникались к конторе доверием. Словом, довольны были все.

В самом конце августа Реброва вызвал к себе хозяин агентства, Андрей Малахов.

— Кто, — перебила я его, — кто?

— Андрей Семенович Малахов, — повторил Константин, — владелец нашей конторы, а что?

— Ничего, — пробормотала я, — говори дальше.

Андрей Малахов спросил:

— У тебя в «Московском комсомольце» связи есть?

— У меня везде знакомые, — пожал плечами Ребров, — а в чем дело?

— Хочу темку подбросить, — ухмыльнулся Малахов, — о коррупции в милицейских кругах. Вот слушай. Есть такой майор...

Рассказывал Андрей довольно долго, а потом спросил:

— Квартирку посмотреть желаешь?

— Как ты туда попадешь? — изумился Ребров.

— Поехали, — захихикал Андрей.

Они отправились в Кунцево. Там, среди массива буйной зелени, уютно устроился шикарный дом с элитными квартирами и подземной стоянкой.

Константин увидел хоромы и шикарный джип.

— Слушай, — не выдержал в конце концов Ребров, видя, что начальник спокойно запирает апартаменты, — не врублюсь никак, ключики-то у тебя откуда?

Малахов заржал:

— Да сестра моя, Дашка, жила с этим хмырем Костиным, замуж думала за него выйти. А он ее бортанул, другую привел, вот и хочу мужику навредить, раз он моей сеструхе говна наложил, пусть попрыгает теперь, взяточник. А ключи от Дашки, она перед уходом дубликат сделала. Пришла ко мне, показывает связочку и говорит: «Вовка, дрянь, не знает, что у меня ключи есть. Ну ничего, устрою ему кислую жизнь. Пусть приведет мою заместительницу, уложит под пуховое одеяльце, тут я и войду. Представляешь, как у сволочи морда вытянется!» Только я у нее ключики отобрал, — объяснил Андрей, — и пообещал Костину небо в алмазах показать.

— Пойдем отсюда скорей, — испугался Ребров, — еще вернется мент домой и накостыляет нам по шее!

— Не бойсь, — веселился Малахов, входя в лифт, — он днем дома не бывает!

Ребров позвонил в «Московский комсомолец» Шлыкову. Заведующий отделом тему одобрил, и Константин засел за работу. Статья вышла отличная, острая, динамичная... Реброву выписали хороший гонорар, а в день, когда «МК» опубликовал рассказ про «Мента позорного», Андрей Малахов зазвал Константина к себе в кабинет и вручил большую бутылку коньяка в картонной упаковке.

— Спасибо тебе, уважил. Дашка страшно довольна, выпей за успех!

Константин поблагодарил и решил угостить коллег. Но когда он открыл коробку, рядом с красивой бутылкой из темного стекла обнаружился еще и белый конвертик с приятными зелеными бумажками. Словом, день сложился чудесно, и все были довольны. Малахов — тем, что смог доставить сестре несколько радостных минут, а Константину было приятно угодить начальству, да и деньги были совсем даже нелишними.

— Вины моей, как видишь, никакой нет, — разводил руками Ребров, — кто же думал, что так получится. А почему его посадили? Небось на взятке попался?

Оставив его вопрос без ответа, я задала свой:

— Адрес помнишь?

— Чей?

— Квартиры моего брата в Кунцеве!

— Записал, ща, погоди...

Он вытащил пухлый блокнот, перелистал его и удовлетворенно заявил:

— Ага, вот оно: улица Карпова, дом восемь, квартира 26.

— А теперь скажи, не работал ли в вашей конторе Антон Селиванов?

— Тоша? Так он умер, глупо так, от удара током. А ты откуда его знаешь? — удивился Ребров.

— Да так, — пробормотала я, — встречались. Вот что, давай уматывай, да и мне на работу пора.

— Ну и как я выйду? — поинтересовался Константин.

— Иди себе спокойно, — фыркнула я, — дверь не заперта.

Ребров быстрым шагом двинулся в прихожую. Я подождала, пока за стеной загремит лифт, и с наслаждением закурила. Что ж, остается только одно — поехать на улицу Карпова и узнать, кому принадлежит квартира.

ГЛАВА 28

На Карпова я добралась к обеду. Роскошный дом из светлого кирпича гордо стоял среди буйной зелени. Неожиданные сентябрьские холода еще не позолотили листву, и казалось, что для богатых людей даже природа делает исключение.

Я поставила свои битые «Жигули» в самом углу парковочной площадки и подошла к шикарному подъезду, естественно, украшенному домофоном. «Для вызова дежурного наберите 000», — гласило красивое объявление, висевшее над кнопками.

Я потыкала пальцем в пупочки. Раздалось мелодичное позвякивание, и строгий, но вежливый женский голос спросил:

— Кто?

— В двадцать шестую квартиру.

Послышался тихий щелчок, дверь приоткрылась. Я вошла в подъезд, отделанный с шиком. На полу красовался бежевый палас. Интересно, каким образом он ухитрился не запачкаться? Все идут по роскошному покрытию в грязной обуви. Хотя небось у жильцов — машины. У большого окна, между огромными кадками, в которых буйно цвели два неизвестных мне растения с мясистыми листьями, стоял широкий письменный стол, из-за которого поднялась приятная дама лет сорока с великолепной фигурой и красивой стрижкой. Одета консьержка была в английский костюм из качественного твида. Левый лацкан пиджака украшал прямоугольный значок «Сегодня по подъезду дежурит Милованова Елена Павловна». Вспомнив не к месту про растрепанную бабу Зину, вяжущую сейчас у входа в мой дом какую-то фуфайку, я вздохнула и улыбнулась:

— Здравствуйте.

— Добрый день, — тут же отозвалась Елена Павловна.

— Мне в 26-ю квартиру, не подскажете, хозяин дома?

Консьержка заколебалась, потом ответила:

— Извините, я работаю только две недели, еще не всех жильцов запомнила, и потом, в доме пока много пустых квартир, все время кто-нибудь въезжает. А как зовут владельца двадцать шестой?

— Костин Владимир Иванович, высокий такой, светловолосый...

Елена Павловна развела руками.

— Уж извините, не знаю. Да вы поднимитесь и позвоните в квартиру.

— А что, этот дом новый? — поинтересовалась я, вызывая лифт.

— В июле первые жильцы въехали, — пояснила Елена Павловна, — в здании 129 квартир, но, по-моему, больше половины сейчас пустует, фирма очень высокие цены заломила.

Я вошла в просторный подъемник, на стене которого висело зеркало, и нажала на кнопку. Двери тихо закрылись, и кабина плавно, без рывков поехала вверх.

В широком холле шестого этажа, куда выходило пять дверей, стоял... стол для игры в пинг-понг. Да уж, жильцы элитного домика устроились со всевозможным комфортом. Двадцать шестая квартира радовала глаз железной дверью, обитой кожей нежно-салатового оттенка. Впрочем, четыре другие двери были похожи между собой, словно близнецы: зеленые, с золотыми цифрами...

Я подошла к нужной квартире и приложила ухо к плоской, длинной замочной скважине. Изнутри не раздавалось ни звука. Я нажала на звонок. Соловьиная трель бодро покатилась по невидимому помещению, но никто не спешил на зов. Птичка пела, но хозяин, очевидно, отсутствовал.

Подумав немного, я спустилась на этаж ниже и увидела, что там на лестничной клетке установлены две железные двери, но разномастные. Очевидно, жильцы, обитающие на шестом, обратились в одну фирму. Это облегчало задачу, я снова поднялась на шестой этаж и, придав лицу самое сладкое выражение, позвонила в двадцать седьмую квартиру.

— Кто там? — донеслось приглушенно из глубины, а под потолком вспыхнула яркая лампа, заливая мою фигуру ослепительным светом.

— Извините, я ваша соседка с пятого...

Загремели замки, и высунулась довольно полная мадам в ярко-красном свитере и таких же невероятных брюках. На ее месте я не стала бы одеваться подобным образом, потому что издали женщина смахивала на огнетушитель.

— Что случилось? — довольно мелодичным голосом осведомилась она. — Надеюсь, я не залила вас?

Я старательно засмеялась:

— Пока нет, извините, но я пришла по поводу двери.

— Двери?

— Да, у вас на этаже они отличного качества и обиты красиво, а на пятом какая-то дрянь стоит, мне такую не надо. Подскажите мне телефон фирмы, которая вам дверь оборудовала, если нетрудно, конечно.

— Что вы, какой труд, — улыбнулась дама, — входите.

Я вошла в широкий, прямо-таки огромный холл и, чтобы тетка не заподозрила ничего плохого, быстро сказала:

— Боже, какой холод, а ведь еще только середина сентября. Я даже побоялась выйти из квартиры в тапках и куртку накинула, очень простудиться боюсь!

— Похвальная предосторожность, — согласилась хозяйка, — я сама свитер натянула и носочки шерстяные, температура как в могиле, а мужа вчера радикулит прихватил. Между прочим, могли бы и затопить!

Глядя, как ее руки, украшенные кольцами, перелистывают странички элегантной записной книжки, я мигом продолжила тему:

— Лужков обещал начать отопительный сезон только в середине октября.

— Вечно у нас так, — поморщился «огнетушитель», — в апреле жара ударила, а батареи у всех москвичей прямо вскипали. И вообще, какие-то дома, ну
те, в которых дорогие квартиры, можно было и раньше
начать отапливать. Раз элитное жилье, то и отношение
к жильцам должно быть соответствующее. Ага, вот
она, фирма «Форт».

Хозяйка написала телефон на листочке и протянула мне.

— Спасибо, просто огромное спасибо, невероятно
мило с вашей стороны, — принялась я благодарить.

— Ерунда, — ответила дама, — мы теперь соседи и
должны помогать друг другу.

Я вышла на лестничную клетку и, ткнув пальцем в
соседнюю дверь, заявила:

— К сожалению, далеко не все так думают! Вот тут
живет такой невоспитанный тип! Позвонила к нему,
открыл дверь в трусах, по-моему, слегка выпивши, и
просто не захотел со мной разговаривать. Не знаете,
кто он?

«Огнетушитель» покачал головой:

— Не успели пока познакомиться. Два раза его
всего видела, интересный мужчина, блондин, молодой, наверное, холостой.

— Да? Отчего вы так решили?

— А он без разных дамами, — сообщила соседка, — один раз с блондинкой, другой с брюнеткой.

— Очень плохо воспитанный человек, — покачала
я головой и вошла в лифт.

Сев в машину, я призадумалась. Как поступить?
Как узнать, принадлежит ли квартира Вовке? Да очень
просто: сходить в домоуправление, тем более что оно
находится в двух шагах от меня! На торце дома виднелась дверь, украшенная вывеской: «Работаем с девяти
до восемнадцати».

Ежась от пронизывающего ветра, я добралась до
конторы и нашла внутри такие же кадки с растениями,
такой же письменный стол, как в подъезде, только за

ним сидела довольно пожилая особа с табличкой на безразмерной груди «Дежурная Литвинова Маргарита Федоровна».

Оглядев меня с ног до головы, Маргарита Федоровна поинтересовалась:

— Чем могу помочь?

— Видите ли, — замялась я, — мне предлагают в этом доме купить квартиру.

— Прекрасно, — оживилась собеседница, — великолепный выбор. Зеленый район, тихое место, очень удобное сообщение, ну и, конечно, квартиры просто супер, берите, не пожалеете.

— Оно, конечно, верно, — мямлила я, — только муж у меня академик, ученый с мировым именем, пожилой совсем, ему покоя хочется. Очень боимся, что в соседях алкоголик окажется.

— Ну что вы, — улыбнулась Маргарита Федоровна, — деклассированным элементам в таком доме места нет.

— Ох, не скажите, — вздохнула я, — мы сейчас живем на улице Усиевича, в кооперативном доме, для писателей строили. Когда там жилье покупали, думали, в интеллигентной среде окажемся, тишина кругом. Как же иначе, литераторы живут, и что бы вы думали?! Просто вертеп! Каждый день пьянки, гулянки... Жуть, ни отдохнуть, ни поработать, вот съезжаем теперь и, честно говоря, страшно боимся вновь нарваться. Подскажите, кто живет в 27-й?

— Минуточку, — ответила Маргарита Федоровна и вытащила из сейфа огромный гроссбух. — Так, значит, двадцать пятая, Коваленко Олег Ефимович 1939 года рождения и Коваленко Анна Сергеевна 1949 года рождения. Он — сотрудник администрации президента, она — домохозяйка. На мой взгляд, солидные люди, такие куролесить не станут.

— А в 25-й?

— Секундочку, так. Анофриева Серафима Павловна, 1917 года рождения, пенсионер. Ну, от этой и вообще ожидать нечего. Небось кто-то тещу или свекровь отселил, 25-я — маленькая квартирка, двухкомнатная, как раз для такой бабули. Здесь тоже тишина будет.

— Вы меня радуете, — приободрилась я, — очень утешительная информация, гляньте еще для моего спокойствия и 26-ю.

— Без проблем, — улыбнулась Маргарита Федоровна.

Ее глаза заскользили по строчкам. Но уже через секунду женщина озабоченно вздохнула.

— Боюсь, огорчу вас...

— Только не говорите, что там прописан рокер и главный солист группы «Пауки», — хмыкнула я.

— Нет, — покачала головой Маргарита Федоровна, — вернее, надеюсь, что нет, потому что от подобного жильца у нас будут одни проблемы. Но, к моему глубочайшему сожалению, не могу ответить на ваш вопрос о 26-й квартире.

— Она свободна?

— Нет, там живет человек, один, хотя квартира четырехкомнатная. Правда, сейчас давно никто не смотрит на нормы метража, если деньги есть!

— Но как же так? Человек прописан?

— Да.

— А кто он, сказать не хотите?!

— Не могу, в графе стоит только номер лицевого счета. Так иногда делают, чтобы скрыть информацию о жильце. Ну, например, эстрадные артисты, которые боятся фанатов, понимаете?

— Ой, — выкрикнула я, — значит, в 26-й какой-нибудь певец живет, вот ужас!

— Не думаю, — ответила Маргарита Федоровна, — люди сцены очень шумные, демонстративные, все напоказ, мы бы уже знали. Нет, думается, там иной человек...

Она внезапно замолчала.

— Ну, — поторопила я ее, — кто?

Маргарита Федоровна глубоко вздохнула:

— Понимаете, я всю жизнь работаю в домоуправлениях, всего насмотрелась. Иногда милиция оперативные квартиры имеет...

— В таком доме? Да у МВД денег нет!

— Может, и так, а может, и не так, — пожала плечами женщина, — иногда сотрудники ФСБ площадь занимают... Словом, думается, тут кто-то из этих структур, тихий, незаметный мужчина. Кабы там певец обитал, дом бы трясся уже!

Поблагодарив приветливую даму, я вновь влезла в «Жигули» и покатила тихонько вперед. Следовало признать, что произошел облом. Ну ничего. Сейчас являюсь в агентство «Золотой ключ», напрошусь на разговор с Андреем Малаховым и попытаюсь через него выйти на эту Дашу, бывшую любовницу Костина, на эту пронырливую особу, ухитрившуюся сделать вторые ключи.

Но в агентстве меня поджидал сюрприз. На железной входной двери висела записка, отпечатанная на лазерном принтере: «Извините, не работаем по техническим причинам». Неподалеку стояли два «рафика», на одном виднелась темно-синяя надпись «Милиция». В «Золотом ключе» явно произошла какая-то неприятность, и это не отключение за долги электроэнергии или телефона...

Я уже совсем собралась позвонить, как дверь распахнулась, чуть не придавив меня.

— Эй-эй, — вырвался из моей груди вопль возмущения, — нельзя ли поаккуратней, чуть не убили!

Мужчина, выскочивший из конторы, повернул голову, и я увидела противную морду Мишки Козлова, сослуживца Володи.

— Лампа, — улыбнулся Миша, — какими судьбами? Что тебе тут надо?

Я на секунду растерялась. Он что, не помнит, как нахамил мне в последний раз? Но лицо Козлова излучало искреннюю радость от встречи, а худой мир лучше доброй ссоры, поэтому я вполне мирно ответила:

— Да вот, дачу продаю в Алябьеве, а чего они закрылись?

Мишка вздохнул:

— Хозяин у них погиб, господин Малахов.

— Вот это новость! — выкрикнула я. — Когда?

— Утром сегодня, — пояснил Козлов, — прямо на рабочем месте, а все из-за жадности.

— Жадности?

— Ага, — кивнул Мишка и продолжил: — Пошли в мою тачку, курнем спокойно.

Мы влезли в его новенькие, пахнущие заводской смазкой «Жигули».

— Евроремонт в конторе сделали, подвесные потолки, ковролин, немецкие обои, а на проводке сэкономили, — пояснил Мишка, вытаскивая «Золотую Яву», — решили старую оставить, и вот результат...

— Его убило током, — пробормотала я.

— Именно, — кивнул Мишка, — стал включать электрочайник, и готово... Впрочем, может, где не надо мокрыми руками хватанул, ну да разберутся.

Я молчала.

— Как дела у вас, — как ни в чем не бывало сменил тему Мишка, — как Кирюшка, Лизавета? Собаки с кошками здоровы? Надо бы зайти к вам, да все недосуг, работа замотала совсем, ни вздохнуть, ни охнуть, дышать и то времени нет. Ну чего молчишь? А? Дети как?

— Нормально, — пробормотала я, трясясь всем телом.

— Ты чего дрожишь, — удивился Мишка, — заболела, что ли?

— Ага, — прошептала я, — гриппом.

— На шарфик, — заботливо предложил Козлов, — укройся пока.

Он протянул руку, взял с заднего сиденья коричневый вязаный мужской шарф и набросил поверх моей куртки. Я глубоко вздохнула и чуть не разрыдалась. От куска шерсти исходил невероятно знакомый аромат одеколона «Жиллетт», которым любил пользоваться

Володя, и в придачу от него еще веяло табаком. Сколько раз, подходя к Вовке, я чувствовала эту смесь запахов.

— Убери, — велела я, стаскивая шарф.

— Почему? — удивился Мишка.

Я посмотрела в его изумленные глаза, еще раз почувствовала букет запахов и внезапно съехала с катушек.

Распахнув дверь, я выскочила на улицу, бросила ни в чем не повинный шарфик на землю и принялась топтать ногами со словами:

— Сволочь, ах, какая сволочь!

— Кто? — оторопел Мишка.

— Ты, — ответила я, — ты, скотина! Где могила Вовки? На каком кладбище безымянный холмик? Как ты мог допустить, чтобы его кремировали впопыхах? Боялся, что сочтут другом убийцы? Ну какая же ты дрянь! Ненавижу тебя!

— Лампа! — потрясенно ответил Мишка. — Я не виноват!

— Это Вовка не виноват, — завизжала я, совсем теряя рассудок, — его оболгали, подставили, а вы со Славкой не защитили друга! Теперь он мертв, а ты катаешься в автомобиле и душишь шарфик его любимым одеколоном! Гад! Дрянь!

Вне себя от злобы, отчаяния и горя, я вытащила из кармана ключи от своей машины и с силой нацарапала на новеньком, лаково блестящем крыле Мишкиного автомобиля известное всем слово из трех букв, потом принялась ковырять капот. Козлов молчал.

— Эй, эй, ты что делаешь? — раздался сзади голос.

Я повернулась. От агентства спешил довольно полный, незнакомый парень. Когда он подошел вплотную, я сунула ключи в карман и спросила:

— Значит, новенький, на место Костина взяли, да?

— Что? — не понял парень.

— Имей в виду, Козлов предаст тебя в первый удобный момент, лучше уходи, пока не поздно, — сказала я и пошла к своим «Жигулям».

— Эй, стой! — крикнул парень.

Я даже не обернулась.

— Михаил Сергеевич, — волновался юноша, — чего вы молчите, надо задержать хулиганку, я сейчас.

— Нет, Юра, оставь ее, — послышался тихий голос Козлова, — пусть уходит.

Я завела мотор, отъехала от бордюра и поравнялась с Мишкиными «Жигулями». Бывший друг грустно смотрел на меня через закрытое боковое стекло своей «девятки». Внезапно мне в голову словно воткнулся раскаленный прут, и я плюнула в Козлова. Мишка невольно отшатнулся. Плевок медленно потек по стеклу. Из моих глаз хлынули слезы, нога нажала на педаль. Скорей уехать отсюда, чтобы больше никогда не видеть мерзкую физиономию Козлова.

ГЛАВА 29

Следующие два часа я провела, сидя в машине, пытаясь взять себя в руки. Наконец разошедшиеся нервы успокоились, красный нос приобрел нормальный цвет, из припухлых щелочек вновь показались глаза. Вытащив тюбик тонального крема, я тщательно наштукатурилась и решительно ухватилась за руль. Необходимо вернуться в «Золотой ключ».

С двери агентства пропала бумажка, и я, беспрепятственно войдя внутрь, отыскала приемную. Симпатичная девушка, блондиночка, явно крашенная, глянула на меня большими карими глазами и уже открыла было рот, чтобы поинтересоваться целью визита посетительницы, но я железным голосом отчеканила:

— Петровка, 38, акустическая лаборатория.

— Ваши все закончили, — пролепетала девочка.

— Они уехали, мы приехали, сообщите домашний адрес Андрея Малахова! Требуется сделать замеры!

— Третий этаж, квартира 98, — пробормотала секретарша.

Надо же так испугаться!

— Названия улицы и номера дома нету?

— Так он тут проживает, в этом же здании, где агентство, вход в подъезд со двора, — пояснила девочка.

Забыв поблагодарить секретаршу, я ринулась в указанном направлении и без лишних сомнений ткнула пальцем в звонок.

Тут же высунулся парень лет тридцати. Я мило улыбнулась.

— Петровка, 38. Андрей Малахов, покойный, тут прописан?

— Да, — кивнул юноша.

— Наши у вас только что были, майор Козлов, наверное...

— Точно, — подтвердил парень, — да вы входите.

— Уж извините, — вздохнула я, продвигаясь в просторную прихожую. — Миша Козлов у нас рассеянный человек, частенько бумаги теряет, за что от начальства по шапке получает... Вот и сегодня ухитрился куда-то запихнуть листок. Придется опять у вас спросить...

— Раз надо, значит, надо, — покладисто согласился парень.

— Сообщите имя, отчество и фамилию, а также адреса прописки и телефоны ближайших родственников Малахова, мы должны их внести в дело!

Нет, все-таки хорошо, что в массе своей москвичи удивительно юридически безграмотны. Парень ни на секунду не усомнился в моих словах.

— Пишите, — сказал он.

Я растерялась: ни бумаги, ни ручки у меня с собой не было. Пришлось выкручиваться.

— Нет у меня чистого бланка, мы уже последний заполнили, дайте какой-нибудь клочок бумаги и карандаш.

Юноша протянул блокнот и сказал:

— Собственно говоря, просто запомнить можно.

Николай Семенович Малахов, младший брат, проживаю в одной квартире с Андреем. Это все.

— Как все, — возмутилась я, — а Даша?

— Какая?

— Сестра ваша, Дарья Малахова!

— Нет у нас никакой сестры! Вообще больше никого, только я и Андрюха!

— А жену его как зовут?

— Не было у Андрея супруги!

— Ну любовницу?

— Хрен ее знает, у него каждый день новая была, последняя вроде Лена или Оля, но точно не Даша.

— Может, знакомая Дарья есть?

Николай покачал головой.

— Среди общих приятельниц не помню, а так все могло быть: клиентка, например.

В полной растерянности я спустилась в машину и опять закурила. Что-то я стала слишком часто хвататься за сигареты... Значит, Малахов наврал Реброву про сестричку, брошенную майором-взяточником. Ох, чует мое сердце, милый Андрюша хорошо знал, кому принадлежит уютная квартирка в Кунцеве. Только теперь задать ему какие-либо вопросы невозможно... Что же делать?

Как что? Зайти в квартиру и тихонечко посмотреть, что там к чему, авось где-нибудь в тумбочке лежат документы хозяина, этого таинственного лица, старательно удалившего из домовой книги всякие упоминания о своем имени.

Но как войти в квартиру без ключа? Тем более что она оборудована железной дверью? Дверь! Элементарно, Ватсон!

Я повернула ключ зажигания и первый раз в жизни не посмотрела влево, отъезжая от тротуара. Спасибо милой даме из 27-й квартиры, давшей мне адрес мастерской «Форт».

В небольшую комнату, украшенную стеллажами с

разнообразными скобяными изделиями, я влетела с воплем:

— Помогите!

— Что случилось? — спросил мужик лет шестидесяти в синем комбинезоне.

— Ключи потеряла от новой квартиры!

— Вызывайте МЧС.

— Уже пытались, без паспорта не открывают!

— А где ваш документ?

— На прописку сдала!

— Ничем помочь не могу!

— Умоляю!!! У меня там собачка!!!

— Где живете хоть?

— В Кунцеве, большой дом такой с зеркальными окнами.

Мужчина окинул меня взглядом.

— Дорого вам встанет.

— Сколько?

— Двести долларов, деньги вперед, согласны?

— Но кошелек-то в квартире, — попробовала отбиться я.

— Ваша проблема, — пожал плечами мастер, — только без баксов и пальцем не пошевелю, а то помогаешь людям, стараешься, а они заместо платы спасибо скажут, и привет.

— Только никуда не уходите, — взмолилась я, — сейчас привезу деньги.

На страшной скорости, что-то около восьмидесяти километров в час, я рванула домой, вытащила из загашника две зеленые сотенные бумажки и помчалась назад в контору.

Увидев портрет американского президента, мастер оживился.

— Поехали, — велел он, — вмиг управимся.

В подъезде на месте лифтерши сидела Маргарита Федоровна из домоуправления.

— А где Леночка? — поинтересовалась я.

— Перерыв у нее, вот подменяю, — ответила женщина.

— А мы в квартиру идем, решилась все-таки...

— Правильно, — улыбнулась Маргарита Федоровна, — чудесный выбор.

У двери мастер засвистел, вытащил из кармана связку каких-то крючков, палочек и рогулек. Потыкав разнообразными предметами в замочную скважину, он резко крутанул рукой и сообщил:

— Входите.

— Это все?

— Да, — буркнул мужик, идя к лифту.

— Двести долларов за одну минуту работы?

— Дама, — сказал мастер, входя в лифт, — я же не интересовался, зачем вы в эту квартиру лезете...

— Живу здесь!

— Ой, расскажите, цветы золотые, — хмыкнул слесарь и уехал.

Я осторожно вошла в полутемный холл, внимательно осмотрела замок и, обнаружив, что он легко открывается изнутри без ключа, заперла дверь.

Квартира поражала великолепием. В холле кожаные диваны, хрустальная люстра и картины в тяжелых бронзовых рамах. Гостиная переливалась хрусталем. Хозяин забил шкафы до упора посудой. Кухня переполнена бытовой техникой, в ванной горы средств по уходу за волосами и телом, но все прибамбасы мужские, а в стаканчике торчит одинокая зубная щетка. Однако этот мужик любит себя, дорогого. Только лосьонов после бритья я насчитала восемь штук и все дорогие — «Кензо», «Картье»... Простенького «Жиллетт» не нашлось. Интересно, где он хранит документы? В спальне? Но там стояла только огромная, квадратная кровать, тумбочка и телевизор с видиком. Впрочем, еще нашлись ковры, два на стенах, один на полу, просто юрта кочевника, интересно, как можно жить в такой обстановке?

Следующее помещение служило кабинетом. Огромный письменный стол, компьютер и целая стена из шкафов, закрытых дверцами в рост человека. Я порылась в ящиках стола — никакого намека на бумаги, только горы дисков с «игрушками». Может, в гардеробе?

Я резко дернула дверцу, та уехала вбок, перед глазами оказались не книги на полках, а одежда на палках. Я поворошила костюмы и рубашки и чуть не умерла от ужаса, мигом сдвинув шмотки.

В самом дальнем углу, прижавшись к стене, стоял Володя Костин.

«Спокойно, Лампа, — сказала я сама себе, — не нервничай, ты уже несколько раз видела Вовку, один раз во сне, другой раз в переходе у ГУМа... Просто опять пришел глюк».

Вновь раздвинув костюмы, я уставилась на майора. Тот неожиданно сказал:

— Лампа, только не ори и не вздумай падать в обморок, тихонечко сядь в кресло!

Так, теперь мои галлюцинации пытаются общаться с хозяйкой и даже раздают указания. Непонятно почему я послушалась и плюхнулась в роскошное, вертящееся кожаное кресло.

— Главное, спокойствие, — вещал призрак, выходя из шкафа, — вот молодец, сидишь смирно. Мишка, иди сюда!

Соседняя дверца отодвинулась, и наружу вылез Козлов.

— С твоей стороны, Лампудель, — сердито сказал он, — было просто отвратительно плевать на стекло. Кстати, у тебя ядовитая слюна, даже «Алексом» не оттер!

— Мишка, — робко спросила я, — ты в ДТП попал?

— Почему? — изумился Козлов. — С чего ты решила? Нет, никаких аварий!

— А когда ты умер? — настаивала я.

— Типун тебе на язык, — в сердцах сказал Козлов, — я живее всех живых.

И он, схватив мою ледяную руку своей тёплой ладонью, заржал.

— Уж скорей по температуре тела ты к жмурику приближаешься.

— Значит, живой, — протянула я, чувствуя, как в голову будто наливается кипяток, — а Вовку видишь?

— Как тебя, — кивнул Мишка, — вон стоит, в жутко мятых брюках.

— Разве бывает один глюк у двоих? — просипела я.

— Лампа, — тихо ответил Костин, — ты что, не врубилась? Я живой.

ГЛАВА 30

Надо отдать мне должное. Я не упала в обморок, просто подошла к Вовке и уткнулась головой в пахнущий одеколоном «Жиллетт» свитер.

— Живой?

— Ага, — в голос сказали Костин и Мишка.

— И это твоя квартира?

— Нет.

— Чья тогда, и как вы тут очутились?

— А ты зачем сюда заявилась? — поинтересовался Вовка.

— Одного гада найти хочу.

— И мы, похоже, его же ждём, — хмыкнул Козлов, — засада у нас тут.

— Он кто? — спросила я.

— Заклятый друг, — ответил Вовка.

И тут из прихожей послышался тихий скрип открывающейся двери.

Володька мигом втолкнул меня в шкаф и задвинул дверцу. Я стояла между костюмами, вдыхая аромат мужских духов «Фаренгейт». Удивительное дело, раньше этот парфюм мне нравился, теперь же он вонял отвратительно, сладко и приторно, словно тут где-то разлагается мышь...

Раздались тяжелые шаги, некто открыл мое убежище, мужские руки пошевелили вешалки, и я увидела изумленное лицо Славы Рожкова. Напряжение спало.

— Славка, — радостно воскликнула я, — вы его взяли?

— Кого? — попятился Рожков.

— Ну, того гада, друга заклятого, Вовка говорил, что у вас тут засада.

— Какой Вовка? — начал заикаться Славка.

Я погрозила ему пальцем:

— Ладно тебе, все знаю, Костин жив, он и Мишка Козлов в соседних шкафах сидят, между прочим, как вам не стыдно, я все глаза выплакала...

Но Славка повел себя загадочно, вместо того чтобы дослушать меня до конца, он кинулся на выход. Но в ту же секунду распахнулись шкафы и выскочили Мишка с Вовкой. Из прихожей донесся мат и звон. Я бросилась на звук, но ребята опередили меня. Я вылетела в просторный холл последней. На полу, лицом вниз, со скованными за спиной руками валялся Рожков. Над ним, тяжело отдуваясь, стояли Костин, Козлов и... тюремщик Алексей Федорович. И тут только до меня дошла истина. Хозяин роскошной квартиры и, очевидно, водитель джипа, гад, убивший Соню Репнину и подставивший Вовку, заклятый друг и оборотень — это Славка!

Началась суматоха. Появились какие-то люди в штатском и форме, привели понятых, завели протокол.

Володя отвел меня на кухню, усадил на диванчик, сунул в руки газету и велел:

— Сиди молча.

Я забилась в самый угол и прикрылась «Московским комсомольцем», время летело стремительно. Где-то около восьми шум в квартире стих. Володька вошел на кухню и, включив чайник, поинтересовался:

— Жрать будешь?

Я тупо кивнула.

Вовка распахнул шикарный холодильник и присвистнул:

— Хорошо, однако, устроился, гаденыш, икорка, рыбка... Чего хочешь, Ламповский?

— Ничего, — пробормотала я, — только чай, мне противно есть эти продукты!

— А мне нет, — хмыкнул Костин, — я, между прочим, весь день крошки во рту не держал. Конечно, я восхищаюсь твоей гордостью, но извини, мне мой желудок дороже принципов.

Он ловко вскрыл банку с красной икрой, вывалил содержимое на блюдечко и спросил:

— Ну, желаешь?

Я помотала головой и несколько минут молча смотрела, как Володя ест икорку ложкой, жмурясь от наслаждения. Когда блюдце опустело, я тихо спросила:

— А почему он убил Соню, из ревности? И как твоя кровь оказалась в ванной, а кожа под ногтями у Репниной?

— Все дело в жадности, — вздохнул Вовка, — вот сколько ни работаю, каких только преступлений не видел... Вроде любовь, ненависть... Ан нет, начнешь разбираться, так все в деньги упирается. Вот и Славик наш драгоценный, друг заклятый...

— Что? — спросила я.

— Жадный очень, — вздохнул Вовка, — только извини, мне сейчас недосуг с тобой болтать, поеду на работу.

— Но...

— Завтра к девяти утра приходи ко мне в кабинет.

— Ты не придешь ночевать домой?

— Нет, мне некогда.

— Но...

— Все завтра, — решительно ответил Володя.

— Но дома...

— Что — дома, — обозлился майор, — что случилось ужасного, а? Говорю же: занят!

Я молча смотрела на него. Наверное, следовало

сказать: «У тебя родился сын», но я не раскрыла рта. Хорошо, завтра так завтра. Будет тебе сюрприз, Вовочка.

Ровно в девять ноль-ноль я с раскрытым ртом начала слушать Володю.

Андрей Малахов открыл риелторскую контору лет пять тому назад и некоторое время честно пытался выплыть в пучине рынка недвижимости. Мужик он был неплохой, осторожный и с откровенно криминальными ситуациями связываться не хотел. Но выяснилось, что, честно ведя бизнес, очень легко разориться. Конкуренты жали со всех сторон, агентства недвижимости росли, словно температура у гриппозного больного. Срочно требовалось найти какую-то исключительную услугу, чтобы приманить к себе клиентов. И тут Малахову неожиданно повезло. Он набрел на золотоносную жилу — квартиры умерших одиноких москвичей.

Сразу стало понятно, что заниматься подобным бизнесом можно, только имея хорошую «крышу» в милиции. И Андрей, недолго думая, предложил своему близкому приятелю, бывшему однокласснику Славке Рожкову, вступить в долю.

Майор недолго колебался. Зарплата сотрудника МВД невелика, к тому же у Славки замашки донжуана. Он любит женщин, а любовницы требуют дорогих подарков, букетов, коробок конфет и походов в ресторан. Да еще дома поджидала Лариска, вечно пиляющая муженька за хроническое безденежье... Словом, Рожков, говоря языком протокола, вступил в преступный сговор с Малаховым.

Денежки потекли рекой. Квартиры доставались предприимчивым дельцам почти даром, а уходили за хорошую плату. Славка в агентстве не показывался, его дело было «крышевать» сбор необходимых документов.

Наступило счастливое время богатства. Славка начал давать Лариске больше денег, соврав, что пристроился на работу в охранную структуру. Открывать жене правду он не хотел и преспокойно обманывал супругу. Снял квартиру, накупил себе одежды, вкусной еды и частенько после работы ехал не домой, а в норку, где чувствовал себя молодым, холостым, богатым, туда же приводил и тех баб, что не имели собственной жилплощади. Вообще-то Славик предпочитал встречаться с любовницами на их территории, на свою «оперативную» квартиру старался таскать бабенок как можно реже.

Иногда Славке хотелось развестись с Ларкой, бросить службу в опостылевшей милиции и зажить наконец открыто на широкую ногу, но, к сожалению, уйдя из МВД, он терял всю ценность для риелторского бизнеса. Так и жил Рожков двойной жизнью. Одно теперь было хорошо: денег у него хватало на все.

Весной этого года Соня Репнина довела Антона Селиванова, кстати, сотрудника конторы Малахова, до последней точки. Обозленный мужик толкнул любовницу, та не удержалась на высоких каблуках, упала и сломала ребро.

Мстительная Соня, сбегав в травмопункт, получила справку об увечье и отправилась в отделение милиции, где накатала заявление на Антона.

Наши доблестные органы внутренних дел будут долго колебаться, прежде чем задержать криминального авторитета. У того имеется адвокат, который сразу покажет ментам небо в алмазах. Зато с простым обывателем в милиции не церемонятся.

Антона вмиг задержали и насовали зубоотычин, но дело завести не успели, потому что Малахов позвонил Рожкову и попросил выручить своего лучшего сотрудника.

Славка поехал в отделение, переговорил с кем надо, Антона уже собирались отпускать, как появилась Софья Репнина, которую жена Селиванова уговорила забрать заявление.

Рожков глянул на прекрасную цветочницу и... погиб. Впрочем, он тоже понравился девушке. Начался роман, больше похожий на кинофильм эпохи раннего итальянского реализма. Любовники бурно выясняли взаимоотношения. Первый раз в своей жизни влюбившаяся Соня закатывала по каждому поводу скандалы и истерики, Славка колотил ее, ревнуя к каждому столбу. К тому же до Рожкова дошли слухи, что риелторской конторой Малахова заинтересовался его отдел и вроде заведено какое-то дело, переданное Костину.

Рожков вызвал приятеля на откровенность, и тот спокойно рассказал, что в органы обратился Шмелев Лев Евгеньевич. Его папенька, которого в домоуправлении посчитали одиноким и похоронили за госсчет, не оставил завещания. Естественно, квартира отошла Малахову. И вот теперь Лев Евгеньевич справедливо возмутился:

— У нас с отцом не было отношений, но жилплощадь моя. Куда делась квартира?

— Нечисто там, — вздыхал Костин, — буду копать!

Славка перепугался. Володя имел репутацию въедливого сотрудника и, если взялся за дело, обязательно доберется до истины.

Не успел бедняга Рожков сообразить, как поступить и вытащить хвост из мышеловки, как стряслась новая беда. Соня...

— Он ее убил, — подскочила я, — вот сволочь, а тебя подставил!

— Нет, — покачал головой Володя, — он не убивал.

— Кто тогда, — запрыгала я от нетерпения на стуле, — кто?

— Соня Репнина, — вздохнул Вовка, — хоть и была потрясающей красавицей, обладала на редкость мерзким характером. Ей нравилось делать гадости, я бы сказал, она творила их вдохновенно, безошибочно находя у человека слабое место.

Надо сказать, что Славка Рожков, несмотря на все чувства, которые он питал к Соне, вовсе не собирался разводиться с Ларисой. Жена устраивала его со всех сторон, и мужик категорично заявил Репниной:

— Не рассчитывай стать мадам Рожковой.

Сонечка только хмыкнула, она привыкла всегда получать то, что хотела, и шла обычно к цели напролом, не считаясь ни с чем и ни с кем.

В конце августа, поняв, что Славка и впрямь не думает уходить от жены, она позвонила Лариске и, прикинувшись полной идиоткой, предложила супруге любовника приехать в гости. Ларка, ревнивая, как Отелло, кинулась к Соне. О чем они болтали, неизвестно, но в какой-то момент обезумевшая от обиды Лариска схватила нож и пырнула соперницу.

Даже если бы Лара была профессиональным хирургом, вряд ли ей удалось бы нанести более точный удар. Соня скончалась сразу, а Лариска побежала к мужу.

Рожков перепугался, убийство — это серьезно. Труп не какой-нибудь там кошелек, и как профессионал Славка знал, что от тела нелегко избавиться. К тому же Соня девочка из хорошей семьи, у нее есть мать, отец, сестра, коллеги по работе... Правда, по счастью, убийство произошло в субботу, предположим, в магазине Репнину не хватятся до понедельника, родственники тоже не станут волноваться, они хорошо знали манеру Сони валяться в выходной день в койке с мужиком, то есть у Славки были сутки для заметания следов.

Для начала он наорал на рыдающую Лариску и велел взять себя в руки. Рожков был хорошим профессионалом и отлично знал, сколько дел остается нераскрытыми, главное — не запаниковать. Преступника губят торопливость, суетливость и глупость.

И тут вдруг в голове у него сформировался гениальный план, как разом убить двух зайцев: избавиться от драгоценного друга Володи Костина, который вот-вот раскопает правду про агентство «Золотой ключ», и помочь родной жене избежать знакомства с парашей.

Вернее, от Вовки он решил избавиться еще раньше и даже предпринял кое-какие подготовительные шаги. Зная, что Костин, как все холостые мужики, ни за что не пропустит хорошенькую бабу, он велел Надьке Колесниковой как бы невзначай познакомиться с Костиным.

Несчастной Колесниковой просто некуда было деваться. В середине августа ее вместе с приятельницей приволокли в милицию две разъяренные бабы, которым Надька с подругой пытались впарить «желудок беременной ослицы». Славка, которому на стол попало заявление, изрядно повеселился и отпустил мошенниц домой под подписку о невыезде, но в случае заведения уголовного дела Надежде грозил нешуточный срок, вот Рожков и предложил ей простой выход из создавшегося положения.

Надька должна познакомиться с Костиным, привести его к себе домой, прикинуться страстной любовницей и... вытащить у кавалера служебное удостоверение. За утерю бордовой книжечки Володю отстранят от работы и заведут бюрократическую бодягу. Кстати, могли и уволить. Славка знал таких ментов, которые вылетали из органов за подобную рассеянность. Правда, начальство ценило Костина... Но, вероятней всего, дела, которые вел Костин, распихали бы по другим коллегам. А уж как любят следователи брать дела, где до них поработал другой, Славка знал, сам всеми силами отбрыкивался от подобных «подарков». И к тому же, имея на руках своих десять дел, получить еще парочку чужих не хотел никто. Когда Вовку временно лишат права работы, Славка возьмет себе дело о конторе «Золотой ключ». Уж он-то сумеет в сжатые сроки сделать все как надо.

Надька Колесникова благополучно выполнила поручение. Наврала соседке и ближайшей подруге, что поехала отдыхать в Грецию, и даже, купив той в переходе «сувенир», майку с надписью «Афины», засела дома с кавалером. А чтобы Костин не удивился, отчего новая любовница столь быстро завершает роман, она наврала майору, что замужем и ждет супруга из командировки через три дня. Словом, в субботу, когда Лариска пырнула Соню, Володя как раз находился у Надьки. Славка мигом переиграл план. Сначала он звонит Надежде и приказывает той не трогать удостоверение, а в воскресенье утром оцарапать, якобы случайно, лицо любовника, потом надеть перчатки и немедленно идти на свидание к нему, Рожкову, ничего не трогая рукой, той, которой нанесла ранку. Ничего не понимающая Надька отвечает:

— Хорошо.

Рожков приступает к следующему этапу. Он едет на квартиру к Соне и разглядывает нож. По счастливой случайности тот оказывается самым простым, отечественным, с пластмассовой ручкой. Такие лежат почти на каждой московской кухне, более того, брат-близнец орудия убийства находится у Рожкова на работе, им режут хлеб.

Славка моет ножик, он спокоен, так как знает, что эксперт обязательно найдет следы крови в том месте, где клинок входит в рукоятку, это соединение просто невозможно оттереть до конца, но с виду нож выглядит чистым. Рожков приносит его в отдел и, улучив момент, просит Костина соорудить бутерброд. Володя берет нож... Так появляется первая улика, отпечатки пальцев на рукоятке. Дальше — больше. Рожков режет себе руку, пачкает в крови полотенце и пол в ванной...

— Погоди, погоди, — заволновалась я, — как себе? Кровь-то была твоя!

— Да ты слушай, — отмахнулся Володя, — не перебивай. У кого другого ничего бы не получилось, но Рожков-то свой в милиции, вот все и сложилось наилучшим образом.

Слава спокойно может войти в криминалистическую лабораторию и обратиться к эксперту, никого не удивляет его появление, никто ничего не прячет от

Рожкова, он свой! Но никто и не знает, что у него в кармане пакетик с ногтями, остриженными у Надежды Колесниковой. Полиэтилен украшает надпись, свидетельствующая о том, что это ногти... Репниной, здесь же и пробирочка с кровью самого Рожкова, оформленная, как «проба Костина». Слава под благовидным предлогом отсылает эксперта и меняет вещественные доказательства. Когда эксперт возвращается в лабораторию, у него на столе все в полном порядке. В штативе «проба Костина» в нужном месте пакетик «ногти Репниной». И только Слава Рожков знает, чья это кровь и чьи это ногти. Нож он засовывает в багажник Вовкиной машины. Вот так в деле Костина появились «неопровержимые доказательства» виновности майора.

Подтасовав улики, Славка слегка успокаивается. Тем более что за выходной день, оказавшийся в его распоряжении, Рожков успевает переговорить с Антоном Селивановым и приказывает тому ломать в милиции комедию. Славе нужен человек, способный рассказать о взаимоотношениях между Соней и Костиным. Антон пытается сначала сопротивляться, но Рожков категоричен:

— Или делай, что я приказываю, или убирайся прочь из конторы «Золотой ключ».

Селиванов, привыкший к безбедной жизни, больше всего на свете боится опять стать нищим, безработным мужиком. Делать нечего, приходится ему соглашаться.

Петля подозрений начинает затягиваться на шее ничего не понимающего Костина. Он пребывает в полном недоумении после очной ставки с Селивановым, еще больше его удивляет заявление Нади Колесниковой, которая не моргнув глазом сообщает работникам милиции:

— Я больна, лежу с высокой температурой, если надо чего, сами ко мне езжайте!

С сотрудником, пришедшим к ней домой, Надежда тоже не слишком откровенна.

— Никакого Костина не знаю, с парнем по имени Володя незнакома.

Дело складывается для майора хуже некуда, а тут как раз поспевают результаты экспертизы. У специалистов нет сомнений — кровь в ванной аналогична той, что содержится в пробирке с надписью «проба Костина», а под ногтями, состриженными у трупа, найдены кожные частицы Володи. Все. Машина правосудия, медленно скрипя ржавыми колесами, начинает набирать обороты. Вовка попадает в тюрьму. Славка сияет, как праздничный пряник, все складывается наилучшим образом. Никому и в голову не приходит обвинить Лариску, остается теперь только получить в свое производство дело конторы «Золотой ключ».

ГЛАВА 31

И вот тут Славка делает роковую ошибку. Он расслабляется и принимается совершать глупости. Рожкову кажется мало обвинить друга в убийстве, ему хочется изобразить Володю этаким взяточником, ведущим двойную жизнь. Славка хоть и считается приятелем Костина, но на самом деле завидует другу, и не всегда эта зависть белая. Сам-то он вынужден скрывать от всех свое материальное благополучие, Славик только прикидывается честным человеком, а вот Вовка на самом деле такой, и от этого Рожкову совсем гадко. Наверное, поэтому он и просит Малахова:

— Вели этому писателю своему, Реброву, материальчик сделать про мента одного, а если конкретики захочет, вот ключики, квартиру покажешь и джип в гараже.

Вот это уже было совсем глупо, но Славка просто заигрался. К тому же до сих пор-то все ему удавалось легко! Впрочем, Ребров не подвел, статья вышла, правда, поздно. Весть о смерти Володи Костина уже разбежалась по коридорам и кабинетам.

— А это зачем надо было делать, — возмущенно воскликнула я, — что за детство такое!

— Хорошо детство, — хмыкнул Костин, — ладно, слушай дальше.

Везение Рожкова кончилось сразу. Неприятности, впрочем, как и удачи, имеют обыкновение ходить кучно.

Во-первых, дело конторы «Золотой ключ» отдают Федору Селезневу, страшно дотошному мужику с жутким, въедливым характером. Федьку дружно не любят все — от уборщиц, которым он выговаривает за плохо убранные кабинеты, до следователей. Все хорошо помнили, как зимой Веня Соколов оставил на столе папку с документами и бросился в сортир. У Веньки колит, и он боялся не добежать до унитаза. Когда же через десять минут Веня примчался назад, дела не было. Федька отнес его прямехонько самому высокому начальнику и сообщил:

— Захожу в кабинет, там никого, а бумаги спокойненько на столе лежат!

Разразился дикий скандал. Соколов, конечно, нарушил должностную инструкцию, более того, все сотрудники понимали, что Венька поступил крайне опрометчиво... Но общественное мнение было на стороне проштрафившегося, а Селезнева после этого случая невзлюбили еще больше.

Но, несмотря на поганый характер, а может быть, благодаря ему Федька — высококлассный специалист, от глаз которого не ускользает ничего. Он-то первый и заметил легкие нестыковки в показаниях Антона. Селиванов говорил, что Соня торопилась на работу и сказала: «Меня уволит хозяин», а Антон позвонил директору и уладил дело. Но в цветочном магазине начальствует дама, Наталья Константиновна, ее голос невозможно перепутать с мужским. Значит, Антон врал. Федька допросил директрису:

— Может, Антон беседовал с каким-нибудь мужчиной из вашей конторы, а тот представился заведующим?

Но Наталья Константиновна только покачала головой:

— У нас из лиц сильного пола лишь охранник, но он находится у двери и никогда не снимает трубку.

Потом Селиванов, рассказывая об отношениях между Володей и Соней, бросает фразу: «Бедная Сонечка рассказывала, какой жуткий скандал устроил любовник, побывав в гостях у ее матери». Но вызванная на допрос Лидия недоуменно пожимает плечами:

— Владимир Костин? Никогда не слышала о таком, впрочем, дочь не водила к нам своих любовников!

Значит, Антон опять соврал. А маленькая ложь, как известно, рождает большое подозрение. И уж совсем непонятно выглядело его заявление о том, что к Соне собиралась приехать девица, Маша Соломатина, владеющая восточными единоборствами... Федор с присущей ему дотошностью изучил окружение Сони Репниной. Ну не было у нее подруги по имени Маша Соломатина, более того, у распутной Сонечки, большой любительницы лиц противоположного пола, нет вообще никаких приятельниц. Софью окружают лишь мужчины. Выходило, что Селиванов снова набрехал в мелочах. И тогда Селезнев задал себе вопрос: а что, если драгоценный Тоша вообще не сказал ни слова правды? Прокрутив у себя в голове данную мысль, Федька едет в Бутырку к Костину.

В тюрьме тем временем разворачиваются иные события. В следственной части работает Алексей Федорович, добрый знакомый Володи. Употребив свое влияние, Алексей пристраивает приятеля в «маломерку» — камеру на пять человек, где сидят спокойные люди, совершившие экономические преступления. Здесь Костину никто не будет угрожать, поэтому Алексей со спокойной совестью уходит домой. Но на следующее утро он узнает, что Володю отчего-то перевели в сотую камеру — огромное помещение, забитое уголовниками. А ночью там началась драка, и кто-то пустил в ход нож, есть раненый, правда, легко, это... Владимир Костин.

Не успел Алексей сообразить, что к чему, как явился Федор Селезнев со своими размышлениями.

Мужики сели рядком да потолковали ладком. Два совершенно разных по характеру мента пришли к одному выводу: кто-то подставил Костина, а теперь пытается его убить...

Федор возвращается на работу и идет к начальству. Для начала он предлагает еще раз взять кровь Костина и немедленно сделать анализ. Результат ошеломляет. Становится понятно: действовал кто-то из своих... Но кто? Козлов? Соколов? Рожков? Лялин?

И тогда разрабатывается план, к исполнению которого Федор, поколебавшись, привлек Козлова.

— А почему он решил, что Мишка тут ни при чем? — спросила я.

Володя улыбнулся:

— Мишка ходил по коридорам и орал: «Костин, конечно, идиот, но ведь не олигофрен, кровь в ванной, царапина на морде, отпечатки на ноже — не слишком ли?» А потом нанял мне адвоката!

— Но Славка сказал, что защитника они оплатили с Козловым вдвоем!

— Врал!

— Но Рожков устроил мне свидание с тобой, познакомил с Алексеем Федоровичем, чтобы я без проблем передала продукты!

Майор вытащил пачку «Парламента», спокойно закурил и ответил:

— А ты вспомни, как он велел тебе уговорить меня признаться! Насчет передачи... Ну все вокруг знали, что мы со Славкой дружим, и ты в первую очередь, было бы странно, если один из ближайших приятелей остался в стороне, когда меня посадили. Вот он и подсуетился с продуктами, вроде болел за меня душой. Кстати, мне сразу показалось странным, что он подослал тебя с уговорами, а не пришел сам. Наверное, боялся мне в глаза смотреть.

— Вовка, — неожиданно прервала я его, — у тебя покрышки на «Жигулях» «Пирелли»?

— Чего?

— Ну, резина какая, дорогая?

— Да нет, наша обычная, только новая.

— А машина может по автостраде больше двухсот километров в час ехать?

— Чья? Моя? Господи, Лампа, она же при восьмидесяти дребезжать начинает! А почему такой интерес к моей машине?

— Славка говорил, что некий Гнус подарил тебе «хитрые» «Жигули» — битые сверху и великолепные внутри.

— А ты поверила?

— Нет, — с жаром воскликнула я, — ни на минуту! Еще он сообщил, что квартира в Кунцеве твоя, а в домоуправлении отсутствовала информация о хозяине...

— Ясно, — вздохнул Костин, — гад он. Но бог не фраер, увидел, какой Славка подлец, и отнял у него удачу.

Началось с Нади Колесниковой. Та, в общем-то, совсем незлая баба, просто ей хочется иметь много денег, при этом ничего не делая. Отсюда и торговля «желудком беременной ослицы». И еще хитроумный Славка не учел одной простой вещи. Веселый, симпатичный Вовка понравился девушке. Надюше было крайне неприятно оттого, что она сделала какую-то подлость приятному парню. Некоторое время она колеблется, а потом решает обратиться к Лампе.

— Почему? И вообще, откуда она про меня знает?

— Так я рассказал, — пожал плечами майор, — про то, что живем рядом, и про то, что ты мой лучший и верный друг, про собак, Кирюшку и Лизавету...

Сразу пойти в милицию Надя боится, а вот к женщине, да еще к лучшей подруге, почти сестре Володи, едет без колебаний. Наверное, она хотела рассказать про царапину...

— Но меня не оказалось дома, и она ушла.

— Ага, — кивнул Володя, — причем отправилась прямехонько ко мне на работу, все-таки решилась рассказать правду Селезневу, позвонила тому по внутреннему телефону снизу.

Но, очевидно, в тот день богиня судьбы была против Надюши. Федор отсутствовал, и трубку в отделе снял Славка, живо смекнувший, какой опасной стала для него Колесникова...

— Он убил ее, — прошептала я, — но как?

— К сожалению, очень просто, — вздохнул майор. — Славка ездил в прошлом году отдыхать в Испанию и приволок оттуда шокер, такую дубинку, которая бьет током. Они одно время были на вооружении у полицейских Мадрида и Барселоны, но после того, как несколько человек погибло, шокеры запретили. Но в магазинах, торгующих оружием, они есть, стоят, правда, дорого, но Славка давно хотел такую «игрушку», вот и позволил себе. Все дело в том, что сила удара током регулируется у шокера от крохотной до такой, что может убить.

— Как же он его провез?

— Подумаешь, проблема, — фыркнул Вовка, — сунул за пазуху и прошел. Вещичка не железная, «звенеть» не станет.

Надю Колесникову Рожков убил без колебаний и попытался изобразить дело так, будто бабу «долбанула» посудомоечная машина. Славка даже испортил одну из ручек, приводящих агрегат в рабочее состояние.

Следующий, кого ему пришлось убрать, — Антон Селиванов, уж слишком много знал мужик, его просто нельзя было оставлять в живых. Причем Рожков обставляет дело не без элегантности. Покупает у метро в палатке курицу-гриль и засовывает ее в духовку. Но тут он перемудрил. Курица вызывает у Селезнева охотничью стойку.

— Почему?

— Пекла ты когда-нибудь птичку в фольге?

— Я не люблю готовить жаркое в фольге.

— Отчего?

— Корочка не образуется, курица получается бледной, такой противной с виду...

— Вот-вот. А в духовке у Антона, тщательно завернутая в фольгу, лежала изумительно поджаристая тушка. Конечно, он мог купить готовую птицу, а потом разогревать. Но слишком много мелких нестыковок было в этой истории. Последней жертвой оказался Андрей Малахов. Тот тоже знал слишком много, можно сказать, все нити вели к хозяину риелторской конторы. Андрей единственный, кто был в курсе, во-первых, Славкиной «работы» в «Золотом ключе», а во-вторых, именно Малахов посылал Реброва в кунцевскую квартиру, а Рожков только сейчас понял, какого дурака он свалял, организуя статью в «Московском комсомольце». Так что судьба друга детства была решена...

И опять Рожков полагает, что все в полном порядке, свидетели мертвы, можно жить спокойно. «Золотой ключ» перейдет в руки младшего брата Малахова, а с ним у Славы великолепные отношения. Так что в жизни Рожкова ничего не изменится. Он только не знает, что все его махинации уже почти раскрыты, что Володя жив и что Селезнев и Козлов бегут по следу, как породистые ищейки!

— Ну зачем, зачем было выдумывать историю с твоей кончиной? — заорала я.

— Успокойся, — сказал Володя, — ситуация с переводом меня в общую камеру, а затем с начавшейся там дракой выглядела очень подозрительно. Федьке сразу пришла в голову простая мысль: Костина хотят убить. Вот тогда-то и придумали план, объявив твоего покорного слугу скончавшимся.

Тут мои нервы не выдержали, по щекам потекли горячие слезы, а изо рта стали вырываться бессвязные слова:

— Как ты мог! Как такое в голову пришло! Господи, да мне сон приснился: ты в простыне пришел, лысый, в терновом венце!

Володька серьезно ответил:

— Представляю, как ты испугалась, мало того что я голый, так еще и без волос! Действительно жуткий сон!

— Я кидалась на всех людей, похожих на тебя!

— Укусить хотела? — с самым невинным выражением на лице поинтересовался майор.

Я задохнулась от негодования — ну как можно общаться с таким? Никакой серьезности!

— И на Мишку Козлова зря налетела!

Вовка рассмеялся.

— Да уж, оплевала ему всю машину, признайся, Лампец, у тебя в роду были верблюды?

Но меня уже захлестнуло жуткое раскаяние:

— И про Алексея плохо подумала...

Костин развеселился:

— Он рассказывал. Говорит, так глазами сверкала, что перепугался до жути. Прикинь, Лешка в Бутырке всю жизнь пашет, бандюганов не боится, а перед тобой спасовал!

— Зачем он вообще приходил?!

— Ну, в первый раз кое за какими моими документами...

— Хорош, однако, следователь, — фыркнула я, — заявился в чужую квартиру, накурил и бросил в пепельнице окурки! И что его второй раз «в гости» поволокло?

Володя вздохнул:

— Я ему забыл сказать, что у тебя тоже ключики есть, и про окурки Лешка просто не подумал, он-то считал, что в комнату никто не войдет. Представь, как мужик перепугался, когда ты на пороге возникла! Он аж вещи поронял!

— Какого черта он их брал!

— Так похолодало же! А я в одном костюме. Извини уж, замерз, свитерок и курточку надеть захотелось, — ерничал Вовка.

— Как же я не догадалась, что это Славка!

— Ну, дорогая, не расстраивайся, ей-богу, к такому выводу прийти оказалось непросто!

— Нет, — твердила я, — ведь я видела странности. Он ужасно нервничал, когда вез меня в Бутырку, и потом эта поездка к бабке, копать картошку... А еще я звонила ему домой, трубку сняла Лариска и набрехала, что Рожков не приехал, а кто-то в этот момент у них дома слушал наш разговор по другому телефону... Надо же было быть такой дурой!

— Ладно, — хмыкнул Вовка, — не убивайся. Теперь, когда наконец все всем ясно, можно и домой. Надеюсь, к моему возвращению закололи жирного тельца?

Я молча посмотрела на него. Нет, ты не знаешь всей правды, впрочем, надеюсь, никогда и не узнаешь ее. Во всяком случае, я никогда не расскажу о родственных связях между тобой и Соней, не обмолвлюсь и о том, что твои родители живы. Пусть Вовка по-прежнему считает своей матерью Жанну, а отцом Ивана Костина. Если они сами не открыли ему истину, то я не имею права этого делать. И потом, не та мать, что родила, а та, что выкормила. Нет, не хочу класть на плечи друга такой груз, эта тайна умерла.

Домой мы поехали вместе в Вовкиной машине. Перед выездом я позвонила к себе и сказала Кирюшке:

— Мы с Костиным сейчас прибудем, готовьте сюрприз!

— Какой сюрприз? — изумился майор. — Кстати, что ты рассказала детям?

— Ничего, — пожала я плечами. — Все собиралась открыть им правду про твою смерть, да духу не хватило. Еще хорошо, что Катерине телеграмму не послала. Честно говоря, я решила, что сначала найду настоящего убийцу Репниной, а потом уж расскажу всем... У меня язык не поворачивался сказать о том, что тебя посадили... И потом, если честно, у меня в душе жила уверенность — ты жив! Прямо чувствовала это. Я и нашей гостье ничего не сообщила, чтобы не волновать.

Вовка захохотал:

— Ну, Лампец! Только что ты говорила совсем иное! А как же сон? А прохожий? Налицо полное отсутствие интуиции! И что за гостья у вас живет?

Я поджала губы. Ничего не скажу. Пусть испытает настоящий шок при виде Ксюши и своего новорожденного сына, может, тогда поймет, как мне было плохо!

Дома я затащила Вовку в гостиную, посадила на диван и заорала:

— Эй, ребята, выводи их!

Через секунду дверь в комнату распахнулась и появилась живописная группа. Впереди шла Лизавета, неся в руках младенца, завернутого в кружевную пеленку, за ней двигался Кирюшка, он вел под руку принаряженную Ксюшу. Молодая мать тщательно уложила волосы и даже накрасила губы помадой.

— Вот, — гордо сказала я, — вот наш сюрприз!

Повисла тишина. Вовка и Ксюша уставились друг на друга. Дети выжидательно молчали, даже собаки, понимая важность момента, затихли. Когда пауза слишком затянулась, я решила взять дело в свои руки. Надо же, от счастья оба главных участника события проглотили языки!

— Ну, Володя, — подтолкнула я майора, — скорей обними Ксюшу!

— Зачем? — неожиданно ответил приятель.

Вот тут я обозлилась по-настоящему.

— Затем, что это твой сын и твоя жена.

— Кто? — продолжал идиотничать Костин.

— Дед Пихто, — взвилась я, — Ксюша, конечно. А ты, Ксюня, чего молчишь, а?

— Я его не знаю, — выдавила из себя девушка, — впервые вижу, это не мой Володя!

— Как не твой?

— Просто, — ответила Ксюша.

— Ничего не понимаю, — заорал Кирюшка, — ничегошеньки!

— Но, — завела я, — как же, ты сама приехала, сказала, Володя ждет!

— Ждет, — со слезами на глазах подтвердила Ксюня, — но это не он!

— Жуть! — взвизгнула Лиза.

— Погодите, — велел Вова, — ну-ка объясняйте все по порядку.

Следующие полчаса мы, перебивая друг друга, выкладывали информацию. Наконец фонтан иссяк.

— Все ясно, — изрек Володя.

— Что, что? — накинулись мы на него.

— Либо мужик обманул Ксению, дав неправильный адрес...

— Этого не может быть, — категорично заявила девушка, — мой Володя не такой!

— Либо... ну-ка скажите, — ткнул майор пальцем в окно, указывая на точь-в-точь такую же девятиэтажку, как наша, — какой номер того домика?

— Восемь, а, — хором сказали Кирка и Лизавета.

— А в каком мы обитаем?

— В восьмом, — бормотнула я и тут же заорала: — Скорей, бежим!

Все вылетели на улицу, забыв про куртки и ботинки. Впереди летел Кирюшка, за ним неслась Ксюша, мы с Лизаветой, судорожно прижимавшей к груди новорожденного, чуть отстали, Володя быстрым шагом шел в арьергарде. Собаки, на которых никто не позаботился надеть поводки, ошалев от неожиданной свободы, носились туда-сюда, оглашая окрестности нервным лаем. Сзади всех, тяжело отдуваясь, ковыляла толстая Муля. Поняв, что происходит какое-то невероятное событие, апатичная мопсиха изменила своим привычкам и прервала сладкий сон ради участия в марафоне.

Не говоря ни слова, мы вознеслись на нужный этаж и стали звонить в дверь. Она тут же распахнулась — на пороге возник высокий, светловолосый парень.

— Ксюня! — воскликнул он. — Где ты была? Я извелся весь.

— Вовочка, — зарыдала девушка, кидаясь ему на шею, — Вовочка!

Мы во все глаза наблюдали за ними.

— Но как же так, — прошептала я, — у младенца глаза майора!

Костин хмыкнул:

— Ох, Лампа, опять напутала, ты просто ожидала увидеть моего сына, вот и умилилась глазам.

Внезапно Кирюшка заплакал. Я прижала к своей груди его всклокоченную голову. Надо же, какой ранимый, тонко чувствующий мальчик!

— Ну, ну, успокойся, дружочек, видишь, все хорошо. Ксюша нашла мужа, а ребеночек папу, не переживай так!

Кирка вытер сопли о мой рукав и пронял:

— Да, она, Ксеня, теперь больше у нас готовить не будет, все, никогда теперь шарлотку с кремом не поедим, кончилось вкусное!

Я оторопела:

— Так ты из-за еды убиваешься?

Кирка простонал:

— Это тебе, Лампа, одного бутерброда в день хватает, а мой растущий организм требует белков, жиров и углеродов!

— Углеводов, — машинально поправила я.

Ксюша повернула к нам счастливое лицо:

— Кирюшка, не волнуйся! Никогда не брошу вас, а уж шарлотку станешь теперь есть каждый день, мне нетрудно ее испечь.

Ничего не понимающий отец младенца с изумлением глядел на нас, потом поинтересовался:

— Ксюнь, а это кто?

Неожиданно все покатились со смеху, громовой звук пронесся под сводами.

— Сейчас я тебе все объясню, — простонала Ксюша, — только, боюсь, не поверишь!

В этот момент послышалось напряженное сопение. Коротколапая Мулечка, не успевшая забежать вместе со всеми в лифт, добралась пешком до места событий, поспев к шапочному разбору.

ЭПИЛОГ

Прошла осень. Я по-прежнему пытаюсь вбить в детские головы необходимый минимум музыкальных знаний. Кирюшка и Лизавета ходят в школу. Собаки и кошки, слава богу, здоровы. Только Муля, почуяв, что не за горами холодная, вьюжная зима, впала в спячку. Из горы пледов она выбирается лишь поесть и погулять. Ксюша вышла замуж за своего Володю. Он оказался приятным, домовитым парнем, и мы со спокойной душой считаем его другом. Кстати, обещание печь пироги, данное Кирюшке, Ксюха честно выполняет, и мальчик бегает между нашими домами, сюда — с шарлоткой, туда — с пустой формой для кексов. Младенец, названный Филиппом, растет не по дням, а по часам. Из сморщенного «полуфабриката» он превратился в розовощекого мальчишечку с перевязочками на пухлых ножках и ручках.

Мишка Козлов простил мне заплеванные «Жигули» и иногда приезжает на чай. Вы не поверите, но вместе с ним частенько приходит и Федор Селезнев. На самом деле он не такой уж и противный, просто парень живет по правилам и пытается других заставить делать то же самое. Бутырский тюремщик Алексей оказался женат, более того, он воспитывает двух мальчишек-погодков, страстных любителей животных. Если этой зимой мы устроим свадьбу для наших мопсих, то Алеша получит щенка от Ады. Адуся покорила сердце Алешкиных детей своим умением играть в футбол.

«Московский комсомолец» напечатал гигантскую статью под названием «Заклятый друг». Хитрый журналист Шлыков описал все произошедшие с нами события, приукрасив изо всех сил роль «МК». Простодушному читателю усиленно вкладывали в голову: майор Костин — герой, но новый материал «Комсомольца» — не опровержение публикации «Мент позорный». Нет, оказывается, сотрудники желтого листка все знали и участвовали в оперативной акции. А вот теперь, когда преступники найдены и ждут суда, журналюги и открывают правду. Одним словом, подписывайтесь на «МК», только у нас достоверная информация обо всех.

Я не стала звонить в редакцию и поднимать скандал, в конце концов, цель достигнута, доброе имя Володи восстановлено, ну не заниматься же воспитанием людей, зарабатывающих себе на жизнь публикацией «уток»!

Славка оказался в Бутырке. Не зря народная мудрость гласит: «Не рой яму другому», Рожкова посадили в ту самую сотую камеру, в которой ранили Володю. Слава теперь кается во всех преступлениях, отрицая только одно. Он ни за что не хочет признавать, что пытался организовать в СИЗО убийство Володи. Лариску тоже арестовали, но она находится в другом изоляторе, кажется, в Капотне. Впрочем, не знаю. На свидание к ним я не хожу и продуктов не ношу. И, честно говоря, мне их не жаль, надеюсь, оба получают по заслугам. Хотя почему-то наша слепая Фемида бывает крайне лояльна к убийцам.

Володя продолжает работать. После того как завершился хреновый сентябрь, я взяла с приятеля честное слово, нет, заставила поклясться его на Уголовном кодексе, что теперь всех своих любовниц он будет приводить к нам на ужин.

— Буду печь пироги с мясом и вести себя прилич-